COLLECTION « VÉCU »

PRINCESSE ASHRAF PAHLAVI

VISAGES
DANS UN MIROIR

La sœur du Shah témoigne

Traduit de l'américain par Marie-Josée Tubeuf et Robert Bré

ÉDITIONS ROBERT LAFFONT
PARIS

COÉDITION ROBERT LAFFONT — OPERA MUNDI

Titre original : FACES IN A MIRROR, Memoirs from Exile
© S.A.I. La Princesse Ashraf Pahlavi, 1980
Traduction française : Opera Mundi et Robert Laffont, S.A., Paris, 1980

ISBN 2-221-00549-X
(édition originale :
ISBN 0-13-299131-4 Prentice Hall Inc., Englewood Cliffs, N.J.)

A mon fils Shahriar
et à tous ceux qui comme lui
sont tombés au nom de l'Iran

Introduction

J'écris ces Mémoires en exil, à New York où je vis pratiquement recluse depuis la « révolution » en Iran, en février 1979. Les fenêtres devant lesquelles je travaille donnent sur l'East River. Elles donnent en plein sur les Nations unies. J'ai travaillé là seize ans, en tant que déléguée de l'Iran et en tant que membre de la Commission des Droits de l'Homme, dont plus tard j'ai été présidente — enfin, pendant sept ans, en tant que présidente de la délégation iranienne. C'est dire si je connais bien les Nations unies. Elles sont pour moi comme une seconde maison. J'ai aimé les heures innombrables que j'y ai passées. J'en étais arrivée à croire que quand on porte une affaire devant un tel tribunal, on peut compter trouver dans les débats une loyauté qui n'existe pas ailleurs. Combien il est dur pour moi, et, je ne le cache pas, quelle amertume est la mienne de devoir regarder du dehors cette maison où ceux qui se disaient mes amis approuvent la création d'une commission de l'O.N.U. qui aujourd'hui donne audience à la meute de ceux qui vilipendent l'Iran des Pahlavi !

En face de telles attaques je devrais me trouver, à l'heure qu'il est, endurcie. Il y en a tant eu, en cette année si riche en rebondissements. Mais je vais dire la vérité. Je ne suis pas endurcie. Comme il arrive toujours en face d'un choc, dans la tristesse et le chagrin, j'ai fait mon possible pour comprendre. Qu'est-il arrivé, exactement, à l'Iran et à mon frère jumeau, le Shah ? Les causes de cette tempête, je les ai évoquées avec lui en de longues conversations

7

(depuis l'enfance, dans les moments difficiles, il a toujours été mon unique recours), nous avons discuté des chemins qu'il a choisis (suivant la voie ouverte par notre père, Reza Shah) pour essayer d'amener l'Iran d'une situation et d'une culture qui étaient arriérées, médiévales, à l'unité d'une nation moderne et forte. J'ai médité sur les moyens et la précipitation avec lesquels cette vision s'est trouvée traduite dans les faits. Notre histoire, ce n'est que trop clair, a été faite de réussites, et d'erreurs. Mais, c'est aussi clair pour moi désormais, c'est une histoire qui concerne tout autant l'Occident, car l'Occident non plus n'a pas entièrement compris ses propres erreurs et ses propres réussites en Iran.

Ce défaut de compréhension a poussé plus d'un pays occidental, et l'Amérique en particulier, à tenir pour acquis que si le Shah s'effaçait, le chemin se trouvait libre pour une installation immédiate de la démocratie. Pourtant un étudiant de la psychologie iranienne simple débutant aurait pu prédire que la destitution du Shah ferait surgir une autre puissante figure paternelle — comme celle de Ruhollah Khomeiny. C'est sur ce présupposé (que je ne peux considérer, moi, que comme une chimère) que le gouvernement Carter, trahissant le Shah, a déchaîné sur l'Iran, sur lui-même, sur le reste de monde, une des crises politiques les plus graves depuis la fin de la Seconde Guerre mondiale. Et l'Amérique ne peut plus se dissimuler, à présent, que la chute du Shah a entraîné, et continuera d'entraîner, de terribles conséquences, et qu'elle a purement et simplement détruit l'équilibre des puissances dans le monde.

Combien cette chimère était loin de la réalité, la tyrannie criarde du régime de Khomeiny l'illustre de façon assez dramatique, je crois, avec ses purges sanglantes, sa répression à l'égard des femmes, l'exode d'un million et demi d'Iraniens, dont presque tout ce que le pays comptait d'intellectuels et de spécialistes, l'occupation de l'ambassade des États-Unis, et la prise de cinquante Américains en otages. Il y a là, je pense, de quoi provoquer de la stupeur, et même de la consternation, tant dans les milieux officiels que dans l'opinion publique américaine. Je me demande surtout ce que peuvent penser les milieux gouvernants des véhémentes attaques dont Khomeiny abreuve l'Amérique, et Carter lui-même, pour les remercier de leur aide.

C'est en août 1978 que j'ai vu l'Iran pour la dernière fois. Je revenais d'une conférence de l'Organisation mondiale de la santé en Russie, et j'ai trouvé le pays envahi par la marée montante du désordre. Mon frère me pressa de partir, ce que je fis : et c'est de loin que j'ai dû observer la marche progressive de l'Iran vers le bouleversement total. Quand mon frère lui-même dut quitter l'Iran en janvier 1979, quand il fut forcé de prendre le chemin de l'exil, j'ai pris ma part du désespoir de l'homme dont la vie a depuis toujours été indissociablement liée à la mienne, quand il dut se chercher une nouvelle demeure. Cette quête commença à Assouan, le conduisit ensuite au Maroc, puis aux Bahamas, à Cuernevaca, à une chambre d'hôpital à New York, à une base aérienne américaine au Texas, et pour finir à Panama. J'ai essayé d'alléger pour lui le fardeau de ces temps de tourmente, j'ai été là chaque fois que j'ai pu, partageant avec lui les misères de l'exil et de la maladie.

Je me rappelle comment, dans la solitude glacée d'une chambre d'hôpital, nous avons passé son soixantième anniversaire (ou devrais-je dire : notre anniversaire ?). Dedans, pour nous réconforter, nous avions des milliers de messages de sympathie. Dehors, la controverse faisait rage : le gouvernement américain devait-il, oui ou non, donner à un allié de trente-sept ans la possibilité, au moins, de se faire soigner décemment ? On connaît l'escalade qui suivit : l'occupation de l'ambassade américaine à Téhéran, la prise de cinquante otages, enfin cette demande de rançon qui signifiait tout simplement la prétention de dicter à l'Amérique sa propre politique.

Cette rançon, j'ai pu la voir payée, par acomptes successifs, d'abord quand les hommes politiques américains s'empressèrent de désavouer un souverain qu'ils avaient couvert de compliments et soutenu pendant des dizaines d'années, puis quand ils battirent tous ensemble leur coulpe pour lui avoir accordé ce soutien. Vint enfin le temps du silence gêné, moyen sans doute le plus commode pour avaler cette amère réalité : l'attitude de l'Amérique à l'égard de ses alliés d'hier, et son rôle dans l'avènement du chaos qui règne désormais.

Pour moi, tout ce temps, j'ai eu d'assez grands sujets d'angoisse avec la santé de mon frère le Shah, son isolement, et les graves menaces auxquelles lui-même et sa famille ont dû faire face. La dernière fois que je l'ai vu, c'était en février 1980. Je pris un petit avion pour me rendre à Contadora, petite île panaméenne pour touristes. Comme nous atterrissions sur une piste surélevée, j'ai pu apercevoir l'océan entre les cocotiers. J'ai été heureuse que mon frère, après avoir vécu toute une année dans une sorte d'état de siège, ait au moins ce panorama pour lui procurer l'illusion de la liberté. L'île comporte un complexe hôtelier et il s'y trouve quelques villas privées. C'est l'une d'elles que mon frère occupe, une maison de deux étages avec quatre chambres à coucher, et un toit pointu de tuiles jaunes. La saison des pluies dans l'île dure six mois, mais il faisait sec quand je m'y rendis, et nous avons pu faire ensemble de longues promenades, comme au temps de notre enfance. Mais ce dont nous parlions maintenant, c'était des dures réalités de notre monde d'adultes.

Pendant la première de ces promenades, je fus frappée et surprise du peu d'amertume de mon frère devant la façon dont le traitait une nation avec les dirigeants de laquelle il avait entretenu les liens les plus étroits. Il ressent pourtant, au même degré que moi, la gravité et la profondeur de la coupure qui est intervenue entre l'Amérique et l'Iran. L'agitation grandissante de l'Iran à la fin des années 70 a été un phénomène complexe, aux implications à la fois historiques, sociales et économiques. Néanmoins l'Amérique interprétait l'opposition au trône comme une pure et simple aspiration à un régime de type plus occidental. Ce faisant, je crois qu'elle n'a pas su comprendre la fondamentale différence qui sépare nos cultures, et notamment l'enracinement historique du principe monarchique dans une société où les enfants, des siècles durant, ont appris que les mots « Dieu, Pays, Shah » ne sauraient être dissociés.

Au cours d'une autre promenade, mon frère et moi avons parlé du mal que nous avons eu à comprendre la réaction de l'Amérique au régime de Khomeiny, répondant à des actes de piraterie et de terrorisme par une politique qui apparaît comme essentiellement une politique d'apaisement. Que la situation causée par la prise d'otages ait demandé de la prudence, cela se conçoit. Mais, par son attitude comme par ses actes, le gouvernement américain a donné un exemple que d'autres pays hostiles n'auront garde d'oublier : à savoir que les actes de terrorisme et de piraterie pourront servir à l'avenir d'arguments de négociation, moyen très simple par lequel des nations de moindre puissance pourraient parler d'égal à égal avec une puissance comme les États-Unis.

Cette volonté d'« apaisement » a affecté les Pahlavi personnellement, bien sûr, puisque les États-Unis acceptent désormais de voir leur politique iranienne, au même titre que les accusations dont est l'objet le Shah, examinée par une commission des Nations unies — dernière tranche de la rançon payée au « vieil homme de Qom ». La création de cette commission a été pour moi une désillusion d'autant plus grande qu'elle a été l'œuvre du secrétaire général Kurt Waldheim, un homme qui a été mon ami et mon partenaire durant les sept dernières années que j'ai passées à l'O.N.U. J'ai beau faire, je ne puis m'expliquer cette sorte de revirement car, si la trahison politique est monnaie courante dans nos pays, j'attendais autre chose — de façon sans doute naïve — des Nations unies comme des

10

INTRODUCTION

États-Unis. Je n'avais pas pensé qu'ils pourraient s'aventurer dans une entreprise si contestable, dont l'Histoire n'a pas laissé d'exemple : la sélection d'hommes qui se présentent eux-mêmes comme ayant qualité pour juger l'histoire politique d'une nation. Qui donc en ce cas, je me demande, jugera de tels juges ?

Ce n'est là qu'une des questions que je me suis posées pendant cette dernière année d'exil. Depuis l'été de 1979, j'ai couché sur le papier mes pensées et mes réflexions, passant chaque jour cinq ou six heures à essayer de reconstruire par ma seule mémoire (depuis la révolution, presque toutes mes archives personnelles ont brûlé à Téhéran) l'histoire de l'Iran des Pahlavi. Je l'ai fait en partie parce que je ne suis pas femme à rester inactive, et j'ai dû trouver un moyen de remplir mes heures. Mais j'ai aussi ressenti le besoin de dire les choses comme je les ai vues, et vécues de l'intérieur, telles que moi seule ai pu les vivre. J'ai commencé à rechercher au fond de ma mémoire des détails de la Perse de mon enfance, la Perse des femmes voilées et des bazars anciens. J'ai commencé à revivre des scènes de l'Iran secoué par la guerre, les nuages de poussière que les tanks alliés soulevaient sur nos routes. Je me rappelle la Conférence de Téhéran. Je me rappelle ma première visite à Staline, au début de la guerre froide, quand l'Iran voyait se dresser devant lui le double danger de l'Union soviétique et de la montée du communisme. Je commençai à reconstituer mon violent combat personnel contre un des Premiers ministres les plus forts et les plus controversés que l'Iran ait connus, Mohammed Mossadegh. Je me suis aussi rappelé, et j'ai décidé de rendre public, le rôle actif que j'ai été appelée à jouer dans l'Opération Ajax — cette opération de la C.I.A. qui amena la chute de Mossadegh et qui empêcha l'Iran de tomber aux mains des communistes.

Mais, comme je commençais mon travail, et à mesure que les mois passaient, je ressentis aussi une certaine nécessité d'aller vite, tant je lisais de jugements tendancieux, dans les milieux les plus divers, sur ce qui s'est passé en Iran pendant le règne de mon frère. J'ai vu alléguer, sans l'ombre d'un fondement, des tortures sur une grande échelle et des meurtres perpétrés par la Savak ; des accusations fantaisistes de gabegie financière ou de malversations ; enfin des accusations gratuites de répression généralisée. Je compris que ces allégations travestissaient la vérité, et que les pages de ce livre seraient peut-être les seules où le public pourrait lire la vraie histoire des Pahlavi, telle que je l'ai vue et vécue.

Des amis à moi m'ont mise en garde. Ils m'ont dit que le silence serait de ma part l'attitude la plus politique, au moment où l'actuel régime en Iran parle assez par lui-même. Je suis restée silencieuse des mois. La quête d'un asile pour mon frère, la prise d'otages créaient une conjoncture mondiale où dire le moindre mot pouvait avoir des conséquences fatales. A présent que je ne vois plus seulement les tragédies que vit l'Iran, mais aussi l'imposture de la commission des Nations unies, je me sens le devoir de parler, et cela convient mieux à mon caractère.

Il y a vingt ans, des journalistes français m'ont appelée la « Panthère noire » *. Je ne cache pas que ce nom me va, à bien des égards, et qu'il me plaît. Comme la panthère, je suis de nature emportée, indomptable, assurée. Bien souvent ce n'est qu'au prix d'un long et pénible effort que je puis me composer un maintien et une réserve en public. Pour tout dire, il m'arrive d'envier à la panthère ses griffes d'acier. Elles me permettraient de sauter à la gorge des ennemis de mon pays. Je n'ignore pas que ces ennemis (et particulièrement à la lumière des événements récents) m'ont dépeinte comme impitoyable et incapable de pardon, presque le diable réincarné. Mes calomniateurs m'ont accusée d'être une contrebandière, une espionne, une affiliée de la Mafia, et même une fois une trafiquante de drogue, et bien entendu un agent de tous les services d'espionnage et de contre-espionnage de la Terre.

C'est aussi en partie ces calomnies qui m'ont poussée à écrire ce livre, non pas du tout pour me défendre moi-même, mais pour pouvoir examiner une bonne fois ces accusations en pleine lumière, ce qui est un bon moyen de faire connaître la vérité sur les événements politiques dans mon pays, comme sur ceux de ma vie privée. Au-delà de cet objectif, je tiens à expliquer aux lecteurs occidentaux ce qu'ils n'ont pas réussi à comprendre sur la nature même de la culture et de la tradition iraniennes, sur l'hétérogénéité et l'esprit de faction qui menacent aujourd'hui l'unité même du pays, sur la nature de la soi-disant renaissance de l'islam, sur l'opposition que les Pahlavi déchaînèrent contre eux-mêmes quand ils prirent l'Occident comme modèle de leur propre idéal de progrès et de changement, enfin sur les sentiments violemment hostiles à l'Occident qui, en ce moment même, animent tout le Moyen-Orient.

Tout cela, je peux en parler aujourd'hui plus librement que je n'ai jamais pu par le passé. Aujourd'hui les membres de ma famille sont en exil, dispersés dans le monde entier — à l'exception d'un seul. Un jour glacial de décembre 1979, ma fille Azadeh m'a

---

* (En français dans le texte).

INTRODUCTION

téléphoné pour me dire que mon fils Shahriar avait été abattu à coups de feu dans une rue de Paris. Ma douleur a été celle de toute mère qui perd son enfant, mais ma tristesse était pour mon fils, qui avait été un soldat, un commandant dans la marine iranienne et qui, ayant dû quitter son pays après la révolution, me disait qu'il ne pouvait supporter de mener cette vie d'exil. Et quoiqu'il soit parti, je n'accepte pas l'idée de l'ensevelir dans un sol étranger. J'ai fait embaumer son corps. Je promets qu'un jour il reposera dans le sol de ses pères.

Ainsi, aujourd'hui, je n'ai plus grand-chose à perdre, et je peux dire qui je suis, et ce que les Pahlavi, mon père et, naturellement, mon frère, ont représenté pour moi et pour l'Iran.

Ashraf Pahlavi
New York, mars 1980

1

REZA KHAN

Je peux me le représenter tel qu'il a dû être en ce temps-là, une sorte de géant, opiniâtre, soupe-au-lait, animé d'une énergie farouche, déambulant autour de la piscine située dans la cour en brique de notre maison, fumant les cigarettes persanes qu'il appréciait tant. Entouré par les hommes de sa brigade, il attendait en ce jour plutôt froid de l'automne 1919 (le 26 octobre). Trois ans plus tôt ma sœur Shams était née et maintenant Reza Khan Pahlavi, commandant de la brigade persane des cosaques, se devait d'avoir un fils.

La tension céda quand un de ses soldats arriva en courant dans la cour : « C'est un fils ! »

Mais quand mon père se précipita vers la maison pour voir l'enfant qui était son héritier, il fut arrêté par la sage-femme qui aidait ma mère dans ses couches.

« Attendez. Il y a encore un enfant. »

Arrivée cinq heures plus tard, je ne provoquai pas du tout l'excitation qui avait salué la naissance de mon frère. Dire que je n'étais pas désirée pourrait sembler dur, mais ce n'était pas si éloigné de la vérité. Il y avait déjà ma bien-aimée sœur Shams, et maintenant un fils qui personnifiait la réalisation des rêves de mes parents.

Le fait d'être née le même jour que Mohammed Reza

15

Pahlavi, futur prince héritier, puis Shah d'Iran, ne me donnerait jamais le sentiment que je pouvais revendiquer une affection spéciale de la part de mes parents.

Et pourtant ce fut cette gémellité et cette relation avec mon frère qui, pendant toute mon enfance, me nourrirait et me soutiendrait, qui constituerait le lien familial le plus fort que j'aie jamais connu. Peu importe combien, dans les années à venir j'essaierais, parfois désespérément, de me trouver une identité et un but. Je resterais inextricablement liée à mon frère jumeau. Je me marierais plus d'une fois. J'aurais des enfants à moi. Je travaillerais pour mon pays d'une façon alors inouïe pour une femme de ma génération. J'irais même en exil (trois fois) seule. Mais le centre de mon existence a toujours été, et est toujours, Mohammed Reza Pahlavi.

Quand mon frère et moi naquîmes, mon père avait déjà jeté une ombre immense sur la scène politique de la Perse, une ombre qui s'étendait bien au-delà du petit village de Alasht dans les montagnes du Nord (non loin des frontières russes) où il était né en 1876. Son père, officier de l'armée, était mort quand mon père était encore un enfant, laissant ma grand-mère sans ressources personnelles. En ce temps-là, une jeune femme dans cette situation subissait de nombreuses avanies quand son mari disparaissait, car sans sa protection, elle passait matériellement sous la tutelle de sa belle-famille.

Dotée d'une forte volonté, à ce que j'ai entendu dire, ma grand-mère voulut élever son enfant suivant ses propres idées, et elle décida de quitter Alasht et de retourner à Téhéran où elle était née. Son petit garçon dans les bras, elle traversa à pied les montagnes, suivant les caravanes vers la capitale, où elle trouva le réconfort auprès de sa propre famille et de ses amis.

Mon père parlait rarement de son enfance, mais du peu qu'il en disait, je sais qu'à cause de la mort de son père, et à cause du refus de sa mère de se laisser dominer par sa belle-famille (un refus qui la priva de toute assistance financière), il grandit dans une atmosphère de privations qui l'endurcit et lui montra l'importance de la confiance en soi. A cette époque, seuls les gens très riches pouvaient se payer une éducation en règle et comme mon grand-père avait été

16

militaire avant sa mort, mon père grandit dans l'idée qu'il serait soldat. C'était un choix excellent car il était exceptionnellement grand et fort, même pour les régions des montagnes du Nord qui étaient réputées avoir les hommes les plus grands d'Iran.

Quand il eut atteint l'âge de seize ans, il mesurait près de 1,90 mètre et était encore en train de grandir. Il s'enrôla dans la brigade persane de cosaques (les Persans comme les Russes utilisaient le mot cosaque comme synonyme de soldat), une unité d'élite qui était la seule force de combat moderne du pays — selon les critères persans.

Dès le début de sa carrière militaire, je crois qu'il fut évident, pour ceux qui connaissaient Reza Khan, qu'il était destiné à autre chose qu'à la vie de simple soldat. Sous son chapeau de fourrure et dans ses bottes de cuir, monté sur un cheval fringant, il avait belle allure, mais en plus de cela, il avait un don certain pour le genre d'action héroïque et audacieuse qui crée les légendes militaires. Avec de l'expérience il deviendrait un tacticien de premier ordre et un combattant de première ligne discipliné. Mais si à cela s'étaient bornés ses talents, il serait peut-être devenu un général compétent, mais sans plus. Qu'il allât plus loin fut le résultat de sa compréhension intuitive de la psychologie des champs de bataille, de son empressement à risquer sa vie dans des coups théâtralement audacieux qui créaient autour de lui une aura d'invincibilité et lui gagnaient le loyalisme aveugle de ses hommes. Plus d'une fois, il laissa ses troupes aux abords d'un champ de bataille, et partit seul à cheval, sans armes, à l'intérieur du territoire des chefs des tribus rebelles. Geste qui souvent assura une victoire sans effusion de sang.

D'un point de vue historique, on peut dire qu'un homme comme Reza Khan n'avait que trop tardé à paraître sur la scène politique persane. Comprendre cela, c'est comprendre la situation de la Perse au début du XXᵉ siècle. C'est comprendre la pauvreté de son économie, sa vulnérabilité à toute forme d'intervention étrangère et sa position au centre du monde islamique. Ces réalités de base, que l'Occident n'a pas encore comprises, à mon avis, dominent toute notre histoire, aujourd'hui encore. Contrairement à l'Europe, la Perse d'il y a quatre-vingts ans était dans une de ses périodes de déclin les plus sérieuses depuis deux mille cinq cents ans. (Seul le déclin de la deuxième moitié du XVIIIe siècle avait été plus profond.) Après la civilisation hautement développée de Cyrus et de Darius, elle était devenue un pays appauvri, gouverné par la dynastie fatiguée et politiquement en faillite des Ghadjar. L'énorme masse de son territoire, 1 648 000 kilomètres carrés, était divisée en dix provinces, sans liaison aucune, ni par route ni par aucun autre moyen de communication, avec le siège du gouvernement à Téhéran. Parfois il fallait même traverser un pays étranger pour atteindre une de nos provinces. Pour gagner le Khuzestan, il fallait passer par l'Irak ; pour arriver au Khorrasan on devait traverser la Russie.

Mis à part les foires de marchands et d'artisans à Téhéran, Tabriz, ou d'autres villes, la Perse était un pays agricole, fait d'immenses domaines où des cultivateurs à bail vivaient et travaillaient dans une pauvreté abjecte sous un régime féodal dont bénéficiaient les propriétaires (souvent appelés les mille familles.) Des tribus nomades gardaient des moutons et des boucs, au rythme des saisons, comme l'avaient fait leurs ancêtres pendant des centaines d'années. Bien que la présence du pétrole ait été connue depuis des siècles, la Perse n'avait ni les fonds ni la technique pour développer ces ressources. Notre pays était médiéval et primitif, sans routes carrossables, sans hygiène, sans service postal, sans système scolaire, et sans hôpitaux. Un pays où 98 pour 100 de la population était formé d'illettrés et où les femmes n'avaient pratiquement aucun droit. L'espérance de vie était de trente ans et la mortalité infantile l'une des plus élevées au monde.

Le pouvoir politique réel était aux mains des propriétaires et des chefs de tribus (qui possédaient chacun une armée sur pied de guerre). Ils gouvernaient dans le cadre d'un système primitif et exerçaient un contrôle total sur leur propre population. En un sens c'était un pays composé de la réunion d'États provinciaux. Le roi, Nasr-ed-din-Shah (1848-1896) était devenu une sorte de mannequin à qui les chefs de tribus n'offraient que les signes extérieurs du respect. Sa véritable position pourrait être illustrée par les méthodes de collecte des impôts. Bien que ces derniers dussent être théoriquement payés directement au Trésor royal, le roi, en fait, n'avait aucun pouvoir pour faire exécuter ces prélèvements. C'étaient les chefs de tribus qui, avec leurs hommes armés, servaient de collecteurs d'impôts, sans oublier de prélever un substantiel pourcentage pour se payer de leurs services. Le Trésor royal était souvent vide, et il n'était pas rare de voir le gouvernement emprunter de l'argent aux marchands du bazar de Téhéran.

Cet État affaibli, et l'absence d'un gouvernement central fort ainsi que d'une armée efficace, rendaient la Perse continuellement vulnérable aux interventions et aux pressions étrangères. Si nous voulons comprendre l'humeur de l'Iran aujourd'hui, nous devons nous rappeler que la Perse, bien que n'ayant jamais été colonisée, fut régulièrement envahie et pénétrée par des forces étrangères plus puissantes que la sienne. Pour la Russie, au nord, la Perse représentait, comme aujourd'hui encore, 1 800 kilomètres de frontières communes, et un accès vital aux ports des mers chaudes. Pour l'Angleterre, la Perse offrait des ressources naturelles encore inexploitées — spécialement le pétrole qui allait devenir la sève vitale de l'Occident industrialisé — et une extension géopolitiquement logique de son vaste empire colonial en Asie et en Afrique. Chacune de ces puissances passa des alliances avec l'un ou l'autre chef de tribu, et à travers eux, la Grande-Bretagne et la Russie établirent leurs zones d'influence, au besoin avec l'appui des armes.

Tout cela, l'insolvabilité économique de la Perse et la vulnérabilité aux interférences étrangères, doit être considéré avec, en arrière-plan, la tradition islamique encore plongée dans l'obscurantisme. Bien que l'islam reconnaisse la séparation des affaires spirituelles et temporelles, le clergé chiite (les mollahs) représentant la religion d'État de la Perse avait été en général plus actif, politiquement parlant, que les sunnites qui détenaient la majorité dans des pays comme l'Égypte, Oman, le Qatar et le Koweït. Bien des hommes d'Église influents avaient passé des alliances avec des représentants des puissances étrangères, les Anglais le plus souvent, et il y avait une plaisanterie courante en Perse qui disait que si vous souleviez une barbe ecclésiastique vous y verriez imprimés les mots : *made in England.*

Ces mollahs chiites exerçaient une grande influence sur l'esprit des masses. Dans les villages ruraux, le mollah était souvent la seule personne sachant lire et écrire. Pour le paysan il était à la fois le scribe et le professeur, l'interprète de la voix de Dieu, le chemin vers les promesses de paradis. Et si parfois la voix de Dieu avait l'accent russe ou anglais, il était difficile pour le paysan de découvrir où s'arrêtait la religion et où commençait la politique.

Étant donné cet état de choses, et la frustration que représentait la tâche de gouverner un pays aussi pauvre, composé de quelque dix millions d'habitants, Nasr-ed-din-Shah préférait passer son temps dans les capitales européennes plus cultivées. Quand il manquait de fonds, il se tournait vers les Anglais ou vers les Russes, qui n'étaient que trop heureux de le dépanner, moyennant une série de concessions qui hypothéquaient virtuellement les ressources de la Perse. Quand il fut assassiné en 1896, Nasr-ed-din-Shah avait cédé les pêcheries du pays (caviar) aux Russes, et avait fait une série d'autres concessions aux Anglais.

Ce système continua avec son fils, Mozzafa-eddin-Shah, qui en 1901, céda les droits de concession sur le pétrole dans le sud de la Perse à l'entrepreneur William Knox d'Arcy, pour 20 000 livres. Cet accord, et d'autres qui suivirent, serait l'objet de sévères batailles politiques, non seulement avec les Anglais, mais à l'intérieur même de la Perse. Toute l'histoire de la Perse, jusqu'à la révolution elle-même, et jusqu'à la crise actuelle, ne peut être séparée de l'histoire du pétrole.

Alors vint un tournant, une réaction, contre cette exploitation étrangère, avec le développement d'un embryon de mouvement appelé « les jeunes Persans » dont le but était d'instaurer un gouvernement constitutionnel, et de libérer le pays des interventions extérieures. Ce leitmotiv, alliance d'abord, puis réaction de rejet et de désenchantement contre le monde extérieur, est bien connu sur l'échiquier politique du Moyen-Orient. Il a réapparu, comme il le fait aujourd'hui, avec une régularité quasi cyclique.

Les partisans de la Constitution étaient particulièrement

puissants à Tabriz, capitale de l'Azerbaïdjan, la province la plus proche de la Russie et de la Turquie, où, au début du siècle, un mouvement bien organisé de « jeunes Turcs » essaya de mettre fin au califat et aux interventions étrangères pour établir une république.

Mais le Tsar de Russie, qui ne souhaitait pas voir l'installation d'un gouvernement constitutionnel sur ses frontières, soutint le Shah Ghadjar. Il expédia des officiers russes pour entraîner et commander la brigade des cosaques, et assurer sa fidélité au trône. Les Anglais soutenaient les partisans de la Constitution, qui, en 1906, remportèrent une victoire en forçant le roi à accepter la création d'une Assemblée nationale. Deux ans plus tard, les Russes ordonnèrent à la brigade des cosaques de soutenir le roi Mohammed Ali Shah quand il fit dissoudre l'Assemblée et arrêter les « jeunes Persans ». Voilà le genre de jeux d'échecs qui se jouaient en Perse quand éclata la Première Guerre mondiale. Cela renforça le sentiment qui dominait alors, selon lequel tout ce qui se passe en Perse est le résultat de l'intervention étrangère. (Un sentiment qui est peut-être encore plus fort aujourd'hui qu'autrefois.)

Pendant les années de guerre, la Perse se déclara neutre, mais nos frontières furent violées par les Russes, les Anglais et les Turcs, qui se livrèrent, sur le sol persan, quelques-unes de leurs plus sanglantes batailles, ne faisant souvent pas la différence entre les civils et les soldats ennemis. Après cinq années de guerre, la Perse et son peuple se retrouvaient affaiblis et démoralisés, l'humeur du pays était au désespoir.

En août 1919, deux mois avant ma naissance, le Shah Ghadjar signa, de mauvaise grâce, un traité avec l'Angleterre qui assurait à la Perse une aide et des armes en échange de la présence effective des Britanniques par le truchement de conseillers techniques et militaires. Les Russes, comme exutoire à la Révolution, avaient commencé à semer les graines du bolchevisme dans une des provinces du Nord, près de la mer Caspienne. Dans la capitale, il y avait des mouvements contre les Anglais et contre leur traité. On demandait de plus en plus expressément l'abdication du roi.

Mon père n'avait jamais été avide d'honneurs politiques

(même après son avènement il parlait de lui-même comme d'un soldat). Toute son énergie avait été consacrée à se perfectionner dans les arts militaires et il s'était rapidement élevé dans les rangs de la brigade des cosaques. Mais il avait commencé à se demander pourquoi son unité prenait ses ordres des officiers russes et pourquoi elle avait été envoyée pour réprimer le patriotisme des partisans de la Constitution. Plus tard il suivit le combat des nationalistes en Turquie, où Mustapha Kemal (connu plus tard sous le nom d'Ataturk), soldat comme lui-même, était en train de bâtir une nouvelle nation sur les ruines d'un pays surnommé « l'Homme malade de l'Europe ».

Dès qu'il eut suffisamment assuré les bases de son pouvoir personnel et gagné le loyalisme aveugle de ses hommes, Reza Khan débarrassa son unité de ses officiers russes. En février 1921, par un coup d'État soigneusement préparé, et sans effusion de sang, mon père entra, avec deux mille cosaques, dans Téhéran, et y établit son pouvoir personnel. Ahmad Shah, qui avait succédé à Mohammed Ali Shah, était encore nominalement le roi, mais mon père, en tant que commandant en chef de l'armée et ministre de la Guerre, était la force dominante du gouvernement de Téhéran et, en 1923, il devint Premier ministre.

La consolidation ultime de son pouvoir fut assurée quand il marcha avec son armée contre les puissantes tribus des provinces riches en pétrole du Khurzistan et les soumit à son autorité. En 1925, une Assemblée constituante proclama la fin de la dynastie des Ghadjars, vieille de cent trente et un ans.

Maintenant la Perse (le pays ne fut appelé Iran qu'en 1935) devait décider quelle forme de gouvernement adopter. Mon père était en faveur d'une république, comme en Turquie, et il soumit son idée aux principaux mollahs chiites. Mais au cours d'une rencontre dans la cité sainte de Qom, le clergé, féroce partisan du système féodal, de la monarchie et de toute la tradition conservatrice, déclara à mon père qu'il s'opposerait à toute forme de république. Alors Reza Khan fut proclamé Shah de Perse le 17 décembre 1925. Mon frère et moi avions six ans.

Reza Shah était maintenant l'homme le plus puissant de

la Perse. Les qualités mêmes qui avaient fait de lui un soldat extraordinaire — œil perçant qui pouvait foudroyer un subordonné, intolérance à l'erreur et à l'imperfection, accent mis sur la stricte discipline militaire — faisaient aussi de lui un père imposant et terrifiant. Chaque fois que j'apercevais une jambe de pantalon avec une raie rouge, je m'enfuyais, pensant que le meilleur moyen d'éviter les foudres de mon père était de ne pas me trouver sur son chemin.

Si je jette un coup d'œil en arrière, je ne peux me rappeler une seule occasion où mon père nous ait punis, mais sa seule présence physique était si intimidante pour nous, les enfants, le son de sa voix, quand il était en colère, était si terrifiant, que même des années plus tard, alors adulte, je ne peux me rappeler une époque où je ne fus pas effrayée par lui.

Ma mère, Taj-ol-Muluk, était physiquement exactement à l'opposé. Le contraste était frappant. Une petite femme délicate, aux cheveux blonds, avec de magnifiques yeux verts. Elle atteignait à peine la première rangée de décorations sur l'uniforme de mon père. Pourtant, à sa façon, elle était aussi énergique que lui. A une époque où les femmes iraniennes étaient voilées et « cachées », alors qu'elles n'avaient pratiquement aucun droit, alors qu'elles étaient supposées être entièrement soumises à l'autorité de l'homme, ma mère ne craignait pas de discuter avec mon père, ni de remettre en question ses décisions.

Mon père et le frère de ma mère avaient été soldats ensemble dans la brigade des cosaques, et le mariage avait été arrangé dans la tradition persane sans aucun contact direct entre les fiancés avant le mariage. A une époque où les fiancées avaient généralement entre quatorze et vingt ans, ma mère ne s'était mariée qu'à vingt-quatre ans. Plus tard, mon père la taquinait, disant : « Vous savez, vous avez vraiment eu de la chance de trouver un mari à un âge si avancé. — Non, non, protestait-elle, vous vous trompez complètement, je n'avais que dix-huit ans. »

Alors que mon frère et moi étions encore très jeunes et que ma mère était enceinte de notre frère Ali Reza, mon père prit une autre femme. (En fait mon père avait été marié à l'âge de dix-sept ans à une cousine, Maryam Khanum, qui était morte

23

en donnant le jour à une fille, Hamdam-os-Saltaneh). Bien que la polygamie fût communément pratiquée (la loi islamique autorise jusqu'à quatre épouses) et bien qu'on attendît des femmes qu'elles acceptassent cette situation, ma mère en fut très contrariée. Pendant longtemps elle refusa de voir mon père. Devant cette provocation inouïe à son autorité, le Shah se cachait littéralement quand il voyait arriver ma mère. En me rappelant cela, je pense que j'ai dû être influencée par l'exemple de fermeté qu'elle montra dans une société où l'on demandait aux femmes de rester muettes et cachées.

Finalement, mes parents parvinrent à un accord. Avec sa seconde femme mon père eut un fils, et avec une autre encore il eut cinq enfants de plus. Bien qu'étant onze enfants en tout, il n'y avait (suivant le vœu de ma mère) que peu de contacts entre les enfants des trois mariages. (Plus tard pourtant, plusieurs d'entre nous sont devenus amis.) Ma mère serait la reine en titre, mon frère, l'héritier du trône. Les autres familles vivraient dans une autre partie du palais.

Bien que ma famille fût nombreuse, mon enfance fut souvent solitaire. En tant qu'aînée, Shams était la fille préférée. En tant que premier fils et prince héritier, mon frère était, bien évidemment, aimé de tous. Je réalisai très vite que j'étais un *outsider,* que j'aurais à me faire ma place au soleil.

Plus tard mes détracteurs diraient que j'avais forcé la note, que j'étais partout à la fois. Mais dans mon enfance on me remarqua à peine. Mes compagnes étaient ma « nanneh », une paysanne de Shahristanak, et une femme aveugle (dont la nièce vit encore avec moi) qui me racontait des histoires au chevet de mon lit. Elle tissait des histoires de rois dont les fils étaient atteints de maladies mystérieuses, ou de rois ayant trois ravissantes filles, contes de fées traditionnels qui mettaient une touche de couleur et de romanesque dans l'atmosphère stricte de la routine quotidienne.

Je me sentais tellement isolée que je ne crois pas m'être jamais imaginée en princesse royale ; j'en eus la soudaine révélation le jour du couronnement de mon père. Ma nurse et moi étions au milieu d'une foule bruyante et nombreuse. Une splendide voiture tirée par des chevaux blancs passait ; je vis mon père à l'intérieur, une couronne sertie de pierres précieuses sur la tête. Les cris de « Vive le roi » remplirent les rues, et je fus soulevée par un sentiment d'excitation que je ne compris pas très bien.

Peu après nous déménageâmes dans une annexe du palais du Golestan, le palais des Roses qui avait été achevé par le Shah Ghadjar Fath-Ali en 1806 pour abriter quelques-uns de ses deux mille enfants et petits-enfants. Mon père avait refusé de s'y installer, bien qu'il y passât ses journées à la conduite des affaires officielles. Pour lui, l'endroit était imprégné par l'ignominieuse histoire des Ghadjar et par le souvenir d'un passé assez peu glorieux. Il construirait son propre palais — le Palais de marbre qui serait terminé à temps pour les cérémonies du mariage de mon frère en 1938 — à trois kilomètres à peu près du Golestan, dans ce qui est maintenant le centre de Téhéran. En attendant, il dormait dans une petite maison toute simple, pas très loin du palais. Il pouvait bien être le roi et jouir maintenant d'une vie plus somptueuse, cela n'empêchait pas Reza Shah de préférer un style de vie militaire d'une simplicité presque spartiate. Il dormait souvent à même le sol, ne se permettant qu'un petit luxe : un porte-cigarettes en argent.

Pour nous, les enfants, ces premiers jours de règne furent consacrés à l'exploration des somptueux jardins remplis de cyprès et de pins, des grandes salles avec leurs immenses fresques murales et leurs plafonds faits d'une mosaïque de miroirs qui étincelaient comme des diamants.

Dans la partie officielle du palais se trouvait le trône de marbre, sur lequel mon père avait été couronné, ainsi que le trône en forme de paon qui est mondialement connu : magnifique fauteuil en or incrusté de diamants, de rubis et d'autres pierres précieuses. Ce trône, ainsi que d'autres objets précieux, avait été ramené des Indes, deux cent quarante ans auparavant, par Nadir Chah, un précurseur persan de Napoléon Bonaparte.

Aussitôt installés dans nos nouveaux appartements, Reza Shah nous fit savoir que le temps des frivolités était passé. Je devais appeler mon frère « Votre Altesse », et il devait se préparer à ses responsabilités futures. Je ne crois pas avoir

25

exactement compris ce que les termes de « Votre Altesse » voulaient dire, mais je compris que c'était un moyen de plus pour éloigner mon frère du reste de la famille.

Je vivais avec ma mère, ma sœur et ma nanny, dans l'andaroun du palais — le quartier des femmes — dans un appartement qui avait été occupé par la concubine favorite du roi Ghadjar. Nos chambres étaient loin d'être somptueuses, mais elles étaient, d'après les standards européens, agréables et confortables, remplies par les souvenirs des voyages en Europe des rois Ghadjar : des chandeliers en verre de Venise, des vases français et des meubles de style français. Mon frère vivait dans une autre suite de chambres, qui abritait aussi son tuteur, son garde du corps, et les autres membres de son entourage.

A la différence de Shams qui était heureuse de rester dans les jupes de ma mère, à jouer à la poupée, je n'avais qu'une envie : c'était d'être avec mon frère. (Parfois je m'enfuyais pour aller jouer avec lui une heure ou deux alors que je n'étais pas autorisée à le faire.) Mais la plupart du temps nous étions séparés. Chaque matin il suivait des cours avec ses amis, pendant que Shams et moi avions nos propres leçons. Cependant, quand nous fûmes plus âgés, je pus le rejoindre assez souvent à 11 h 30 précises — pour déjeuner avec mon père. (Quand mon frère Ali Reza fut assez grand, il prit également part à ce rituel.) Nous étions en représentation devant Sa Majesté, et si l'un de nous avait le malheur d'être en retard, nous restions sur le pas de la porte de la salle à manger, n'osant pas rentrer jusqu'à ce qu'on nous en donne la permission. Assez ironiquement, Ali Reza, qui en grandissant serait celui qui ressemblerait le plus à mon père, était aussi celui qui provoquait le plus souvent les formidables colères de Reza Shah en enfreignant constamment cette règle de la ponctualité.

Les repas étaient simples et facilement prévisibles. Le cuisinier savait ce que mon père aimait, et il le lui servait régulièrement. Le riz — produit principal de la Perse — était à la base de tous nos repas. Parfois nous avions de la soupe ainsi qu'une petite entrée. Le dessert favori de mon père était les poires. Je n'ai jamais aimé les poires, mais à notre table les enfants n'avaient pas le droit de dire : « Je n'aime pas ceci ou cela. » Aujourd'hui encore je déteste les poires.

En Perse on mangeait avec les mains en se servant de pain en guise d'« outil ». Mon père toutefois, qui penchait plutôt vers les manières occidentales qu'il associait au progrès, voulait que nous apprenions les usages de la table occidentale. Nous essayions de suivre toutes ses directives, mais parfois nous agissions comme les enfants que nous étions. De temps en temps, pensant qu'il ne nous voyait pas, nous nous jetions des fleurs par-dessus la table. Des années plus tard, je réalisai qu'il faisait seulement semblant de ne rien remarquer.

Un jour Shams et moi arrivâmes pour le déjeuner pour nous entendre dire par les domestiques : « Vous ne pouvez pas entrer aujourd'hui. Sa Majesté reçoit le roi et la reine de Suède ainsi que leur fille. » Au lieu de nous en aller immédiatement, nous restâmes là, à glousser. Soudain la porte s'ouvrit, et les invités commencèrent à entrer. Nous ne pouvions fuir nulle part, aussi nous nous cachâmes derrière les rideaux à demi fermés. A un moment Reza Shah passa juste devant nous. Nous retînmes notre respiration et restâmes immobiles comme des statues. Une fois de plus il fit semblant de ne rien remarquer.

Non seulement mon père faisait semblant de ne rien voir de nos manquements à l'étiquette militaire, mais à l'occasion il se joignait même à nous. Mon frère et lui s'étaient inventé un code privé dont ils se servaient pour faire des plaisanteries et se raconter des secrets que personne d'autre ne devait comprendre.

Si nous avions su que, sous son apparence rigide et sévère de militaire, mon père était capable de très tendres sentiments pour nous, peut-être aurions-nous été des enfants plus heureux. Mais pour moi cette apparence extérieure s'opposa toujours à une relation père-fille plus plaisante et facile. Même en tant qu'adulte je pesais soigneusement mes mots avant d'aborder un sujet qui aurait risqué de le provoquer ou de lui déplaire.

Bien qu'ayant peur de mon père, je partageais quelques-unes de ses qualités : sa ténacité, son ardente fierté et sa volonté de fer. Si l'on ne me prêtait pas attention, je ne faisais certainement rien pour la provoquer. Je me rappelle certaines nuits où je ne pouvais trouver le sommeil, où je me réveillais au milieu d'un cauchemar, et où j'allais sur la pointe des pieds jusqu'à la porte de la chambre de ma mère ; je trouvais ma mère et ma sœur enlacées, profondément endormies. Je pleurais un peu à la porte puis je retournais auprès de ma nanny, convaincue qu'il n'y avait aucune place spéciale pour moi. Je réalisai très tôt que j'aurais à apprendre à résoudre mes propres problèmes, à agir et à penser en toute indépendance, mais qu'il me faudrait en payer le prix.

Ma sœur Shams et moi ne nous sommes jamais bien entendues étant enfants. (Bien que nous soyons devenues bonnes amies par la suite.) Peut-être parce que nous avions bien peu de choses en commun. Shams était, comme ma mère, petite, blonde et délicate, très féminine, et à l'aise dans le rôle traditionnel de la femme, entièrement centré sur le mariage et la création d'un foyer. Elle aimait jouer avec ses centaines de poupées et n'attendait que le jour où elle pourrait se marier et avoir des enfants à elle.

Pour moi, le seul compagnon qui comptait était mon frère, et je ne vivais littéralement que pour les instants que je pourrais passer avec lui. Je me fiais et me confiais à lui, je lui racontais mes secrets et lui demandais son avis, et bien avant que nous ne fussions adultes, c'est sa voix qui domina ma vie. J'obéissais à Reza Shah parce que je sentais que je devais le faire, mais j'écoutais mon frère parce que je n'imaginais pas pouvoir faire autrement.

2

VISAGES DANS UN MIROIR

Du fait que je m'identifiais tellement à mon frère, je suppose que je devins ce que les Américains appellent un *tomboy*, un garçon manqué. Chaque fois que je le pouvais, je me joignais à lui et à ses amis pour monter à cheval, jouer au tennis et pratiquer d'autres jeux athlétiques. Dans une société où le mélange entre personnes de sexe opposé était très rare, ces années m'apportèrent un sentiment assez peu habituel de bien-être et d'aisance dans la compagnie des hommes. Aujourd'hui encore je préfère la compagnie des hommes à celle des femmes.

Autant nous étions proches l'un de l'autre sentimentalement parlant, mon frère et moi, autant nous étions différents par le tempérament et la personnalité. Il était doux, réservé et presque douloureusement timide, alors que j'étais vive, prompte à réagir, et parfois rebelle. Il était quelque peu frêle, et vulnérable à toutes les maladies infantiles, alors que j'étais robuste et débordante de santé en dépit de ma petite taille (nous avions tous hérité du physique de ma mère). « Je crois que tu as hérité de tout le capital santé », plaisantait mon père.

On s'imagine combien cela fut pénible quand mon frère attrapa la fièvre typhoïde à l'âge de sept ans. Il n'y avait pas de drogue miracle en 1926 et, en tout cas, Téhéran n'avait aucune des possibilités de soins médicaux qu'offrait l'Europe. On fit venir un docteur du pays pour donner tous les soins possibles, mais, vraiment, tout ce que nous pouvions faire était d'attendre et de prier. Mon père avait toujours été très consciencieux dans son travail, mais il quitta son bureau plusieurs fois par jour pour s'asseoir au chevet de mon frère.

« Priez pour votre frère, Ashraf », m'avait dit ma mère en m'apportant le Coran. Je ne pouvais lire les mots, mais je mis le Livre saint sur ma tête et restai assise jusqu'à l'aube, priant et espérant, n'osant imaginer une vie sans mon frère. Pendant les semaines de sa maladie, je pouvais presque ressentir sa fièvre et éprouver les mêmes symptômes que lui. Même plus tard, ce lien entre nous subsisterait, me faisant souffrir en période de troubles. Quand il était malade, c'était comme si j'étais malade moi-même ; quand il se faisait mal je partageais sa douleur. Mon frère se remit bien sûr, mais sa maladie le laissa d'une humeur plus mélancolique, comme cela arrive parfois avec la typhoïde. Dès qu'il fut assez fort pour se lever il dut se remettre au travail, comme à l'accoutumée.

Mon père se rendait très bien compte de son manque d'éducation et il était décidé à nous en procurer une, avec au moins une langue étrangère. Il engagea Mme Arfa, la femme française d'un officier de l'armée persane, pour nous apprendre le français, mais le temps passé en sa compagnie ne ressemblait en rien à un travail, car elle nous révélait un monde nouveau et inconnu, un monde étranger, magique, centré sur une cité appelée Paris.

« Paris est appelée " ville lumière ", nous disait-elle, car les rues ne sont jamais sombres, même la nuit. Ces rues sont pavées et sont assez sûres pour que l'on puisse s'y promener à n'importe quelle heure du jour. Paris est plein de magasins splendides, de théâtres et d'opéras, de bons restaurants et de cinémas. »

Je ne pouvais m'empêcher de comparer Paris à Téhéran. La capitale de la Perse n'offrait pas un aspect très engageant à cette époque-là. Nous avions les bazars orientaux traditionnels, qui avaient le même aspect depuis des siècles ; quelques magasins, qui stockaient des marchandises importées ; quelques cinémas où l'on pratiquait la ségrégation : les femmes d'un côté, les hommes de l'autre, regardant des vieux films américains pendant qu'un traducteur expliquait au public ce qui se passait.

Il y avait aussi le théâtre musulman, qui ne représentait que la vie et la mort des martyrs de notre religion. Voilà quelle était la somme totale de notre vie culturelle et de nos « attractions touristiques ».

Beaucoup de nos maisons n'étaient que des taudis faits de boue ou de brique. Les rues, qui n'étaient ni pavées ni très attrayantes, même en plein jour, étaient investies par des bandes de brigands et de coupeurs de gorge à la nuit tombante. On pouvait difficilement imaginer des gens se promenant dans les rues de Téhéran et y prenant du plaisir. On les trouvait plus souvent dans les maisons de thé et les fumeries d'opium, où ils essayaient, pour un temps, d'oublier leurs misérables conditions d'existence.

C'est pourquoi je n'étais jamais rassasiée des histoires de Mme Arfa, et elle trouvait en moi une élève très attentive qui restait volontiers après la classe pour en demander davantage.

« Ma chère princesse, continuait-elle, je suis sûre qu'un jour vous irez à Paris et que vous verrez tout cela par vous-même, les immeubles de plusieurs étages, avec des machines appelées ascenseurs, qui vous amènent tout en haut. Il y a de l'eau potable propre dans toutes les maisons, et presque tout le monde sait lire et écrire. Les hommes et les femmes travaillent ensemble dans des bureaux et des usines, et le soir ils sortent ensemble pour aller dîner et danser. Et personne ne porte le voile. »

Je trouvais ces descriptions aussi incroyables que les contes de fées de mon enfance. Avoir de l'eau potable propre n'était une chose évidente pour personne à Téhéran, même dans la famille royale. Les hommes et les femmes vivaient en ségrégation, ne se rencontrant que dans le cadre de la famille et seulement dans l'intimité de leur propre foyer. J'avais rarement vu une femme adulte sans voile et ma propre mère gardait le visage voilé devant les hommes.

Je savais, et les histoires de Mme Arfa me le faisaient sentir encore plus clairement, que je ne voulais pas de la vie

31

typique d'une femme persane au foyer, même d'une femme de condition. Cela me semblait une vie bien limitée, bornée par les murs de la nursery et de la cuisine, par les jours passés en compagnie d'autres femmes à boire du thé en cancanant. Mes pensées se tournaient dans une autre direction, et je m'appliquais assidûment à mes leçons, spécialement en français.

J'avais un jour de congé par semaine et je me rendais avec ma nanny au « hammam », le bain communal que l'on trouvait traditionnellement dans les villas et les palais de l'ancien style. Je suppose que le hammam était la version persane des thermes romains. Les jeunes filles et les jeunes femmes pouvaient s'y asseoir autour de bassins ronds en marbre, s'imbibant de la vapeur qui montait de l'eau chaude, parlant et riant pendant qu'elles se lavaient les cheveux et se frottaient avec les « leefas ». Comme c'était à la fois un interlude social en même temps qu'hygiénique, la journée comprenait un déjeuner et parfois même une petite sieste à l'intérieur du hammam. Mon père m'allouait la somme de 100 tomans (15 dollars) par mois pour couronner ma sortie hebdomadaire en envoyant un garçon de courses en ville pour me chercher quelques sucreries pour le dessert.

Pourtant je préférais de loin les jours fériés — mardi et vendredi dans les pays musulmans — où je pouvais me joindre à mon frère et à ses amis. Nous étions tous des cavaliers enthousiastes, et il y avait des jours où je pouvais monter jusqu'à cinq ou six heures à cheval. Quand nous faisions la course, bien souvent j'arrivais la première, ce qui m'amena à mettre en doute le mythe tenace de la suprématie masculine.

Les voitures, et spécialement les voitures américaines, était une autre de nos passions. Quand j'étais encore très jeune, Père m'acheta ma première voiture, une Ford jaune décapotable, modèle 1930 si je me rappelle bien. Dès que je pus atteindre et maîtriser les pédales, on me donna la permission de conduire sur les terres qui entouraient le palais. J'adorais cette voiture et la sensation de liberté et de puissance qu'elle me procurait.

En dépit de toutes ces activités « masculines », je n'ai jamais vraiment souhaité être un garçon. J'aimais bien l'idée d'être une femme, bien que je n'aie jamais accepté le rôle précis qui leur était assigné. Le rôle des hommes, avec ses possibilités et ses prérogatives, me semblait de loin plus intéressant, et c'est peut-être pour cela que j'ai passé la plus grande partie de ma vie à travailler dans le monde des hommes.

Sans amies de mon âge, j'avais adopté les amis de mon frère. Je me retrouvais souvent accompagnée d'un garçon gentil et très doux qui s'appelait Mehrpur. Son père, Teymourtash, était ministre de la cour de mon père, aussi nous avions bien des occasions de nous rencontrer. Nous faisions du cheval, du tennis, nous bavardions et très vite les marieurs imaginèrent la possibilité d'une union future entre nous. J'étais encore une enfant, loin de toute idée de mariage ou d'amour, mais en ce temps-là, il n'était pas rare de fiancer les enfants à un âge très tendre, parfois avant même leur naissance, pourvu qu'ils s'avèrent être de sexe approprié.

Ce projet de mariage n'alla jamais très loin car le père de Mehrpur fut accusé de complicité dans un complot politique ourdi contre mon père. Il fut emprisonné et le reste de sa famille (Mehrpur excepté, car il passa une année à l'école en Suisse) fut renvoyée dans son village d'origine. Mehrpur et moi nous nous étions rencontrés peu avant son départ. Nous avions parlé de nous revoir dans l'avenir, tout en sachant bien que cette réunion pourrait se faire attendre longtemps. Comme je ne me faisais pas facilement des amis, je ressentis profondément la perte de ce compagnon, en dépit des efforts de mon frère pour me consoler.

Cette perte toutefois ne fut rien comparée au chagrin que me causa au même moment la décision de mon père d'envoyer le prince héritier à l'étranger pour y poursuivre ses études en Suisse dans une école très sélecte appelée « Le Rosey ». Il serait accompagné de mon frère Ali Reza, de Mehrpur, d'un ami du prince héritier, Hussein Fardust (un homme qui, assez ironiquement, a joué un rôle tragique dans nos vies ces dernières années), et de mes demi-frères. Mais moi je resterais en arrière.

Maintenant j'allais vraiment apprendre ce qu'était la solitude. Mon frère une fois parti, il me sembla être amputée d'une partie de moi-même et je passai les mois suivants à me laisser simplement porter par la vie sans vraiment faire attention à rien.

Avec le temps, cette séparation m'amena à réaliser que, bien que mon frère et moi soyons comme des visages dans un miroir, il me fallait une vie à moi si je voulais survivre, une identité personnelle, étrangère à celle de mon frère jumeau. Je pensais que la solution était peut-être dans l'instruction ou dans un travail quelconque, aussi m'attelai-je à mes leçons avec plus d'assiduité encore que d'habitude.

En me plongeant dans ces études, je me découvris une nouvelle passion : les mathématiques. La précision et l'exactitude de cette discipline convenaient à mon tempérament, et encouragée par mon professeur, j'atteignis des niveaux de plus en plus élevés. J'investissais dans mes études toute l'énergie et tout le temps que j'avais autrefois consacrés aux sports avec mon frère, m'établissant une discipline que je suivrais toute ma vie : jusqu'à ce jour je n'ai eu aucun « hobby », je ne m'intéresse qu'à mon travail. Mon père encouragea cette discipline ; bien qu'une éducation à l'étranger fût hors de question pour une femme, il était content de mes progrès et me récompensait soit par des félicitations, dont il était très avare, soit, parfois, par un bijou.

Peut-être mon père s'était-il rendu compte de ma tristesse, car deux ans après le départ de mon frère, il nous annonça que ma mère, ma sœur et moi allions partir pour la Suisse rendre visite au prince héritier. Depuis le moment où j'entendis parler de ce projet jusqu'à notre départ de Téhéran, ma conduite fut irréprochable, tellement j'avais peur que mon père ne trouve une bonne raison de changer d'avis. Je ne réussissais pas à croire vraiment que j'allais voir, en même temps, mon frère et cette Europe merveilleuse dont nous avait parlé Mme Arfa.

Se rendre d'Iran en Europe n'était pas une petite affaire en ce temps-là. Nous prîmes la voiture de Téhéran à Bandar Pahlavi, un port sur la côte sud de la Caspienne. Là nous montâmes à bord d'un bateau soviétique qui nous mena jusqu'à Bakou, sur la côte russe. Je ne réussis pas à fermer l'œil pendant toute la traversée. Je restai éveillée, essayant d'imaginer les aventures qui m'attendaient. Le reste du

34

voyage — à travers l'U.R.S.S., la Pologne et l'Allemagne — se fit en train.

Chaque fois que nous nous arrêtions dans une gare, j'étais étonnée par le fourmillement des gens alentour. La vie bien organisée et protégée du palais ne m'avait pas préparée à ce que je voyais : les paysages qui changeaient, le rythme rapide des cités européennes que nous traversions. J'étudiais tout cela, car je voulais garder tous les détails gravés dans ma mémoire.

Bien que n'étant pas supposée quitter le train aux arrêts, je m'esquivais chaque fois que je pouvais. Tout m'excitait, même le simple spectacle de gens venus accueillir des voyageurs, ou accompagner des amis jusqu'au train. Voilà la réalité qui correspondait aux histoires de Mme Arfa. Les femmes marchaient effectivement dévoilées à côté des hommes.

Il y avait toujours des vendeurs, offrant un nombre enivrant de marchandises : des vêtements, des graines de tournesol, des concombres confits dans l'aneth. J'essayais d'acheter quelques-unes des choses que je voyais, mais je ne pouvais parler aucune des langues que j'entendais.

Chaque fois que je m'éloignais du train, je retenais mon souffle, tout en savourant tous les détails de mes explorations secrètes. J'avais l'habitude de faire ce que l'on me disait de faire même si cela ne me plaisait pas. Aussi, j'étais toujours soulagée quand je regagnais notre compartiment sans avoir été prise sur le fait.

Notre voyage en train dura huit jours, sans compter les deux jours passés à Berlin, la première ville européenne importante que j'aie vue. C'était en 1933, et ma mère et moi fûmes accueillies par le chef du protocole du gouvernement allemand et conduites à l'ambassade d'Iran où nous trouvâmes un gros bouquet de fleurs du chancelier Adolph Hitler. Aucun de nous n'avait idée alors des forces qu'il lâcherait sur le monde, et de ce que cela signifierait pour l'Iran. Ce soir-là j'assistai à ma première opérette — je crois que c'était *La Veuve joyeuse* — et bien que la musique me fût étrangère, la splendeur du bâtiment de l'opéra et le chatoiement de l'assistance furent suffisants pour mobiliser mon attention durant toute la soirée.

Quand nous remontâmes dans le train, mon impatience à arriver en Suisse et à revoir mon frère m'excita tellement que j'eus du mal à rester assise. Quand nous arrivâmes, je sautai pratiquement hors du train avant son arrêt complet.

Je tombai amoureuse de la Suisse dès le premier regard, aussitôt séduite par la beauté de ses paysages qui vous coupait le souffle et qui semblait se refléter sur le visage heureux et éclatant de santé de ses habitants.

Mon frère avait aussi l'air heureux et éclatant de santé, plus fort et plus en forme qu'à Téhéran. Je m'aperçus immédiatement de l'influence que l'Europe et les coutumes occidentales avaient eue sur lui. Avant de quitter Téhéran il était, en dépit de sa nature pondérée, un peu rude sur les bords. Quand il était très excité, il pouvait se jeter du haut d'un arbre, ou pénétrer à cheval dans la maison. Mais maintenant ses manières s'étaient affinées et européanisées.

Nous avions deux années à rattraper, aussi passâmes-nous de longues heures à discuter. Au bout d'un temps très court, ce fut comme si nous ne nous étions jamais quittés. J'ai eu, depuis lors, plusieurs fois ce même sentiment avec mon frère. Peu importe le nombre de kilomètres, ou le nombre de mois ou même d'années qui nous ont séparés : à la minute même où nous nous retrouvons, il n'y a plus aucune distance entre nous.

Mon frère me dit combien il avait été impressionné par le comportement démocratique qui régnait à l'école, par le fait que tous les garçons, qu'ils soient fils d'hommes d'affaires, de nobles ou même de rois, étaient égaux dans la communauté scolaire. Il me dit combien il avait pris conscience de l'inégalité économique et sociale qui régnait au sein du peuple iranien.

Pendant ces deux années, mon frère était devenu aussi un athlète complet, le sportif aux aptitudes variées qu'il resterait dans les années à venir. Il était spécialement fier d'avoir été choisi comme capitaine de l'équipe de football, et il me parla aussi de deux nouveaux amis, aussi différents que possible l'un de l'autre : l'un était Richard Helm, qui devint plus tard directeur de la C.I.A., puis ambassadeur des États-Unis en Iran, l'autre était Ernest Perron, le fils de l'homme à tout faire de l'école, un jeune homme qui vint vivre en Iran et resta l'ami intime de mon frère jusqu'à sa mort en 1961.

En revoyant mon frère, en voyant ce qu'était la vie en Suisse, je fus prise d'une terrible envie d'y rester. Je savais qu'il serait difficile d'obtenir la permission de mon père, et j'eus trop peur pour lui en parler quand il téléphona, de Turquie, à Rosey (il était allé rendre visite à l'homme qui l'avait le plus inspiré dans son action en Iran, Mustafa Kemal, et il avait profité du système téléphonique international, qui n'existait pas encore en Iran). J'envoyai un télégramme lui demandant la permission de rester pour faire des études dans une école européenne.

Sa réponse fut un câble sec et court : « Arrêtez ces stupidités et rentrez immédiatement. » Il n'y avait pas d'explication mais c'était typique de Reza Shah. J'étais désappointée, blessée et furieuse en réalisant que peu importait le niveau élevé d'éducation qu'il pouvait m'offrir à la maison : jamais il ne me donnerait les possibilités qu'il accordait à mes frères. Aussi désappointée et fâchée que j'aie pu être, jamais il ne me serait venu à l'idée de désobéir. Dans le monde moyen-oriental, on obéissait aux pères, même quand ils n'étaient pas rois.

La réponse de mon père mit fin à ce beau rêve qui était pourtant devenu pour moi plus vrai et plus irrésistible que la vie qui m'était destinée. Pendant un bref et crucial moment, j'avais pris conscience des possibilités d'un monde où une femme pouvait développer ses facultés propres et se réaliser elle-même. En Europe, j'avais vu, senti, mis le doigt sur cette réalité. Mais l'instant était passé pour moi. Je me jurais que dans les années à venir je trouverais un moyen de reprendre contact avec l'Europe et le monde occidental.

Il y aurait d'autres désappointements dans l'avenir, d'autres portes qui s'entrebâilleraient, pour me donner un aperçu de quelque chose d'excitant, de vrai, de précieux, et puis qui se refermeraient. Mais cette première désillusion, cette éducation universitaire qui me fut refusée me sont restées sur le cœur. J'ai appris bien des choses de la vie, de mes voyages, dans les livres et par les expériences que j'ai faites, mais bien souvent, en particulier au contact de gens intelligents et cultivés, j'ai ressenti une insuffisance, éprouvé le sentiment d'un manque, senti qu'il y avait en moi des possibilités inexploitées.

La pensée de quitter l'Europe et de retourner à ma vie solitaire et bien réglée de Téhéran me fut extrêmement pénible. Une fois à la maison, je retrouvai ce sentiment d'égarement que j'avais éprouvé lors du départ de mon frère pour la Suisse. J'avais encore deux années de solitude devant moi, et c'est probablement pendant cette période que les graines de ma future carrière internationale furent semées, une carrière qui fut sans doute en partie motivée par le besoin de trouver une compensation à cette première désillusion.

Paradoxalement, ce fut pendant les années qui suivirent ma visite en Suisse, à la pension « Le Rosey », l'époque où je fus la plus malheureuse, que mon père prit des mesures pour changer la vie des femmes persanes.

Reza Shah était décidé à occidentaliser la Perse, pour la mener jusqu'au seuil du XXᵉ siècle, car c'était en Occident qu'il avait vu les manifestations de prospérité et de puissance les plus dynamiques. Pour y arriver, pour nous rendre prospères et puissants, il ne pouvait se permettre de laisser les femmes, qui représentaient la moitié de notre petite population, inactives et voilées. Il décida d'abolir le chador, le voile traditionnel. Voilà encore un exemple du côté paradoxal de mon père. Bien qu'il n'eût jamais envisagé, me semble-t-il, de relâcher le contrôle strict qu'il nous imposait à la maison, il prit quand même la décision de nous présenter, la reine, Shams et moi, sans voile, devant la population de Téhéran. Pour Reza Shah, comme pour n'importe quel Persan, tout ce qui concernait sa femme et sa famille était une affaire privée. Il était plus facile de demander à un Persan ce qu'il gagnait ou ce que lui avait coûté sa maison, que quoi que ce soit de personnel concernant sa femme ou ses filles. A la maison, mon père se conduisait tout à fait comme un homme de la vieille génération (je me rappelle qu'il m'envoya me changer « sur l'heure » car j'avais paru pour le déjeuner dans une robe sans manches). Mais en tant que roi, il était prêt à mettre de côté ses propres sentiments — aussi forts fussent-ils — pour faire progresser son pays.

Quand il eut pris sa décision, il vint nous voir et nous dit : « C'est la chose la plus difficile que j'aie jamais eu à faire, mais je dois vous demander de servir d'exemple aux autres femmes persanes. » Ma mère, ma sœur et moi devions assister à une cérémonie au nouveau collège d'instituteurs de Téhéran, et nous devions y assister sans être voilées. Pendant l'hiver 1934, le peuple vit pour la première fois à quoi ressemblaient la reine et ses filles.

Après la cérémonie on demanda à toutes les femmes de retirer leur voile, et celles qui s'y refusèrent furent forcées de le faire. Mon père savait qu'il pouvait bâtir des écoles et créer des emplois pour les femmes, mais il savait aussi que cela ne servirait à rien tant qu'on ne les aurait pas poussées hors de leur claustration. Les femmes allaient rentrer dans le grand courant de la vie sociale, *de gré ou de force* *.

Après notre apparition en public, notre père fit publier nos photos dans la presse. Quand un mollah condamna publiquement le Shah pour avoir permis aux femmes de sa famille de montrer leur visage, un de ses généraux répondit tout aussi publiquement en arrachant au prêtre son turban (symbole de sa charge religieuse) et en lui faisant raser la barbe. Mon père avait toujours été un homme profondément religieux, mais il avait réalisé que beaucoup des pratiques et des habitudes qui maintenaient la Perse dans un état d'arriération étaient plutôt des reliquats de la tradition que des éléments essentiels à la religion islamique.

Bien évidemment il y eut une résistance continue à la loi du Shah interdisant le port du voile, et à l'émancipation des femmes en général. Les mollahs y virent, à juste titre, une menace à leur autorité et à l'ensemble des traditions anciennes dont ils s'étaient faits les gardiens. Il y a une grande différence entre ce qui est écrit dans le Coran et l'interprétation qu'en fait chaque mollah. C'est une distinction

---

* En français dans le texte.

qui doit être faite, si l'on veut comprendre quelque chose aux excès commis en ce moment au nom de l'islam. En fait, l'intention de notre religion avait été de protéger les femmes de la rudesse des mœurs arabes pré-islamiques et non de les brimer pour des siècles. L'islam mit fin à l'usage qui consistait à tuer les bébés femelles dont on ne voulait pas, et dans une société où l'homme prenait autant d'épouses qu'il le souhaitait, il limita à quatre le nombre de femmes qu'il pouvait avoir. Historiquement parlant, la loi sur l'héritage, qui stipulait que la femme n'avait droit qu'à la moitié de ce que recevaient ses frères, n'était pas aussi discriminatoire qu'elle le semble aujourd'hui. C'était plutôt la reconnaissance du fait qu'à la mort du père, les frères étaient responsables de leurs sœurs, financièrement et socialement parlant.

Le voile lui-même n'était pas exigé par le Coran, qui demandait seulement aux femmes de se tenir et de s'habiller modestement. Ce précepte amena le port du voile, sorte de vestige du passé dans notre monde moderne, qui est remis en vigueur dans les pays musulmans beaucoup plus en tant que symbole politique antioccidental qu'en tant que retour à un commandement religieux.

Dans la Perse de cette époque-là, on disait d'une femme qu'elle avait « plus de cheveux que de tête », et on la traitait en conséquence. Légalement et socialement parlant elle était sous la tutelle de son père, de ses frères, ou de son mari. Aux regards du Code civil, elle ne pouvait tenir aucun emploi officiel, ni même poursuivre des études supérieures. Aux yeux de la loi, son témoignage avait moitié moins de valeur que celui d'un homme. Le mari était le chef incontesté de la famille. Il pouvait interdire à sa femme de voyager, d'avoir un métier ou même d'avoir un compte en banque. Il pouvait prendre jusqu'à quatre épouses, et autant de concubines qu'il était en mesure de se payer. Il pouvait divorcer d'avec n'importe laquelle de ses épouses à son gré (pour la femme, divorcer était extrêmement difficile), et avoir la garde de ses enfants aussitôt qu'ils étaient sevrés.

Bien évidemment, en Perse, les hommes, détenteurs de toutes les décisions, n'allaient pas lâcher sans une sérieuse résistance ces prérogatives du pouvoir absolu. En fait, les femmes non plus n'étaient pas prêtes à échanger la protection dont elles avaient traditionnellement profité pour les aléas d'un nouveau statut social.

Il est également bien évident, et cela devint douloureusement clair dans les années qui suivirent le règne de mon père, qu'aucun dirigeant ne peut faire des lois régissant une révolution sociale. Il peut rendre effective une forme extérieure de changement social, mais il ne peut réglementer les changements dans l'esprit d'un peuple. Pour être durable et stable, un remaniement social doit être le résultat d'une évolution lente et graduelle, s'étendant sur plusieurs générations. Quand mon frère devint roi, il se rendit compte de cet état de choses, et il permit même le port du voile à celles qui y tenaient vraiment. (Les communistes firent des concessions semblables aux chrétiens, spécialement dans les pays satellites.) Mais sous le règne de Reza Shah, aucune concession de ce genre ne semblait possible, car si la Perse devait survivre dans un monde de technologie et de changements rapides, il fallait qu'elle renonce à vivre dans le passé.

Mon frère termina ses études en Suisse en 1936 et nous fit dire qu'il rentrait, enfin. Ce fut un des jours les plus heureux de ma vie. Toute la famille se rendit à Bandar Pahlavi pour l'accueillir. C'était le port d'où il était parti quatre années auparavant. Je fus surprise des changements survenus dans la ville depuis mon dernier séjour. Il y avait maintenant un grand boulevard moderne, et des lumières électriques le long de la côte. Ce n'était pas aussi grandiose qu'un port européen, mais c'était un témoignage visible des programmes de modernisation de mon père.

Mon frère n'était plus un écolier ; il avait un air de dignité et de maturité encore plus marqué que quand je l'avais revu à l'école du Rosey. Je le regardais pendant que des ministres, des membres du Parlement et d'autres personnalités officielles le saluaient. Pour moi il était toujours le frère de mon enfance, mais il était clair qu'aux yeux de l'Iran il était le futur roi.

Pour achever sa préparation à la royauté, mon frère entra à l'École militaire de Téhéran. Bien que je ne le sache pas, on faisait aussi des projets me concernant, des projets qui mettraient un terme à la période de mon enfance, comme à celle de mon frère, et qui me précipiteraient brusquement et très exactement dans le genre d'existence d'adulte que j'avais désespérément essayé d'éviter.

3

MARIAGES

Le bruit courait dans le palais que mon père nous avait trouvé des maris, à Shams et à moi. Ma nanny, mes serviteurs et ma mère elle-même commencèrent à me féliciter. Mais ce n'étaient pas de bonnes nouvelles pour l'enfant de dix-sept ans que j'étais. Je répugnais à l'idée du mariage, sans parler d'un mariage avec un homme que je n'aurais jamais vu. J'avais peur de faire part de mes sentiments à mon père, alors je demandai à mon frère d'intercéder pour moi et de demander à Reza Shah de changer ses projets.

Mon frère m'écouta avec sympathie, mais quand j'eus fini, il ne me laissa que peu d'espoir. « Essayer de faire changer notre père d'avis sur ce sujet serait une perte de temps, me dit-il. Il croit qu'une fille doit se marier à un certain âge. Se dresser contre lui serait inutile. Je crois que tu dois faire ce qu'il dit. »

La première fois que j'aperçus nos deux fiancés, ils jouaient au tennis avec mon frère. Mon futur mari devait être Fereydoun Jan, un jeune officier de l'armée, fils du Premier ministre. Quant à ma sœur, elle devait épouser un homme appelé Ali Qavam, membre de l'une des familles très en vue de Shiraz. Bien évidemment, je ne fis attention qu'à celui qui m'était destiné. Je dois admettre que je le trouvai grand, de belle prestance et plutôt élégant, mais je gardais mon manque d'enthousiasme pour le mariage. Malheureusement, Shams décida qu'elle était plus attirée par mon fiancé que par l'homme que mon père lui avait choisi. En tant que fille aînée, elle avait certaines prérogatives, aussi leurs fiançailles furent-elles officiellement annoncées.

Je me mis immédiatement à détester Ali Qavam. Je ne sais si c'est parce que je le trouvais moins séduisant que Fereydoun Jan, ou parce qu'il m'était imposé. Je restai enfermée dans ma chambre une semaine à pleurer.

« Vous ne devez pas agir ainsi, disait ma mère, en essayant de me consoler. Votre fiancé est un gentil garçon, il a fait ses études en Angleterre, et il vient d'une très bonne famille. » Mais je refusais d'être consolée, sachant que mon seul choix était de me marier ou d'être reniée. Je savais que mon père ne tolérerait jamais un acte de défi de la part d'aucun de ses enfants.

Ainsi je fus mariée, en même temps que Shams, au cours d'une double cérémonie traditionnelle, dans une robe de mariée blanche de chez Lanvin, alors que le noir aurait mieux convenu à mon humeur.

La seule chose qui me plaisait dans ce mariage était le statut d'adulte qu'il impliquait. En tant que femme mariée, je pouvais prendre ma voiture chaque jour pour aller rendre visite à ma nouvelle belle-sœur à quelque 20 kilomètres. Là, je me divertissais en disputant de longues parties de tennis, suivies d'une tasse de thé et de friandises et d'une visite distrayante à mes beaux-parents. Pour une femme heureuse en ménage, ces visites auraient pu paraître fastidieuses, mais pour moi, le temps passé dans ma voiture, les parties de tennis et les conversations avec ma belle-famille étaient autant de moyens de détourner mon esprit des réalités de mon mariage.

Pendant toute la durée de ma vie conjugale, j'évitai autant que faire se put Ali Qavam. Peut-être aurais-je agi de même avec tout homme qui m'aurait été imposé. Mais je ne vis jamais en lui qu'un homme calculateur, froid et sans aucun charme, difficile à apprécier et impossible à aimer.

Étrangement, mon mari ne semblait pas troublé du tout par mon manque d'enthousiasme, ni par le fait qu'il n'y avait pas d'excès d'amour entre nous. Il semblait satisfait d'être le mari en titre d'une princesse, et pas particulièrement préoccupé de savoir si notre vie commune avait un sens. Nous ne parlions jamais de nos sentiments, mais depuis le début de notre mariage, nous fîmes chambre à part et menâmes nos vies séparément.

Bien que j'eusse ma propre maison sur l'avenue Kakh, une villa spacieuse et moderne de style occidental, je la quittais tard chaque matin et me rendais en voiture au palais où je déjeunais avec mon frère. Après le déjeuner, je restais encore plusieurs heures, retardant autant que possible mon retour à la maison. Dans le palais, je me retrouvais dans un cadre familier et quand parfois mon frère avait un après-midi sans obligations officielles, nous faisions du cheval, du tennis ou un bridge (un des jeux favoris de mon frère). Tant que j'étais avec lui, je ne pensais pas à la tristesse de mon mariage. L'idée d'un divorce me traversa plus d'une fois l'esprit, mais il n'y avait personne avec qui j'aurais osé en parler. Même si j'avais pu penser trouver quelque sympathie auprès de mon père (et je ne l'ai pas espéré une minute), je le savais extrêmement préoccupé par les affaires de l'État.

La tâche qu'il s'était assignée était gigantesque, c'est le moins qu'on puisse dire. Il voulait, par la seule force de sa volonté et de sa détermination, faire sortir l'Iran du Moyen Age pour le faire rentrer dans l'ère moderne — un processus d'évolution qui avait pris des siècles en Europe occidentale. Bien placé sur la liste de ses projets prioritaires était le développement d'un pouvoir central fort. Dans ce but, Reza Shah consacra toute une décennie à pacifier les principales tribus — les Bakhtiar, les Quashgai, les Kurdes, les Lurs — et à les ramener sous son autorité. Sans une infrastructure bien développée de routes et de moyens de communication (ce fut aussi une des préoccupations majeures de son règne), cette pacification nécessita une vingtaine d'expéditions militaires par les troupes du roi dans une des régions les plus rudes et les plus inaccessibles de l'Iran.

Bien que ces campagnes se soient faites à cheval et à pied, avec des mulets pour transporter les armes, mon père savait bien que les jours de l'infanterie et de la simple cavalerie étaient comptés. Il voyait la nécessité d'une armée modernisée, unifiée et convenablement payée (au temps de sa propre carrière militaire, les soldats devaient souvent rechercher un travail supplémentaire pour pouvoir nourrir leur famille). Il réorganisa — ou plutôt créa — la première véritable école militaire persane, avec un entraînement standardisé et un système de conscription. Il fit construire des usines pour fabriquer des fusils modernes et d'autres armes légères (certaines des armes de son armée étaient de véritables pièces de musée) et il insuffla à ses troupes une fierté et un sens de leur valeur que les armées persanes n'avaient pas connus depuis le XVIIIe siècle.

Pour combattre l'influence des mollahs, il engagea une autre forme de bataille que celle contre les tribus. Avant le règne de mon père, la justice était aux mains du clergé. Une partie de son programme pour transformer la Perse en un Iran moderne fut l'introduction d'un système judiciaire de style occidental (et plus particulièrement français) qui comprenait une hiérarchisation des tribunaux ainsi qu'un code civil, commercial et criminel. Ces nouvelles mesures pour séparer la mosquée de l'État, développées plus tard par mon frère, amenèrent de fortes réactions contre la monarchie ; cette opposition atteindrait une intensité maximale des dizaines d'années plus tard. Car bien que les mollahs soient tradition-nellement pour le roi, ils se retourneraient contre le trône et feraient alliance avec d'autres, quand ils se trouveraient dépossédés de leurs pouvoirs (et plus tard, au moment des réformes agraires, de leurs richesses).

Ayant réalisé que l'influence des mollahs reposait pour une large part sur l'ignorance des masses, et sachant qu'une nation moderne ne pouvait être bâtie par un peuple d'illettrés, Reza Shah instaura un système d'études primaires obliga-toires et fit construire des centaines d'écoles, y compris l'université de Téhéran, qui fut achevée en 1934. Il fut le premier à mettre en pratique le système des bourses accordées par le gouvernement aux étudiants les plus qualifiés qui voulaient faire des études à l'étranger (ce système fut poursuivi plus tard par mon frère). Paradoxalement cet usage devait créer un foyer très vivace de sentiments anti-pahlavistes dans les années à venir.

Il serait impossible, ici, de rendre pleinement compte des changements profonds et variés que mon père apporta à l'Iran ; peut-être que seule une étude de photographies prises « avant » et « après » pourrait montrer quelles transformations spectaculaires ont eu lieu en un temps si court. Reza Shah fit construire des routes, des hôpitaux, des ports, là où il n'y avait rien ; il standardisa l'antique système des unités monétaires, de poids et mesures, et créa un système bancaire relativement moderne. Une de ses réalisations les plus ambitieuses fut la construction de la ligne du chemin de fer transiranien. Il fallut douze ans pour l'achever et elle est considérée aujourd'hui encore comme une merveille de la technique moderne. Mais cette ligne elle-même devait avoir des conséquences politiques négatives dans l'avenir.

En bref, Reza Shah pourrait se féliciter d'avoir accompli une tâche immense, sentiment dont peu de dirigeants peuvent se targuer dans le monde moderne. Il était né dans un pays où les voyages se faisaient à dos de cheval et de mulet, mais il vécut assez longtemps pour voir les premières lignes aériennes reliant son pays à plusieurs autres pays étrangers. Il avait grandi dans une nation de fermiers et de bergers, mais il vécut assez longtemps pour voir l'installation d'une industrie persane : des usines de textile, d'alimentation, de chaussures, de matériaux de construction, de chimie et d'armement.

Évidemment, il savait bien que ce n'était qu'un début, mais dans ces premières années il avait la certitude que ses plans et ses programmes deviendraient une réalité, quelle que soit l'opposition rencontrée. Cette opposition ne vint pas seulement de ceux qui avaient tout à perdre de ces réformes, comme le clergé, mais aussi de ceux qui avaient tout à y gagner. (Dans les années à venir, mon frère fera la même expérience : une opposition à deux têtes, critiques de la part des éléments conservateurs, disant qu'il en faisait « trop » et « trop tôt », critiques des observateurs occidentaux et de la gauche iranienne, disant qu'il en faisait « trop peu » et « trop tard ».) Par exemple, Reza Shah, au cours d'une de ses visites dans un village perdu, vit que beaucoup de villageois vivaient dans des cabanes primitives, partageant leur toit avec le bétail. Presque aussitôt il fit bâtir pour ces gens un « village modèle », avec des maisons simples mais modernes et fonctionnelles. A contrecœur, les villageois s'y installèrent, mais seulement parce que le roi avait dit qu'il le fallait. Plus tard, dès la fin du règne de Reza Shah, ils abandonnèrent ces maisons, et retournèrent vivre dans leurs cabanes avec le bétail. Bien que je sois iranienne et que je comprenne mieux nos traditions que les Occidentaux, je n'arrive pas à m'expliquer cette sorte de résistance opiniâtre au changement.

Préoccupé comme il l'était de l'avenir, mon père ne pouvait négliger la question vitale de la succession au trône. Une fois ses filles bien mariées, il se mit à la recherche d'une épouse convenable pour le prince héritier. La candidate idéale devrait être de sang royal, de préférence une princesse qui resserrerait les liens de l'Iran avec un autre pays. Mon père se livra à une série d'enquêtes dans le Moyen-Orient. Après bien des conversations préliminaires entre les cours de Téhéran et du Caire, on annonça en 1938 que le prince héritier Mohammed Reza Pahlavi épouserait la princesse Fawzia, sœur du roi d'Égypte, Farouk.

Aussitôt les arrangements passés, mon père demanda au Parlement de donner à Fawzia la nationalité iranienne (afin que ses enfants soient iraniens eux-mêmes). Il précipita la construction du Palais de marbre, qu'il avait commencé plusieurs années auparavant, afin qu'il puisse être terminé à temps pour les célébrations du mariage. Reza Shah adorait faire construire, et son Palais de marbre, quoique bien moins ornemental que le palais du Golestan, reflétait son goût pour l'art local iranien. Entouré par un grand jardin qui avait des allures de parc, rempli de roses, de mimosas, de saules pleureurs, de cyprès et de pins, le Palais de marbre (en réalité le nom de palais ne convient pas tout à fait à cette ravissante maison qui n'avait que douze pièces) était remarquable par ses murs de marbre persan d'un vert pâle et par deux pièces spécialement belles : le bureau de mon père avec ses mosaïques et ses incrustations de bois, et la salle de bal avec ses jeux de miroirs, le tout couronné du traditionnel dôme persan.

Ce palais serait le théâtre de la « seconde célébration » du mariage de mon frère. La première avait eu lieu au Caire et comme ma famille n'y assista pas, j'étudiai avidement dans les journaux les photos de ma nouvelle belle-sœur. J'avais entendu dire que cette princesse égyptienne aux cheveux sombres, à la peau d'une blancheur crémeuse, aux beaux yeux expressifs gris-bleu, était très jolie, et je me demandais si elle saurait rendre mon frère heureux.

Pendant les années où mon frère fut marié à Fawzia, comme pendant ses deux autres mariages, on devait faire beaucoup de commérages sur ma rivalité avec mes belles-sœurs. Mais la vérité toute simple sur mes rapports avec l'une ou l'autre d'entre elles est bien moins pittoresque : j'ai toujours essayé d'aimer quiconque tenait une place importante dans la vie de mon frère, car pour moi cela fait partie de mon amour pour lui.

En fait j'eus avec Fawzia un contact immédiat. Je me rappelle encore le jour où ma mère, ma sœur et moi, nous rendîmes au port de Khorramshahr, dans le Sud de l'Iran, pour accueillir les jeunes mariés de retour d'Égypte. Mon frère et sa femme étaient tous les deux radieux, et quand ils se regardaient, leurs yeux étaient pleins d'affection. Leur mariage avait été, comme le mien, un mariage arrangé ; mais le leur, à la différence du mien, était l'union de deux fiancés qui s'aimaient vraiment.

La princesse Fawzia devint ma première amie intime. Comme les deux autres femmes que mon frère allait avoir, elle était plutôt réservée, parfois même un peu froide, mais elle avait bon cœur et était généreuse. Je savais que sa famille et sa vie en Égypte lui manqueraient, aussi je fis de mon mieux pour qu'elle se sente à l'aise. Bien que n'ayant jamais visité l'Égypte, je savais que la vie à la cour du Caire (qui était alors connu comme le « Paris du Moyen-Orient ») était beaucoup plus animée et brillante que celle que nous pouvions lui offrir à Téhéran. Bien sûr, nous avions fait du chemin depuis mon enfance. A cette époque, l'événement social le plus passionnant était les « thés de deuil » pendant le mois du Muharram, où les mollahs racontaient, avec force détails, comment les martyrs de notre religion étaient allés au-devant de la mort.

Mon père avait essayé de décourager ces coutumes et autres formes de rituel de deuil, tel que l'autoflagellation, qui sont caractéristiques de notre religion, en faveur de fêtes plus joyeuses et profanes (comme le nouvel an persan) marquées par des réjouissances, des pique-niques, ou autres cérémonies. Mais nous étions encore loin de ce qui se faisait au Caire où il y avait un opéra, un théâtre, des cinémas et des dancings. La vie culturelle de Téhéran se limitait au théâtre musulman et à quelques cinémas.

Pourtant Fawzia et moi passâmes quelques bons moments ensemble. Les Pahlavi avaient une vie familiale très active. Nous avions un cinéma chez nous (c'était un des luxes du palais), écoutions de la musique — persane, ou égyptienne en l'honneur de Fawzia — jouions aux cartes, ou nous rendions simplement visite les uns aux autres. Nous allions parfois, Fawzia et moi, en ville pour déjeuner et parfois faire du lèche-vitrines devant l'un des rares magasins qui offraient un vaste choix de marchandises importées, introuvables dans nos bazars locaux.

Étant la femme du prince héritier, on attendait de Fawzia qu'elle ait un enfant, de préférence un fils, et le plus vite possible. Un jour elle vint me voir et me fit une curieuse proposition : que penserais-je, me demanda-t-elle, si nous essayions d'être enceintes en même temps ? Ainsi nous attendrions ensemble nos enfants. Si l'on considère que je ne pouvais supporter mon mari, il peut paraître étrange que j'aie pu même envisager cette éventualité. Et pourtant, je le fis. Bien que mariée depuis longtemps, j'étais encore très jeune, et cette conspiration de « petite fille », avec la perspective d'un enfant qui remplirait le vide de ma vie, me plut. En vérité, j'étais sexuellement si naïve et j'éprouvais une telle répulsion pour mon mari que je dus prendre ce que l'on appellerait aujourd'hui un tranquillisant avant de pouvoir me faire à l'idée de partager son lit.

Bien évidemment notre plan échoua : nous tombâmes enceintes à des époques différentes. Je conçus mon enfant la première et quand je donnai le jour à mon fils, Shahram, Fawzia — qui n'était enceinte que de trois mois — était là pour me féliciter (sa fille Shahnaz naquit six mois plus tard). Après la visite de Fawzia arrivèrent mon père et mon frère pour me féliciter et me présenter leurs vœux. Seul mon mari s'abstint de venir voir son enfant ce jour-là, ce qui ne laisse aucun doute sur ce qu'étaient nos relations à cette époque.

Le fossé qui nous séparait s'accentua encore après la naissance de Shahram. Nous étions si étrangers l'un à l'autre que je ne pouvais même plus supporter de me trouver dans la même pièce que lui. J'abordai la question d'un divorce avec mon frère. Il fut compatissant, mais il pensait que mon père ne permettrait jamais un divorce dans la famille royale. Il me dit de prendre patience.

Et bien que je n'en fusse pas consciente au moment de notre conversation, le monde allait se trouver bientôt plongé dans une crise si grave que tous mes problèmes personnels deviendraient sans importance.

4

LES ANNÉES DE GUERRE

Un matin, comme je me brossais les cheveux dans ma chambre, je m'entendis appeler du jardin. J'ouvris ma fenêtre et vis mon frère.

« L'Allemagne a envahi la Pologne », dit-il.

C'était le 3 septembre 1939 et la guerre mondiale, que nous avions redoutée et qui avait été au centre de nos préoccupations, était devenue réalité. Je savais que nous étions particulièrement vulnérables, étant donné notre position « à la croisée des chemins » entre l'Europe et l'Asie. A la maison, notre principal sujet de conversation avait été les menaces de guerre. Mon père savait que si nous étions entraînés dans ce conflit comme nous l'avions été dans la Première Guerre mondiale, tous ses plans de développement devraient être abandonnés. L'Histoire prouva qu'il avait vu plus que juste.

Peu de temps après l'invasion de la Pologne, l'Iran proclama sa neutralité. Bien que mon père n'ait jamais aimé ni soutenu Hitler, je dois avouer qu'il éprouva une certaine satisfaction à voir l'Allemagne provoquer la Grande-Bretagne et la Russie, qui étaient ses ennemis de toujours. L'espoir de rester neutre ne dura cependant que jusqu'à l'été 1941, quand les Allemands envahirent la Russie. Les Alliés devaient trouver un moyen de faire parvenir des approvisionnements à l'U.R.S.S. La seule possibilité était d'utiliser la Turquie ou l'Iran comme point de relais et ils choisirent l'Iran qui offrait des avantages stratégiques.

Pour traverser les frontières d'un pays neutre, les Alliés avaient besoin d'un prétexte. Ils auraient pu demander à mon père de coopérer en créant une route d'approvisionnements vers la Russie. Au lieu de cela, ils nous accusèrent d'être pro-nazis en raison de la présence d'ingénieurs, d'industriels et d'autres techniciens allemands qui étaient venus travailler sur différents programmes de développements. Ils « suggérèrent » que Reza Shah expulse ces Allemands d'Iran, sachant probablement fort bien qu'il serait peu disposé à le faire. Une telle action n'aurait pas seulement privé l'Iran d'une assistance technique précieuse, mais, pire encore, aurait réveillé l'antagonisme du gouvernement de Hitler qui aurait vu, dans l'expulsion de ce personnel civil, une violation de notre prétendue neutralité. La présence prolongée de ces Allemands donna à Anthony Eden et à Vyacheslav Molotov le prétexte nécessaire pour pénétrer en Iran par les frontières du Nord et du Sud, et pour établir les voies de ravitaillement vers la Russie.

Ainsi, le 25 août 1941, le jour que nous avions tant redouté arriva (il reste gravé dans ma mémoire), et avec lui la suite d'événements qui mettrait un terme au règne de Reza Shah, et amènerait des années d'épreuves à l'Iran. Mon père arriva pour le déjeuner avec un air si tendu et si sombre que personne n'osa parler. « Ce que je savais être inévitable est arrivé, dit-il. Les Alliés nous ont envahis. Je crois que cela sera ma fin. Les Anglais s'y emploieront. » Il était particulièrement préoccupé par le fait que son Premier ministre, Ali Mansour, avait négligé de le prévenir de l'imminence d'une telle invasion. Apparemment nos agents diplomatiques en Europe avaient câblé au Premier ministre la nouvelle d'une attaque presque certaine des Alliés, mais l'information n'avait pas été transmise à mon père. Reza Shah pensa qu'une telle négligence signifiait que ceux qui lui étaient opposés dans son propre gouvernement avaient probablement signé des conventions secrètes avec les Alliés.

Mon frère était préoccupé, non seulement par les conséquences de la guerre, mais aussi par la menace pour la monarchie, la plus grave pour le règne de Reza Shah depuis son couronnement. Il ne croyait pas que l'armée iranienne pourrait défendre le palais en cas d'attaque alliée. Plus tard dans l'après-midi il m'apporta un fusil et me dit : « Ashraf, gardez ce fusil près de vous, et si les troupes entrent dans Téhéran et essaient de nous capturer, tirez quelques coups de feu et puis tuez-vous. Je ferai de même. » Je pris le fusil et promis de faire ce qu'il demandait.

Le deuxième jour de l'invasion, Téhéran subit un petit bombardement des Alliés. Effrayée par le bruit des bombes et des canons antiaériens, je serrai mon petit garçon dans mes bras et me dirigeai vers le sous-sol. Mon mari m'arrêta. « Donne-moi l'enfant, dit-il. Je vais l'emmener à l'ambassade d'Angleterre. (Sa famille entretenait des liens étroits avec les Anglais.) — Jamais, répondis-je. C'est mon fils et il reste avec moi. » Nous nous disputâmes durement à propos de l'enfant, mais je restai ferme.

Cette même nuit, mon père décida de nous évacuer sur Ispahan (à 350 kilomètres au sud de Téhéran) où nous serions, pensait-il, relativement plus en sécurité car la ville était loin de toute frontière. Bien qu'Ispahan soit une des plus belles villes du monde, avec ses boulevards spacieux, ses jardins, ses palais royaux et ses mosquées bleu d'azur, nous passâmes le plus clair de notre temps, pendant notre séjour, autour du poste de radio, pour essayer d'avoir quelques nouvelles des événements.

Nous apprîmes que mon père avait renvoyé Ali Mansour et qu'il avait nommé un nouveau Premier ministre, Mohammed Ali Fouroughi, qui avait rapidement mis sur pied les termes d'une paix avec les Alliés. C'était plus une formalité qu'autre chose car l'armée iranienne avait été neutralisée en quelques jours et notre petite flotte coulée. Cependant les Alliés ne faisaient toujours pas confiance à Reza Shah, car il n'était visiblement pas le genre de dirigeant à coopérer avec les gouvernements des pays envahisseurs de l'Iran. Il s'ensuivit une campagne contre lui sur les ondes. La B.B.C., Radio-Delhi, qui était sous le contrôle des Anglais, et Radio-Moscou s'attaquèrent au Shah, disant au peuple iranien qu'il avait pour roi un dictateur, et demandèrent sa démission. Radio-Berlin poussait le Shah à résister. Le 16 septembre 1941 — vingt-deux jours après l'invasion — mon père réalisa que pour sauver le trône, il n'avait pas le choix : il devait abdiquer. Radio-Téhéran annonça que le nouveau Shah était Mohammed Reza Pahlavi.

Le jour suivant, comme j'étais assise devant la fenêtre de notre maison à Ispahan, regardant dans la cour, je vis un très vieil homme qui se promenait avec deux compagnons. Comme ils se rapprochaient je fus frappée d'étonnement en m'apercevant que ce « vieil homme » en civil était mon père. En moins d'un mois il semblait avoir pris vingt ans. Rétrospectivement, je pense qu'il avait peut-être eu une petite attaque immédiatement après son abdication.

De ma vie, je n'avais vu Reza Shah autrement qu'en uniforme militaire, et je ne l'avais jamais connu que comme un homme fier et vigoureux. Son travail avait été la force motrice de sa vie, et maintenant il se retrouvait, tout à coup, sans but, relégué dans l'univers des hommes âgés qui n'ont plus aucune utilité. Au mariage de mon frère il avait exprimé le vœu d'avoir encore dix ans devant lui pour mener à bien les tâches qu'il avait entreprises, mais ce vœu ne devait pas être exaucé.

Mon père partagea notre veille près du poste de radio, et notre anxiété pour mon frère. Pourrait-il garder le pays unifié sous les poussées de l'occupation étrangère ? La première tâche du Shah serait la pénible nécessité de coopérer avec les armées d'occupation tout en essayant de maintenir ce qu'il pouvait de l'intégrité de notre pays. J'étais sûre qu'il avait la capacité de mener à bien la tâche que l'on attendait de lui : son éducation occidentale et son aisance vis-à-vis des Occidentaux l'aideraient énormément, pensais-je. Cependant je craignais les énormes pressions qu'il aurait à subir.

Le jour où le nouveau Shah, Mohammed Reza Pahlavi, âgé de vingt-deux ans, vint prêter serment, nous écoutâmes la radio et entendîmes les cris de « Vive le Shah » au passage du carrosse royal. Mais nous savions qu'il lui faudrait bien plus que les cris des foules pour l'aider à traverser les temps troublés à venir. Plus tard on annonça que le Parlement avait fait une ovation retentissante au Shah. Les diplomates de toutes les puissances étrangères étaient présents, excepté ceux de la Grande-Bretagne et de la Russie.

Bien que mon père ait été éloigné du trône, les Alliés n'étaient pas encore satisfaits ; ils craignaient Reza Shah, et ils décidèrent de l'envoyer aussitôt que possible en exil. Mon père demanda si on lui permettrait d'aller en Argentine, et les Alliés y consentirent. Par une belle journée ensoleillée de l'automne 1941, mon père et les autres membres de la famille, Fawzia, Shahnaz, mon fils Shahram et moi-même exceptés, quittèrent Ispahan en voiture pour aller prendre un bateau sur le golfe Persique, à 600 kilomètres de là. Le Shah monta à bord du navire anglais en croyant qu'il allait en Argentine, et ce ne fut que quand le bateau eut pris la mer qu'il découvrit que les Anglais avaient changé d'avis, et qu'ils avaient décidé de l'envoyer ailleurs. Son exil commença sur l'île Maurice et se termina à Johannesbourg, en Afrique du Sud.

Pendant les derniers jours que mon père avait passés à Ispahan, je lui avais demandé sans cesse de m'emmener avec lui. Il répondait chaque fois : « J'aimerais beaucoup vous avoir avec moi, mais votre frère a encore plus besoin de vous. Je veux que vous restiez près de lui. » Il ajouta alors : « J'aurais aimé que vous soyez un garçon, car vous auriez pu être un frère pour lui maintenant. »

Pour mon père, ces quelques derniers jours furent solitaires et tranquilles. Le soir nous parlions ou je lui faisais la lecture. Il semblait moins intimidant maintenant, plus abordable que jamais. Un soir, je pris mon courage à deux mains et commençai à lui dire combien j'étais malheureuse en ménage, et combien j'étais désireuse de divorcer. Je ne sais pas exactement à quel genre de réaction je m'étais attendue mais je n'étais pas préparée au sourire triste et à la petite tape sur l'épaule qu'il me donna.

« Mais babi, dit-il, utilisant le petit mot tendre de l'enfance en Perse, pourquoi ne m'avoir pas dit combien vous étiez malheureuse ? Pourquoi ne me l'avoir pas dit plus tôt ?

— Je n'osais pas, répondis-je. J'avais peur de vous mettre en colère. »

Il sourit à nouveau et me prit la main.

« Je ne veux plus que vous vous fassiez du souci à propos de ce mariage. Dès que je le pourrai, j'écrirai à votre frère et je lui dirai qu'il vous aide à divorcer. »

Il allait me falloir un an pour obtenir ce divorce, car mon mari n'avait aucune envie d'abandonner la position sociale dont il avait joui jusque-là.

Quand mon père nous eut quittées, Fawzia et moi partîmes pour la capitale. Mon frère vint jusqu'à la cité sainte de Shahrary, à dix kilomètres au sud de Téhéran, pour nous souhaiter la bienvenue. (C'est une coutume, en Iran, de faire une partie du chemin et d'aller au-devant des invités de marque, ou des personnes chères, de retour de voyage, pour les accueillir.) La tristesse que nous causait l'exil de mon père fut un peu allégée quand nous aperçûmes, pour la première fois, le nouveau Shah d'Iran : Mohammed Reza Pahlavi.

La fin du règne énergique de mon père avait préparé le « décor » pour des interventions étrangères continuelles, et pour des intrigues politiques internes. A vingt-deux ans, mon frère ne pouvait pas avoir la poigne qu'avait eue mon père. Aussi ce qui suivit ne fut qu'une variation sur le scénario qui s'était déjà joué du temps de la dynastie des Ghadjars, avant la prise de pouvoir par mon père, le même scénario qui se répétait chaque fois qu'il y avait absence de cohésion et de force du pouvoir central.

De plus, ce qui fut une période difficile pour la monarchie, fut une période encore plus difficile pour le citoyen iranien moyen, qui dut faire face aux restrictions et à une inflation de 400 pour 100 pendant les années de guerre. L'Iranien devint un citoyen de deuxième classe dans son propre pays, vivant à l'ombre des troupes étrangères, ignoré et rejeté, pour satisfaire aux exigences des puissances alliées.

Comment pourrions-nous ignorer la leçon de ces années, où nous vîmes qu'en dépit de toutes les belles paroles qu'on dit en Occident sur l'autodétermination, la réalité sans fard a toujours été que les pays les plus forts pouvaient imposer leur volonté aux pays les plus faibles ? Comment pouvions-nous ne pas ressentir de l'amertume envers les nations qui occupaient notre territoire, quand toutes les routes et les voies ferrées menant du golfe Persique aux frontières russes étaient sous le contrôle des Alliés ? Tous les moyens de communications étaient utilisés, vingt-quatre heures sur vingt-quatre, pour transporter de la nourriture, des médicaments et du matériel de guerre vers la Russie. Bien qu'ils n'aient ni fait ni perdu une guerre, les Iraniens étaient traités comme les citoyens d'un pays vaincu. S'ils voulaient se déplacer à l'intérieur de leur propre pays, ils devaient obtenir des visas spéciaux du gouvernement militaire allié. Les gens ne pouvaient se servir de leurs propres routes mais devaient attendre sur les talus, avec leurs charrettes, leurs mulets et leurs voitures, parfois pendant plusieurs heures, que les colonnes d'approvisionnement militaire soient passées. Comme beaucoup de nos routes n'étaient pas pavées, d'énormes nuages de poussière étaient soulevés par les files de véhicules et, à la fin de leur attente, les gens étaient couverts d'une épaisse couche de poussière, comme s'ils avaient traversé une tempête de sable dans le désert.

Dans les ports et dans les gares, le matériel de guerre avait la priorité absolue, alors que les marchandises iraniennes devaient attendre des semaines ou des mois. Si un artiste avait à peindre un paysage typique de ces années de guerre, il devrait y inclure une longue file de camions Studebaker, se frayant un chemin le long des routes campagnardes cahotantes, devant les inévitables rassemblements de paysans attendant patiemment avec leurs chevaux et leurs mulets.

Dans la ville il y avait aussi de longues files d'attente devant les boulangeries et les épiceries. Pendant que les Russes détournaient le riz et le blé des provinces du Nord à leur profit, les rues de Téhéran étaient pleines d'affiches annonçant que les Alliés importaient du blé du Canada pour les nourrir, et que les troupes alliées se battaient pour les libérer. Les rangs des gens misérables et affamés étaient grossis par les dizaines de milliers de Polonais qui avaient fui leur pays et qui débordaient, par la frontière russe, en Iran.

Il n'y avait qu'un seul secteur qui ne souffrait pas des restrictions : quand les troupes américaines arrivèrent en Iran, les hommes avaient de l'argent à dépenser quand ils n'étaient pas de service, et les bars et les night-clubs se multiplièrent dans la capitale pour la commodité des G.Is.

Des femmes affamées se mirent à faire le trottoir pour gagner assez d'argent pour pouvoir manger. Ce genre d'influence occidentale dans un pays musulman alimenta l'indignation des mollahs.

Les armées étrangères qui occupaient l'Iran — les Russes, les Britanniques, et maintenant les Américains — étaient appelées les « Alliés », mais chacun de leur gouvernement était activement engagé dans l'exercice familier qui consiste à défendre ses propres intérêts, en cherchant à prendre pied le plus solidement possible en Iran, chacun pour son propre compte. Un observateur perspicace aurait pu voir en Iran les germes de la future guerre froide.

La division des Alliés divisa aussi les Iraniens en différentes factions ou « fronts ». Des partis, avec des idéologies variées, surgirent, le plus organisé et le plus visible étant le parti communiste Tudeh inspiré par les Russes, appelé aussi le parti des « Masses ».

Des membres du parti Tudeh se battaient au sein du Parlement, avec les factions alliées à d'autres pays, ce qui paralysait souvent toute la machine gouvernementale. Bien que nous ayons les rudiments d'un parlement démocratique, les politiciens iraniens n'ont jamais eu la mentalité occidentale pour le faire fonctionner. Ils étaient inexpérimentés et peu versés dans l'art du compromis politique, et du « d'accord pour n'être pas d'accord », tout en continuant à gérer le pays. En l'absence d'un chef puissant et autoritaire, ils revinrent aux façons habituelles d'agir au Moyen-Orient, l'éternel changement dans les alliances et les fidélités, qui semble souvent incompréhensible pour des observateurs occidentaux.

Presque chaque mois, le roi nommait un nouveau Premier ministre et, dans ce climat, le terrorisme politique devint un passe-temps national. Des politiciens et quelques journalistes furent assassinés par des terroristes et, après chacun de ces meurtres, on assistait à une succession d'accusations et de contre-accusations, chaque faction se renvoyant la balle.

Ayant inauguré son règne dans de telles circonstances, mon frère fut souvent découragé par ce qui semblait être une tâche impossible. Il savait que les Alliés préféraient une monarchie affaiblie et inefficace, telle que l'avaient toujours souhaitée les puissances étrangères. Il savait que si l'Iran devait survivre à la guerre en conservant ses frontières, il devait construire, au moins, un semblant d'unité nationale, et s'assurer une large part de l'appui populaire.

Mais les efforts de mon frère en ce sens étaient continuellement sapés par l'une ou l'autre des puissances étrangères. A un moment, par exemple, l'ambassadeur de Grande-Bretagne « suggéra » à mon frère de dissoudre le Parlement, parce que le Premier ministre avait averti les Anglais que le Parlement voterait contre l'émission (contraire à la loi) d'une grande quantité de monnaies iraniennes, à l'usage des troupes alliées. Naturellement, mon frère refusa, mais les Britanniques obtinrent ce qu'ils voulaient en accentuant leur pression sur le Shah et sur le Parlement (comme les troupes anglaises n'étaient déjà que trop présentes en Iran, cela ne leur fut pas difficile).

Comme ils l'avaient fait une génération auparavant, les Russes consolidèrent leur emprise sur les provinces du Nord, non seulement grâce au parti Tudeh, mais aussi grâce à leur armée d'occupation. Le sentiment d'unité nationale iranien, encore dans son enfance, qui avait été en grande partie l'œuvre de Reza Khan, menaçait de se disloquer. On assistait à un retour de l'esprit séparatiste et tribal.

Encouragée par les Britanniques, qui voyaient dans les mollahs un contrepoids efficace aux communistes, l'extrême droite religieuse relevait la tête, après avoir été réprimée pendant des années.

Les chefs de tribu qui avaient été désarmés, politiquement tranquilles, redevinrent actifs et se réarmèrent. Les Alliés avaient instauré un régime de restriction sur les denrées rares comme le sucre et le riz, et ils attribuèrent des tickets de rationnement à ces chefs, qui étaient supposés les distribuer à leur population. En réalité, ces chefs de tribu revendaient souvent ces tickets pour s'acheter des armes dont ils se servaient pour regagner alors une partie de leur ancienne autonomie.

Ce fut dans ce climat de dislocation interne que d'étranges rumeurs se mirent à circuler dans Téhéran. Elles commencèrent à la fin de l'automne 1943, quand la radio cessa ses émissions. La raison officielle fut : « difficultés techniques ». Ensuite le principal bureau télégraphique de la capitale ferma ses portes et, bientôt après, aucun voyageur ne fut autorisé à rentrer ou à sortir de la ville. Les cars et les autobus en direction de Téhéran furent inexplicablement détournés vers des villes voisines et soudain les rues de la ville se remplirent de soldats russes, anglais et américains, armés de mitraillettes. Toutes les grandes artères autour des ambassades de Russie et de Grande-Bretagne furent bloquées par des soldats en armes.

On se livra à des conjectures insensées : on disait que le nouveau Shah avait été arrêté. D'autres croyaient que Reza Shah était rentré d'exil et mettait sur pied une attaque de l'Iran. Il y avait ceux qui disaient que des forces allemandes avaient pris pied en Iran. D'autres prétendaient que les Russes se livraient à une chasse intensive aux espions allemands. Il y eut même un journal, la seule source d'information à peu près sûre, qui succomba à ces rumeurs et publia une édition spéciale confirmant le retour de Reza Shah en Iran.

Et pourtant la vérité qui se cachait derrière ces extraordinaires mesures de sécurité — le black-out des moyens de communication et l'affluence des troupes — était encore plus dramatique que les rumeurs : les chefs d'États des plus grandes puissances du monde étaient tous réunis dans notre pays pour la Conférence de Téhéran. Nous ignorions complètement l'existence de cette conférence, et ne savions pas que Téhéran avait été choisi comme lieu de rencontre. Je crois que peu de personnes savent, aujourd'hui encore, toutes les raisons de cette rencontre mais à l'époque nous supposâmes qu'elle avait trait à une nouvelle stratégie de coopération entre les Anglais, les Russes et les Américains pour la conduite de la phase finale de la guerre.

Quelles qu'aient été les raisons de cette conférence, elle fournit à mon frère la possibilité inattendue d'avoir ses premiers contacts personnels avec les chefs d'États alliés. Cela valut à l'Iran un nouvel ami en la personne de Franklin Delano Roosevelt, avec qui le Shah eut une conversation de plusieurs heures. L'assurance du soutien américain donnée par F.D.R. (peu importe si cela s'avéra plus tard profitable aux États-

Unis) donna à l'Iran la possibilité de résister à la Russie dans les années qui suivirent la guerre. Staline, en fait, rendit lui-même visite à mon frère (seul Churchill resta intraitable et n'alla pas voir le Shah). « Oncle Joe » fit beaucoup de démonstrations expansives et très flatteuses d'amitié, et offrit des tanks et des avions russes pour l'armée iranienne. Mais quand mon frère réalisa que cette offre impliquait aussi l'envoi d'officiers russes et de personnels d'autres sortes en Iran, il refusa avec ses remerciements.

S'il n'avait pas eu cet échange à cœur ouvert avec Roosevelt, je ne pense pas qu'il aurait pu être aussi ferme avec Staline. Je pense que Roosevelt appréciait à sa juste valeur, non seulement, l'importance stratégique de l'Iran, mais aussi l'intérêt de relations stables avec un dirigeant, ami du progrès, dans le Moyen-Orient. (Je me rappelle incidemment que mon frère me fit part de sa surprise en voyant Roosevelt dans une chaise roulante. Apparemment il y avait une sorte de *gentleman's agreement* dans la presse mondiale : on ne photographiait Roosevelt qu'à partir de la taille.)

La conférence de Téhéran dura quatre jours au bout desquels on publia deux communiqués, le 1er décembre 1943. Dans l'un d'eux, les gouvernements alliés reconnaissaient « l'aide apportée par l'Iran dans la poursuite de la guerre contre l'ennemi commun » et reconnaissaient que « la guerre avait amené de graves difficultés économiques à l'Iran ». Cela étant reconnu, ils promettaient « de fournir au gouvernement iranien toute l'aide économique possible ». En outre, les gouvernements alliés déclarèrent qu'ils étaient « d'accord avec le gouvernement iranien pour maintenir l'indépendance, la souveraineté et l'intégrité du territoire de l'Iran ».

Comme pour la Charte de l'Atlantique, toutes les clauses du communiqué de Téhéran ne furent jamais entièrement exécutées, en tout cas pas par l'Union soviétique. Bien qu'ils aient eu l'obligation de quitter l'Iran dans les six mois après la fin de la guerre, ils maintinrent leurs troupes en Azerbaïdjan, province du Nord-Ouest ; et ils n'évacuèrent le territoire qu'après avoir laissé derrière eux une « république démocratique » communiste, créée et soutenue par l'Armée rouge. La création de cette « république » (en 1945) se traduisit par des conflits et des effusions de sang prolongés, dont les effets se font encore sentir aujourd'hui à travers tout l'Iran.

Des années après la guerre, on écrivit bien des choses intéressantes sur la Conférence de Téhéran. Selon certaines des histoires que l'on fait circuler, il y aurait eu un projet allemand d'assassinat des trois chefs d'États alliés pendant leur séjour à Téhéran. Bien que nous n'ayons jamais entendu parler d'un tel complot, nous nous aperçûmes que Roosevelt, qui s'était d'abord installé à l'ambassade américaine, avait été rapidement transféré à l'ambassade russe. Apparemment, les Russes avaient « truffé » de micros l'ambassade américaine et ainsi, ils avaient pu, grâce à cette surveillance électronique, apporter à Roosevelt les preuves d'une conspiration, dont le but était de l'assassiner. Ils persuadèrent le président américain de déménager à l'ambassade russe qui était très sérieusement fortifiée. Rétrospectivement, il semble probable que cette démonstration d'amitié aida à la consolidation des rapports entre Roosevelt et Staline, ce qui permit aux Russes, après Yalta, d'étendre leur influence sur l'Europe de l'Est.

Il y eut un autre incident, postérieur à la conférence. On s'aperçut que l'ambassadeur d'Allemagne en Turquie avait, d'une manière ou d'une autre, reçu des copies de tous les documents secrets de la Conférence de Téhéran. Il s'avéra que le secrétaire de l'ambassadeur de Grande-Bretagne en Turquie était un agent secret allemand bien connu, dont le nom de code était Ciceron ; il avait réussi à ouvrir le coffre-fort de son employeur et avait photographié tout ce qu'il contenait. Certains de ces documents révélèrent l'existence d'un plan allié pour forcer la Turquie à entrer dans la guerre. Quand l'ambassadeur allemand révéla ce complot aux autorités turques, le gouvernement turc décida de rester neutre, ce qu'il fit jusqu'en février 1945, quand il n'y eut plus aucun doute quant à la victoire des Alliés.

Mon propre sentiment — en y songeant plus tard — est que la retombée la plus significative de cette Conférence de Téhéran fut l'amitié entre Staline et Roosevelt, mésalliance politique qui donnerait à Staline le feu vert pour commencer à s'infiltrer en Europe de l'Est et au Moyen-Orient.

Ces premières années de guerre, après le départ de mon

père en exil, apportèrent des changements radicaux dans ma vie. Bien que cela ait été une période d'anxiété et d'agitations, la présence de tant d'étrangers à Téhéran en fit aussi une période de découvertes.

Le rythme de vie dans la ville s'accéléra, et tout autour de nous on n'entendait que langues et musiques différentes, témoignage de coutumes et d'idées venant de l'étranger. Bien que je sois d'un naturel réservé et que j'aie eu peu de contacts personnels proches, j'ai toujours été passionnément intéressée par les autres peuples, par leur façon de penser, de sentir et de vivre. En l'absence de la sévère emprise de mon père, et dans les situations extrêmes où nous mettait la guerre, j'étais libre de vivre à ma guise, de m'imprégner de tout ce qui se passait et se disait autour de moi, de rencontrer des gens nouveaux et d'échanger des points de vue, libre d'en apprendre plus sur le monde complexe extérieur à l'Iran.

L'exil de mon père impliquait aussi la possibilité pour la famille Teymourtache — et pour mon vieil ami Mehrpur — de rentrer à Téhéran. Avec Mehrpur, son frère Houshang, et un petit cercle d'amis, j'allais pouvoir mener, pour la première fois de ma vie, une vie sociale en dehors de la famille royale. Je suppose que ce que nous faisions : écouter de la musique, danser, discuter des nouvelles du monde, aurait semblé bien sage à des Occidentaux, d'autant que nous étions généralement chaperonnés par ma demi-sœur, qui était plus âgée. Notre possibilité de bousculer les règles de la respectabilité en Iran était cependant limitée. Il ne fallait pas ajouter le problème d'un scandale à la cour aux autres problèmes auxquels mon frère se trouvait déjà confronté. Mais comparé à ce qu'avait été ma vie jusque-là, c'était déjà bien aventureux.

Avant l'arrivée des soldats américains, les seules musiques que nous connaissions étaient françaises ou iraniennes. Les Américains établirent leur propre station de radio, partie de leurs installations militaires à Amirabad, quartier du Nord-Ouest de Téhéran. Nous fîmes alors connaissance avec les musiques populaires, les variations exotiques de Dixieland, et le jazz. Houshang devint notre expert attitré en musiques étrangères, et il nous rapportait souvent de nouveaux disques que nous passions sur notre vieil électrophone Victrola, ce qui nous permit de nous exercer aux subtilités des danses occidentales, comme le fox-trot et, coqueluche de l'époque, le lindy.

La base militaire américaine fit venir une grande variété d'artistes pour distraire les troupes. Amateur en herbe de cinéma (je verrai plus tard presque tous les bons films français et américains), je fus enchantée quand Frederick March vint à Téhéran et accepta de participer à une de nos soirées. Mais le plus amusant fut notre confrontation à l'humour américain.

Fascinée comme je l'étais par la culture occidentale, je savais bien que je ne pourrais rester à l'écart quand j'entendis dire que deux fameux comiques américains, Bob Hope et Dany Kaye, allaient venir distraire les troupes de la base d'Amirabad. Il fallait un laissez-passer spécial pour assister à ces spectacles. Il aurait été facile, je pense, pour la sœur du Shah d'obtenir un de ces laissez-passer, mais j'avais très envie de passer une soirée sans les embarras et l'ennui du protocole officiel. Aussi me faufilais-je avec des amis qui avaient réussi à obtenir des laissez-passer, et nous pûmes nous noyer dans la foule qui se retrouva ce soir-là. J'étais bien sûr incapable de comprendre toutes les plaisanteries des deux comiques, mais le rire des soldats était si communicatif que je m'amusai moi-même beaucoup. Comparée à la discipline rigide des troupes iraniennes, la camaraderie entre les soldats américains paraissait plutôt chaleureuse et détendue. Ce qui me frappa alors, et devait me frapper souvent dans les années à venir, fut cette différence fondamentale entre gens nés et élevés dans les traditions démocratiques occidentales et ceux qui n'avaient jamais été confrontés à cette forme de culture. Mes expériences durant cette période de guerre rendraient plus grande encore ma curiosité vis-à-vis de l'Amérique : ce pays semblait si différent du nôtre.

Au fil des soirées que je passais avec mes amis, je me mis à penser à l'amour. Aussi chastes qu'aient été nos réunions, nombreux furent ceux qui pensèrent que j'épouserais un jour Mehrpur. Malgré un premier mariage, l'amour, la passion, sentiments qui inspirent poètes, ménestrels et adolescents, m'étaient inconnus. Je connaissais en revanche mes sentiments à l'égard de Mehrpur : de l'affection, de la camaraderie, mais pas de l'amour. Je m'apercevais avec consternation que, plus je passais de temps avec Mehrpur et son frère Houshang, plus j'étais attirée par ce dernier. Je me sentais attirée par sa haute taille et sa belle prestance, par son charme dévastateur, l'aisance qu'il avait acquise au cours de ses années d'étude en Angleterre. Je savais qu'avec cet homme aimant la vie et le rire, j'avais rencontré l'amour. Ce que je ferais de cet amour était un mystère pour moi. Dans notre civilisation les femmes ne font pas d'avances aux hommes, surtout à ceux dont elles sont supposées épouser le frère.

Un soir, alors que nous étions réunis chez ma sœur avec des amis, le téléphone sonna. C'était Mehrpur. « J'ai eu un accident de voiture, dit-il. J'appelle de l'hôpital il n'y a pas de quoi s'inquiéter. »

Nous comprîmes que les blessures de Mehrpur étaient superficielles. Quelques jours plus tard, nous nous apprêtions à nous rendre à l'hôpital pour fêter son rétablissement et le ramener chez lui, quand il y eut un autre coup de téléphone nous annonçant cette fois que Mehrpur était mort — subitement — à cause d'un caillot de sang que l'on n'avait pas décelé.

Étrangement, le chagrin que nous causa la mort de Mehrpur nous rapprocha, Houshang et moi. Nous parlions tranquillement, nous disant les mots de réconfort que l'on a coutume de dire en pareille circonstance. Je perçus bientôt un changement dans l'attitude de Houshang et, un jour, avant même qu'il n'eût parlé, je sus qu'il allait me dire qu'il m'aimait. Personne auparavant ne m'avait parlé d'amour, et jamais je n'avais eu envie de partager un tel sentiment. Quand Houshang commença à parler mariage, la perspective d'une vie avec un homme aimé me parut presque grisante, surtout après six années passées en compagnie d'un homme qui ne m'avait jamais plu.

Je voulus faire partager mon bonheur à ma famille, mais quand je parlai à mon frère de mes sentiments pour Houshang, il hocha la tête et me dit que c'était une erreur de me compromettre avec une famille qui avait trahi les Pahlavi. Je comprenais très bien ce qu'il entendait par là, mais cela me parut tellement injuste. Je continuai à voir Houshang mais tout ce que nous réussissions à faire était de nous torturer l'esprit à la recherche d'une solution qui nous permettrait de vivre ensemble.

« Parlez encore une fois avec votre frère, m'encourageait-il, vous pouvez sûrement le convaincre que je n'ai rien à voir avec les opinions politiques de mon père. Ne souhaite-t-il pas que vous soyez heureuse ?

— Bien sûr, lui dis-je, mais il n'est pas question de bonheur ici. Je connais mon frère. Il ne changera pas d'avis. Il pense que nous avons tort d'envisager ce mariage.

— Pensez-vous que nous ayons tort de nous aimer ?

— Non, bien sûr que non, répondis-je très vite, avec une conviction que je ne suis pas sûre d'avoir eue.

— Eh bien, il me semble que nous n'avons plus qu'une possibilité. Ce que dit votre frère ou ce que pense votre famille m'importe peu, c'est vous que je veux épouser. Je peux vous enlever, nous pouvons fuir ensemble et nous faire une vie à nous. Le ferez-vous ? »

J'essayai de comprendre toutes les implications que contenait la proposition de Houshang. M'enfuir avec lui et défier mon frère créerait un véritable scandale à la cour dans l'atmosphère très « comme il faut » et très « petite-bourgeoise » du Téhéran provincial d'alors. Mon frère ne me le pardonnerait jamais, et je serais irrémédiablement coupée de mon passé.

Et pourtant... et pourtant... J'étais une femme amoureuse, et pas seulement un nom sur un arbre généalogique. Je n'avais pas si souvent éprouvé des sentiments d'amour et d'affection dans ma vie pour pouvoir leur tourner le dos avec la certitude que je les retrouverais sur mon chemin. Je dis à Houshang que j'allais réfléchir.

Quelques jours plus tard, je me rendis chez ma demi-sœur où nous avions projeté de nous rencontrer, Houshang et moi. J'étais à la fois excitée et très effrayée. J'étais prête à faire ce qu'il m'avait demandé et j'étais curieuse de voir l'expression de son visage quand je le lui dirais. Il était en retard, et je lui en voulus d'abord de me faire attendre. Puis la peur me gagna, je me rappelai cette terrible soirée où nous avions attendu Mehrpur. Mon Dieu, priai-je, mon Dieu, faites qu'il ne lui soit rien arrivé. Les heures passèrent, Houshang ne vint pas. J'abandonnai mon attente et rentrai à la maison.

Il n'y eut aucun message de lui le lendemain ni le jour suivant. J'en tirai mes propres conclusions : Houshang avait sans doute changé d'avis. Certainement, il avait réfléchi et décidé qu'il ne m'aimait pas assez. Je me réprimandai d'avoir agi comme une écolière, puis me mis à pleurer, me lamentant non seulement sur la perte du Houshang, mais aussi sur celle de mes rêves puérils d'amour.

Ce ne fut que deux ans plus tard, après avoir appris que Houshang avait épousé quelqu'un d'autre, que je sus ce qui s'était vraiment passé durant cette dernière soirée. C'était bien différent que ce que je m'étais imaginé. Se rendant compte de mon attachement pour Houshang, mon frère lui avait envoyé son ami Ernest Perron. « Le Shah ne doute pas de la sincérité de vos sentiments pour sa sœur, lui dit Perron, mais Sa Majesté connaît bien sa sœur et elle sait qu'un mariage avec vous serait la cause de souffrances et de chagrins. Si vous l'aimez réellement vous n'essayerez plus de la revoir. »

Quand je connus la vérité, mon sentiment de frustration avait disparu, et je fus reconnaissante envers mon frère de m'avoir sauvée de ce qui aurait été, je crois, une erreur tragique. Pendant un moment tout au moins, j'avais su qu'un amour romantique pourrait être la base d'une vie nouvelle pour moi, mais, les années passant, je me mis à penser que cette lueur chaude et dorée, aussi charmante soit-elle, s'estompe toujours. On se trouve alors face à la dure réalité. J'apprendrais que je ne serais jamais capable d'engager mon avenir sur une nouvelle voie si le prix en était la séparation d'avec mon frère.

Pourtant, dans les semaines qui suivirent le départ d'Houshang, je me renfermai dans mon sentiment de frustration. Je décidai de quitter l'Iran et d'aller rendre visite à mon père en Afrique du Sud. Ce fut un voyage décisif, qui me conduisit d'Iran dans d'autres pays déchirés par la guerre. Je rencontrai des gens que je n'avais jamais pensé rencontrer, des dangers que je n'avais jamais pu imaginer et, pour la première fois, je ne ressentis pas ce sentiment de solitude et d'isolement propre à l'enfance, mais bien le sentiment que l'on est seul pour tracer son chemin, et que la confiance en soi est la marque de l'indépendance. (Bien que je me le sois imposé moi-même, j'ai toujours considéré ce voyage en Afrique du Sud comme le premier de mes trois exils.) Quand il prit fin, et que je rentrai en Iran, je sus qu'enfin je m'étais trouvée moi-même.

La première étape de mon voyage me mena de Téhéran au Caire, dans un avion militaire. Je fus chaleureusement accueillie à la cour d'Égypte. A cette époque Le Caire, même au plus fort de la guerre, était une ville enchanteresse, belle et mystérieuse et délicieusement animée. Comparé aux autres capitales du Moyen-Orient qui essayaient seulement de se sortir des ombres du passé, Le Caire était comme un joyau étincelant : une ville cosmopolite, riche de ses anciennes traditions, mais aussi débordante des impulsions intellectuelles et créatrices du XXᵉ siècle.

Le palais Abdin où je logeais étalait son architecture de forme linéaire, commune à beaucoup de palais orientaux, mais la décoration intérieure alliait l'opulence de l'Orient à celle de l'Occident. Des tapis de la Savonnerie, d'immenses tapis orientaux, des tapisseries anciennes, et quelques exemples remarquables du travail d'incrustation d'ivoire composaient un magnifique ensemble d'antiquités européennes et d' « objets d'art * ».

A Téhéran, la famille royale vivait confortablement mais simplement, probablement pas beaucoup mieux qu'une famille européenne de la « haute bourgeoisie * ». Mais la vie à la cour d'Égypte évoquait les chatoiements et les splendeurs des contes de fées orientaux, avec peut-être un « soupçon * » de Versailles. Des poètes, des artistes, des musiciens, des intellectuels et des aristocrates se côtoyaient dans les bals somptueux et les soirées, et l'échange de reparties spirituelles — en anglais, turc, italien, arabe, et en français — était presque devenu une forme d'art.

Je trouvai les femmes à la cour d'Égypte très belles et très élégantes. Qu'elles fussent d'une beauté classique comme

---

* En français dans le texte.

Nefertiti, ou qu'elles eussent une allure européenne héritée de quelque parent venu de l'Occident, elles étaient habillées et maquillées exactement comme les femmes européennes que j'avais déjà eu l'occasion de rencontrer. Mais en parlant avec ces femmes de ce qu'était réellement leur vie, je réalisai que si le port du voile avait été supprimé, sa présence symbolique se faisait toujours sentir. Il y avait bien quelques Égyptiennes qui avaient mené leur vie hors des limites des conventions sociales, mais la plupart d'entre elles étaient socialement et sexuellement liées par le même genre de règles que celles qui sévissaient en Iran.

La personnalité dominante à la cour était évidemment le frère de ma belle-sœur, le roi Farouk. Mais ce Farouk, celui que j'appris à connaître à ce moment-là, n'était pas l'énorme monarque à la vie dissolue qui devint plus tard le sujet de tant de caricatures et de moqueries. C'était encore un homme jeune, beau, grand, mince, patriote et idéaliste, avec des yeux bleus et clairs qui brillaient quand il parlait. Je sympathisai avec lui quand il me fit part du sentiment de frustration qu'il ressentait à devoir gouverner son pays à l'ombre de la lourde et constante omniprésence anglaise (l'Iran aussi en avait plus qu'assez de cette frustration causée par les Britanniques). Il se plaignit que chaque fois qu'il faisait quelque chose que les Anglais jugeaient contraire à leurs intérêts, ou chaque fois qu'il nommait un Premier ministre qui avait, apparemment, des opinions anti-anglaises, son palais était cerné par des tanks et des hommes en armes qui restaient là jusqu'à ce qu'il fasse marche arrière.

De ces conversations je tirai plus tard la conclusion que ce furent ces luttes incessantes avec les Anglais qui donnèrent à Farouk le sentiment d'avoir raté sa vie d'homme et de roi, et le transformèrent peu à peu en pilier de night-clubs et de casinos, amateur d'opium.

La politique ne fut pas le seul sujet que nous abordâmes, Farouk et moi. J'avais déjà fait une brève visite au Caire, avec ma belle-sœur Fawzia, et à cette époque j'avais remarqué que le roi me fixait chaque fois que nous nous trouvions dans la même pièce. Ses yeux s'attardaient sur mon visage. Au cours de nos conversations il me couvrait de compliments et d'attentions, au-delà de ce que la courtoisie, même orientale, pouvait exiger. Pendant ce voyage son attention se fit plus insistante, il donna plusieurs galas en mon honneur à bord de son yacht sur le Nil et dans son très beau palais d'été à Alexandrie.

C'est au cours d'une de ces fêtes que Farouk me dit — chose que je n'ai jamais révélée jusqu'ici — qu'il m'aimait et qu'il voulait m'épouser. Avant que je n'aie pu lui rappeler qu'il était déjà marié, il poursuivit en m'expliquant qu'il n'aimait plus la reine Farida et qu'il allait divorcer. Bien que j'aie trouvé Farouk très séduisant, je n'étais pas d'humeur à m'entendre faire des déclarations d'amour, surtout de la part du mari de celle que je considérais comme mon amie. J'essayai de décourager Farouk sans porter atteinte à son orgueil.

Farouk n'était pas mon seul prétendant : plusieurs princes égyptiens me firent des avances que je trouvai flatteuses, mais après la désillusion que j'avais éprouvée avec Houshang, je ne les écoutai pas sérieusement. Je rencontrai cependant l'homme qui allait devenir mon second mari. C'était par une belle journée claire, je galopais dans l'air embaumé sur les très belles terres du club royal d'équitation, situé dans une île au milieu du Nil. Un ami me présenta Ahmad Shafiq, le fils du ministre de la cour de Farouk. La mère d'Ahmad était originaire du Caucase, et son père venait de Turquie. Il avait hérité ses cheveux noirs de son père, et de sa mère la finesse de ses traits. Pendant qu'il galopait à mes côtés, j'admirai sa maîtrise de cavalier, sa silhouette élégante et son visage bronzé par le soleil. Pendant les derniers jours de mon séjour en Égypte, je rencontrai Ahmad plusieurs fois. Ses manières étaient aussi avenantes et aristocratiques que son physique et je l'appréciais d'une façon plus objective que personnelle, comme j'aurais apprécié une belle peinture ou un paysage.

Avant mon départ d'Égypte, la sœur d'Ahmad vint me rendre visite (au Moyen-Orient, les sœurs servent souvent d'émissaires dans les affaires de cœur), et d'une manière détournée, comme c'est l'usage, elle me fit savoir que son frère avait de l'affection pour moi, et que je pouvais m'attendre à une demande en mariage. L'étape suivante fut de découvrir, sans le demander directement, quelle serait ma réponse. J'évitai un « oui » ou un « non » catégoriques, et lui dis que, pour l'instant, j'étais surtout préoccupée par mes projets de visite à mon père.

Farouk était justement en train, à ce moment-là, d'essayer de me trouver un moyen de transport pour me rendre à Johannesburg. Les voyages étaient difficiles en cette période de guerre, mais les autorités britanniques locales acceptèrent de me prendre à bord d'un avion militaire qui transportait des troupes aéroportées vers le sud. Prendre un avion, même civil, à cette époque-là, était une aventure, mais emprunter un avion militaire était pire encore. Je montai dans l'avion et me retrouvai la seule femme au milieu de quarante soldats. Je ne parlais pas un mot d'anglais, et eux pas un mot de persan (cela me força à apprendre rapidement des rudiments d'anglais). Mais l'expérience de mon enfance passée au milieu de garçons me permit de me sentir à l'aise — tout au moins jusqu'au décollage. A ce moment-là, comme des ballots de marchandises, installés sur des bancs de bois, nous nous mîmes à glisser d'avant en arrière, en suivant les mouvements de l'avion.

Nous atterrîmes sur les terrains d'aviation militaires de Khartoum, de Nairobi, et de Durban, sur des pistes qui étaient faites soit de grillages mécaniques posés à même la terre ou l'herbe, soit simplement sur des bandes de terre battue. Pendant nos escales, nous passions les nuits dans les résidences anglaises. Je prenais mes repas avec les pilotes et les copilotes, et chaque soir ils m'accompagnaient à ma chambre en me recommandant de bien fermer la porte et les fenêtres, ils m'abandonnaient en me disant : « Nous sommes entourés d'Africains, et qui sait ce qui peut arriver. » Apparemment les Britanniques semblaient penser que les Africains avaient le monopole des mœurs antisociales.

Nous atterrîmes à l'aéroport de Johannesburg, lequel se trouvait à 100 kilomètres de la ville. En regardant par la fenêtre, je vis mon frère Ali Reza, qui était venu en jeep pour me chercher et me conduire jusqu'à la maison de mon père.

Tant d'années ont passé depuis ce voyage en Afrique du Sud, et pourtant je revois encore la grande maison carrée au milieu d'un jardin à la végétation tropicale dense, avec ses bougainvillées rouges, blanches et brunes, grimpant le long des murs.

Je fus enchantée de voir mon père. Il m'embrassa et me serra dans ses bras, et avant que j'aie pu reprendre souffle et lui demander de ses nouvelles, il me submergea de questions. Comment allait mon frère ? Que se passait-il en Iran ? Avant d'avoir pu achever ma réponse, j'étais interrompue par une autre question. Quand j'eus fini de lui raconter tout ce qui s'était passé depuis son départ, il avait les yeux pleins de larmes. « Que Dieu ait pitié de notre pays, murmura-t-il, et qu'Il aide mon fils. »

Le lendemain matin, son secrétaire, un petit homme grassouillet, avec un visage rond qui paraissait très loyal, arriva et me dit : « Sa Majesté désire vous voir. »

Je me rendis immédiatement dans le bureau où mon père m'attendait. « Vous rappelez-vous les derniers jours passés à l'Ispahan ? me demanda-t-il. Vous rappelez-vous ce que je vous ai dit quand vous m'avez demandé de venir ici avec moi ? Votre frère avait besoin de vous alors, et d'après ce que j'ai entendu dire, par vous et par d'autres, j'ai l'impression que vous ne devriez pas rester éloignée de l'Iran trop longtemps. J'aurais aimé vous garder auprès de moi, mais les voyages sont difficiles et je crois que nous devons commencer à rechercher un moyen de vous renvoyer là-bas. »

J'avais fait le projet de rester au moins quelques mois avec mon père, mais je tombai d'accord avec lui sur le fait que j'avais des responsabilités vis-à-vis de mon frère. Trouver un moyen de retourner chez moi fut encore plus difficile que d'arriver jusqu'ici. La guerre ayant gagné le Japon et le Pacifique, il était aussi hasardeux de voyager par mer que par terre. Chaque matin, mon frère Ali Reza et le secrétaire de mon père se rendaient à Johannesburg pour se renseigner, sans succès d'ailleurs, auprès d'agences de voyage publiques ou privées. Il fallut presque six semaines avant de trouver un moyen de me faire quitter l'Afrique.

En attendant, je passais les journées dans le jardin de mon père, à jouer au tennis avec Ali Reza, et avec un Anglais qui habitait dans le voisinage. Je n'avais pas joué aussi souvent et aussi longtemps depuis mon enfance, et en dépit du chaud soleil africain, je sentais que mes muscles et mes réflexes m'obéissaient alors que je leur en demandais un peu plus chaque jour. Après un set particulièrement rapide et ardu, (que je gagnai) mon partenaire anglais me dit : « Vous savez, jeune dame, que vous êtes vraiment très bonne. Que diriez-vous d'aller jouer à Wimbledon ? Je pourrais arranger cela si ça vous intéresse. »

Mon esprit compétitif fut immédiatement mis en alerte. Pour quiconque s'intéresse tant soit peu au tennis, Wimbledon était un de ces noms magiques qu'on associe à l'idée du « meilleur ». Je courus immédiatement chez mon père pour lui demander sa permission, mais il parut fâché que j'eusse seulement pensé à lui poser la question. « Avez-vous déjà oublié que ce sont les Anglais qui m'ont envoyé en exil ? me demanda-t-il. Comment pouvez-vous seulement songer à vous rendre dans leur pays pour jouer au tennis ? » Et cela mit fin, comme à l'accoutumée, à la discussion.

Le soir Ali Reza et moi nous rendions parfois à Johannes-burg pour voir un film américain ou anglais. Mes acteurs favoris, à cette époque-là, étaient Gary Cooper et Clark Gable. Ayant été élevée par un père « plus grand que nature », qui était la personnification même des caractéristiques tradition-nellement masculines, j'ai toujours été attirée par ces qualités dans la vie comme sur la scène et l'écran.

Ali Reza était tout à fait ce genre d'hommes. A vingt-deux ans il était courageux, volontaire et casse-cou comme mon père l'avait été. Dans notre enfance, quand nous étions tous ensemble, je choisissais inévitablement la compagnie de mon frère jumeau, mais ici, pendant ces semaines passées en Afrique, je me mis à apprécier mon « petit frère » (il avait trois ans de moins que nous). Il pouvait être très amusant quand il était heureux et comme beaucoup d'hommes réellement forts, il pouvait être très généreux et altruiste. Si j'avais pu savoir le peu de temps qu'il avait à passer sur cette terre, je crois que j'aurais encore plus apprécié le temps passé en sa compagnie. A peu près dix ans plus tard, en 1954, il revint d'une partie de chasse sur les bords de la Caspienne en pilotant lui-même un petit avion au-dessus des montagnes de l'Elbourz. Il n'arriva jamais à Téhéran pour fêter l'anniversaire du Shah et le mien, et il fallut huit jours pour retrouver son corps dans les montagnes.

Ali Reza et moi-même explorâmes Johannesburg. Avec ses grands immeubles et ses rues larges et engageantes la ville était très européenne d'allure. Mais sa beauté était gâchée par les signes visibles et cruels de la ségrégation, qui régnait partout, dans les théâtres, les restaurants, les parcs, les plages et même sur les promenades. Pour faire ses achats quotidiens une ménagère devait prendre la file soit du côté « noir », soit du côté « blanc » du mur qui coupait le magasin d'alimentation. Cela me laissa une impression profonde et durable et plusieurs années plus tard, au cours de mon premier séjour aux Nations unies, cela devait m'amener directement devant la Commission des Droits de l'Homme où le sujet de mon premier discours serait la discrimination raciale en Afrique du Sud.

Pour l'instant, l'objet de nos préoccupations était l'Iran et mon frère et, comme nous l'avions fait si souvent auparavant, nous nous retrouvions, mon père, Ali Reza et moi-même autour du poste de radio pour écouter les nouvelles de la B.B.C. C'était notre principale source d'information depuis que les télégrammes étaient censurés et qu'il fallait plusieurs semaines aux journaux pour nous parvenir. Souvent, quand les nouvelles étaient très brèves, ce qui rendait mon père furieux, je terminais la soirée en lui faisant la lecture. Un des livres dans lequel je puisais régulièrement mes lectures était une traduction du « livre bleu » du ministère des Affaires étrangères britannique. En guise de signet, je me servais d'une photographie signée de Ahmad Shafiq. Un soir, comme je m'installais pour lire, je remarquai que la photo n'était plus là où je l'avais laissée. Je feuilletai le livre rapidement, mais je ne pus la retrouver. Je continuai ma lecture, ne voulant pas questionner mon père à propos de cette photo, mais plus tard, au cours de la conversation, il dit : « Je n'aime pas l'idée que mes enfants puissent épouser des étrangers. »

C'était bref mais explicite, aussi n'abordai-je jamais le sujet de mon voyage en Égypte ou de la demande en mariage de Ahmad. Au lieu de cela, je détournai la conversation, et parlai des nouvelles que le secrétaire de mon père nous avait apportées ; il avait rencontré le capitaine d'un cargo qui devait transporter des munitions et autres matériels de guerre vers le canal de Suez. Le capitaine avait dit qu'il serait d'accord pour me prendre à son bord, étant bien entendu, à ce que je compris, qu'il ne pourrait garantir ma sécurité et que je voyagerais à mes risques et périls. Mon père me laissa prendre seule ma décision. Je pesai le pour et le contre : le danger de ce voyage ou le fait que je risquais de ne pas trouver un autre moyen de transport, je déclarai que je me rendrais au port de Durban pour prendre le bateau.

Avant mon départ mon père me prit à part et avec une voix qui tremblait d'émotion, il me dit : « Je sais que vous pouvez être forte, mais je veux que vous soyez toujours forte pour votre frère. Tenez-vous près de lui et dites-lui de rester ferme devant tous les dangers. » Comme je lui en faisais la promesse, je réalisai qu'il était devenu un vieil homme, qu'il n'était plus en très bonne santé et que je pouvais bien ne plus jamais le revoir. Je regardai son visage de près, essayant de fixer dans ma mémoire ses traits qui étaient encore imposants bien qu'un peu adoucis par l'âge. C'était la dernière fois que je le voyais. Le 26 juillet 1944, six mois après mon départ de Johannesburg, mon père mourut d'une maladie de cœur à l'âge de soixante-neuf ans.

La maison où il avait vécu en Afrique devint un musée, abritant ses effets personnels et les souvenirs de sa carrière. Ce sont peut-être les seules choses de lui qui demeurent depuis la révolution de 1979. Mais on peut dire dans un sens plus large qu'il reste quelque chose de Reza Shah dans tout ce qu'il a construit en Iran.

Ali Reza me conduisit de Johannesburg à Durban où nous arrivâmes juste à temps pour de brefs adieux avant mon embarquement. Je me présentai au capitaine, un homme grand et lourd avec une moustache brune et des cheveux roux et bouclés. Bien qu'il n'y ait eu aucune commodité prévue pour des passagers, le capitaine m'offrit aimablement sa cabine et fit de son mieux pour que je me sente chez moi sur ce bateau chargé de matériel de guerre et de marins.

Comme nous transportions des munitions, l'atmosphère

sur le bateau était tendue, l'équipage déprimé, personne ne savait si nous arriverions à destination. Quelques jours après avoir quitté Durban, le capitaine vint me voir avec l'air d'un oiseau de mauvais augure. « Je suis vraiment désolé, Votre Altesse, j'ai quelque chose à vous dire... » Il traîna un peu, visiblement malheureux de ce qu'il avait à m'apprendre.

« Allons, le pressai-je, dites-moi ce qui ne va pas.

— Des sous-marins ennemis ont été repérés dans le secteur, Votre Altesse ; je dois faire escale à Mombasa, au Kenya, et j'ai reçu l'ordre de vous y débarquer.

— Vous ne pouvez faire cela, protestai-je, m'imaginant déjà échouée en Afrique pour toute la durée de la guerre. Je dois rentrer en Iran. Vous ne pouvez m'abandonner dans un port étranger, où je ne connais âme qui vive. »

Je savais bien, tout en discutant, que le capitaine n'avait en réalité pas le choix.

« Je suis désolé, dit-il, en essayant de me rassurer. Vous ne serez pas abandonnée, Votre Altesse, j'ai envoyé un câble au gouverneur de Mombasa, l'informant de votre arrivée. Il enverra quelqu'un pour vous accueillir. Ne vous en faites pas. Je suis sûr que vous rentrerez chez vous bientôt. »

Quand nous arrivâmes à Mombasa, je découvris une assez jolie ville, d'allure presque aussi européenne que Johannesburg. Partout, le long des larges boulevards, et bordant les grands buildings imposants, il y avait des alignements d'arbres tropicaux et des massifs denses et touffus de fleurs exotiques. Je fus accueillie par un représentant du gouverneur qui me conduisit à une résidence anglaise à Nairobi. Ma première impression de Nairobi fut surprenante. Je ne savais pas grand-chose de l'Afrique, mais je n'aurais jamais imaginé trouver de si beaux quartiers résidentiels, des maisons aussi propres et aussi colorées, toujours entourées de plantes et de fleurs. A Téhéran, si les fleurs et les plantes sont fraîches et colorées tout le printemps, l'absence de pluie les rend tristes et poussiéreuses le reste de l'année. Aussi, pour moi, cette floraison constante en Afrique fut une source d'émerveillement.

A peu près à 50 kilomètres de Nairobi, je traversai en voiture les étendues d'herbes rases de la réserve d'animaux sauvages. Il y avait tout autour de nous, et si proches qu'on pouvait presque les toucher en tendant le bras, des lions, des girafes, toutes sortes d'animaux sauvages. Ils étaient si libres et si beaux qu'on était ému sans très bien savoir pourquoi. Pourtant, en dépit de la beauté extraordinaire du Kenya, je ne songeais qu'à m'en aller le plus vite possible. Un après-midi, comme je sirotais un verre de limonade sous la véranda de ma résidence, un jeune homme grand, blond, vêtu d'une chemise blanche et de pantalons bleus, et transportant une petite mallette, entra et s'arrêta devant moi. En me voyant assise seule, il me demanda s'il pouvait se joindre à moi. Son anglais était facile à comprendre, et j'avais déjà appris assez d'anglais moi-même pour pouvoir tenir une conversation. « Qu'est-ce qu'une jeune femme comme vous fait seule en Afrique ? » me demanda-t-il presque immédiatement.

Il semblait convenable, aussi expliquai-je comment j'avais abouti à Nairobi et pourquoi il fallait que je trouve un moyen de transport pour Le Caire. A son tour il me dit qu'il était pilote et qu'il possédait un petit avion qu'il utilisait pour traiter les céréales aux insecticides. Notre rencontre me parut soudain un geste de la divine providence. J'invitai le jeune homme à dîner.

Pendant le dîner, je lui fis ma proposition. Me laisserait-il fréter son avion pour un voyage vers le nord ? Je lui paierais deux fois le prix qu'il aurait pu gagner pour une de ses expéditions. Il me regarda avec incrédulité, et éclata de rire. « Écoutez, mademoiselle, dit-il, je ne crois pas que vous compreniez très bien. Tout ce que j'ai, c'est un petit avion avec un seul moteur. Je ne peux transporter que cinquante kilos, et je ne suis même pas sûr de pouvoir couvrir une telle distance. »

J'avais trouvé un pilote et un avion, peu importait sa taille, et je n'allais pas abandonner si facilement. Je le cajolai, je l'enjôlai, je me mis à sa merci. « D'accord, d'accord, dit-il. Cela va être un défi pour moi et pour mon avion. Mais je vous le dis tout de suite, vous ne pourrez prendre aucune valise, et je ne peux vous conduire que jusqu'à la frontière soudanaise. » Nous nous serrâmes la main et je me retirai pour une bonne nuit de sommeil.

Le lendemain matin, j'emportai tout ce que je pus faire tenir dans mon sac en bandoulière et laissai tout le reste derrière moi. Le temps était lumineux et ensoleillé, ce qui était plutôt rassurant après avoir vu le pauvre petit appareil servant à saupoudrer les champs de céréales. Mon ami le pilote me déclara qu'il avait l'intention de poursuivre son travail en volant vers le nord. Ce fut un vol extraordinaire — dix jours dans ce minuscule avion, car il nous fallut atterrir souvent près des petits villages pour refaire le plein de carburant et d'insecticide. Pour la première fois je vis dans ces hameaux une Afrique qui ne devait rien à l'Europe, une Afrique primitive, avec de simples huttes habitées par des indigènes qui peignaient leurs corps nus avec les couleurs les plus éclatantes de la nature.

Notre dernier arrêt fut un village au milieu de la forêt sur les rives d'un des bras du Nil. « Ce village n'est pas loin de Jobo, m'expliqua le pilote en m'accompagnant à la résidence anglaise. Je vais vous présenter à un de mes amis dès que nous serons arrivés. C'est un homme de confiance et je suis sûr qu'il vous aidera à atteindre Khartoum. »

L'ami était un peintre et écrivain allemand. Il était venu en Afrique pour fuir la guerre, les effusions de sang, et la civilisation décadente de l'Europe. « Ici, en Afrique, me dit-il, je me sens près de la nature et des hommes qui n'ont pas été corrompus. » Il me montra quelques-unes des peintures qu'il avait faites pour illustrer un livre qu'il écrivait sur la vie en Afrique.

Mon tout nouveau « chez moi loin de chez moi » se trouvait dans un village composé de quelques petites huttes au bord de la rivière. Les habitants y menaient une vie très décontractée et très proche de la nature, sans bousculade et sans contraintes. Les adultes comme les enfants semblaient passer leur temps à barboter et à nager dans les eaux boueuses de la rivière. Après un seul plongeon, en ressortant de l'eau, la couleur de leur peau avait viré du noir au brun. Tous ces gens étaient chaleureux et accueillants, mais la communication était difficile, limitée à de grands gestes, car ni le peintre allemand ni moi-même ne parlions le dialecte local.

En fait, la communication avec le peintre n'était pas non

plus toujours facile, étant donné mon peu de vocabulaire allemand et son peu d'aisance en français. Tout cela renforçait mon sentiment d'abandon dans un endroit perdu, et ma détermination commença à flancher.

Je n'étais là que depuis quelques jours, cependant, quand des Européens qui vivaient dans les villages avoisinants entendirent parler de la princesse iranienne itinérante, et vinrent faire ma connaissance. Leur gentillesse fit beaucoup pour atténuer mon sentiment d'isolement, et nous fûmes très vite comme de vieux amis. Chaque soir, quelques-uns d'entre eux venaient me rendre visite, et la communication s'établissait grâce au langage quasi universel qu'est le bridge ; parfois nous parlions des moyens possibles de continuer mon voyage.

Il n'y avait pas de routes dans ce secteur et les Européens qui possédaient des jeeps ne les utilisaient que pour de courtes randonnées jusqu'aux villages voisins. Pour des voyages plus longs, il fallait prendre un petit avion ou remonter le Nil en bateau. Un soir, comme nous étions assis à bavarder, le peintre allemand commença à plaisanter : « Il ne faut pas vous en faire, dit-il, vous êtes devenue si populaire dans le secteur que nous vous considérons tous comme notre reine. Pour rendre notre reine heureuse, mes amis et moi sommes prêts à la conduire à Khartoum et même au Caire en bateau. Nous ramerons jusque-là s'il le faut. »

Je sautai sur cette proposition en forme de plaisanterie. « Pourquoi ne pourrions-nous pas le faire ? demandai-je. Vous pensez sérieusement qu'il serait possible de trouver un bateau ? Si je suis votre reine, eh bien c'est un ordre royal. » Nous nous mîmes tous à rire mais le peintre promit d'essayer de dénicher un bateau.

Bien que réalisant qu'il y aurait sans doute une longue attente entre l'adoption de ce plan et le départ lui-même, je me sentis mieux car au moins, j'avais un plan. Mon ami allemand se mit à dessiner des cartes et des graphiques, et à faire des listes de ce dont nous aurions besoin. Quant à moi, j'essayai d'obtenir quelques nouvelles de l'Iran en écoutant la radio montée sur batterie que l'on m'avait prêtée.

Sous la poussée des bombardements alliés, les Allemands semblaient être sur la défensive. En Italie, leurs lignes de défense de Monte Cassino étaient coupées, et les Russes étaient en train de repousser les armées allemandes. On entendait très peu de choses sur l'Iran et j'essayais de me rassurer en pensant qu'en temps de guerre pas de nouvelles voulait probablement dire bonnes nouvelles.

Mes pensées s'envolaient vers le jour où la guerre s'achèverait. Les Alliés avaient promis d'évacuer l'Iran après la guerre — mais le feraient-ils ? Les considérations stratégiques et pétrolières qui les avaient amenés en Iran à l'origine, pouvaient se trouver encore plus contraignantes dans le cadre de l'après-guerre. Les grandes puissances se mettraient-elles d'accord, comme cela s'était déjà vu, pour diviser l'Iran ?

Les scissions qui avaient resurgi dans le pays après son occupation par les troupes alliées et le départ de mon père en exil pouvaient détruire en Iran tout espoir d'avenir dans l'indépendance, la prospérité et le progrès. Nous avions les moyens d'un tel avenir : nous étions riches de ressources naturelles, nous ne souffrions pas de surpopulation, et notre peuple, bien qu'inexpérimenté et sans instruction, était suffisamment intelligent et travailleur pour jeter un pont solide entre la Perse de leurs parents et l'Iran de leurs enfants.

Mais pour que cela se fasse, je sentais qu'il était très important pour l'Iran de présenter au reste du monde un front national unifié et de forger une armée capable de défendre nos frontières. Quels que soient les dangers venus de l'extérieur, je sentais qu'un sentiment national fort devait se faire jour à côté des croyances religieuses, pour l'émergence d'une foi nouvelle.

Ce dont l'Iran avait besoin — ainsi cela me paraissait clair tandis que j'attendais à des milliers de kilomètres, en Afrique, de pouvoir rentrer chez moi — c'était d'un programme réaliste et pragmatique, hors de toute influence religieuse. Nous devions amener le peuple à comprendre l'intérêt que représentait la création d'un gouvernement central. Sans un tel gouvernement, il n'y aurait jamais de paix et de stabilité. Et il nous fallait pour cela l'aide et le soutien de politiciens intelligents, progressistes, et loyaux. Mais qui ?

J'étais impatiente de rentrer pour pouvoir discuter de tous ces problèmes avec mon frère. Les jours étaient interminables dans ce village africain où il faisait chaud et humide.

Heureusement que nous avions des ventilateurs aux plafonds de la résidence, ainsi qu'une glacière, branchée sur un générateur. Celui-ci faisait un bruit infernal, mais nous étions néanmoins reconnaissants de tout ce qui apportait un soulagement à notre sensation d'étouffement, d'autant que l'eau étant polluée, nous étions obligés de la faire bouillir avant de la boire, ce qui fait qu'elle était toujours tiède. Comme j'étais arrivée dans ce village avec seulement ce que j'avais sur le dos, je fus très touchée quand une des indigènes me confectionna une jupe dans le tissu kaki utilisé par les Européens sous les tropiques. Cela me permit d'avoir une tenue de rechange que je pouvais laver et essayer de faire sécher. Mais tout devenait chaud et poisseux presque aussitôt après avoir été enfilé.

Les nuits étaient un peu plus agréables, et tous les soirs nous nous réunissions, avec mes nouveaux amis, dans la grande salle à manger de la résidence, et nous parlions du voyage que nous avions l'intention d'entreprendre pour remonter le Nil. Certains disaient que c'était une idée folle, pleine de dangers et de risques que je n'imaginais même pas. Mais je dois avouer que ces arguments ne réussissaient pas à me décourager vraiment. J'ai toujours été fascinée par le mystère et le côté romantique des grands fleuves, sans doute parce qu'il n'y en a pas en Iran. Et maintenant encore, dans mon exil, j'aime regarder l'East River de la fenêtre de ma chambre à coucher, aussi domptée soit-elle, et dominée par les cheminées et les néons criards des vieilles usines.

Le Nil, c'était une autre histoire. Le Nil n'a rien perdu de son mystère, même de nos jours. Je ne l'avais vu que de ma chambre du palais Abdin, ou du yacht royal, mais j'avais lu des histoires relatant les expéditions organisées par des explorateurs aventureux pour découvrir les sources de ce grand fleuve. Aussi essayai-je de convaincre mes compagnons que ce voyage était peut-être un défi mais qu'il était faisable et que ce serait une belle aventure. Mais avant d'avoir pu trouver un bateau convenable, sur lequel nous aurions pu entreprendre ce voyage, un des hommes de notre groupe nous annonça qu'un petit avion avait atterri dans le secteur et que le pilote était prêt à m'amener jusqu'à Khartoum. J'étais tellement excitée par cette chance de rentrer que je ne regrettai pas trop notre expédition sur le Nil. (Et je suis sûre que mes amis, eux non plus, n'étaient pas vraiment désolés de devoir renoncer à cette aventure.)

Le jour de mon départ, tous les villageois, ainsi que le peintre allemand et ses amis vinrent me voir partir. Nous nous quittâmes comme de vieux amis, et j'essayai de remercier tous ces gens chaleureux et généreux de m'avoir accueillie et d'avoir offert tant de réconfort et d'hospitalité à une étrangère. J'avais les larmes aux yeux quand mon avion décolla pendant qu'ils me criaient des au revoir en agitant leurs mouchoirs, sous le chaud soleil d'Afrique.

Je fus surprise de trouver à l'aéroport de Khartoum un officier anglais venu m'accueillir. Apparemment, le pilote avait prévenu par radio, car le colonel me salua vivement et dit : « Bienvenue à Khartoum, Votre Altesse, j'ai été désigné par le gouverneur général du Soudan pour vous accueillir et vous escorter jusqu'à son palais. Le gouverneur général vous invite pour toute la durée de votre séjour ici. » Quand nous arrivâmes au palais, le gouverneur général et sa femme m'attendaient au haut des escaliers. Fatiguée et fagotée comme je l'étais (je portais encore ma jupe kaki), je fus touchée et un peu gênée par cet accueil cérémonieux.

Mes nouveaux hôtes me conduisirent rapidement dans une chambre très confortable, qui me parut être d'un luxe extrême après ce que j'avais connu dans les villages africains. Le palais du gouverneur général était une grande villa de deux étages, de style colonial anglais, bâtie au milieu d'une forêt de massifs de bougainvillées. Le gouverneur semblait sortir d'un film. Il était grand, maigre et aristocratique, avec des cheveux blonds séparés par une raie au milieu et une petite moustache pâle sur la lèvre supérieure. Sa voix était savamment modulée, maniérée comme celle d'un aristocrate et, quand il parlait, il penchait la tête d'un côté mais les sons semblaient sortir de l'autre.

Sa femme et lui vivaient de cette façon à la fois gracieuse et cérémonieuse caractéristique des derniers jours de l'empire. Les repas étaient des cérémonies où tout le monde s'habillait (le lendemain de mon arrivée le gouverneur me trouva une compagne pour m'emmener acheter quelques vêtements), la nourriture était préparée avec soin et servie avec recherche par des serviteurs soudanais. Le sujet principal des conversations, durant ces repas, était la guerre. A cette époque — nous étions au printemps 1944 — tout le monde parlait de la possibilité de l'ouverture d'un « troisième front ». Les Américains avaient pris la Nouvelle-Guinée, les Russes étaient entrés en Roumanie, et la machine de guerre allemande semblait paralysée par les bombardements alliés. Mais le gouverneur pensait avec réserve et prudence qu'une guerre n'est jamais gagnée avant d'être réellement terminée. Il avait l'impression que les Japonais pourraient résister longtemps avec ténacité et que cela pourrait encore durer des mois sinon des années. Sur l'avenir de l'empire, le gouverneur semblait cependant remarquablement optimiste. Il nous fit remarquer que les soldats des pays du Commonwealth se battaient en ce moment même courageusement pour l'Angleterre sur tous les fronts du monde. Il ajouta que la situation intérieure du Soudan était stable et sûre, et il avait, à ce moment-là, tout à fait raison.

Je passai deux semaines à Khartoum et, malgré mon impatience, le temps s'écoula agréablement. Il y avait au palais du gouverneur une piscine et un court de tennis auquel je ne résistai pas longtemps. Bien sûr, ce n'était pas Wimbledon, mais dans un tournoi local j'emportai la première place chez les dames et la seconde en match mixte.

Ce qui m'a le plus marquée au cours de cette visite fut la situation pittoresque de la ville qui ressemblait à une oasis sur le bord du Nil. Les forts vents du désert saupoudraient tout d'une fine couche de sable, et malgré les portes et les fenêtres très bien calfeutrées, on avait toujours la sensation de quelque chose de sec et de crissant dans la bouche. C'est là qu'on voit les deux bras du Nil, le « Blanc » (plutôt boueux en fait) et le « Bleu », se rejoindre.

Grâce à l'intervention du gouverneur général, le gouvernement britannique accorda une autorisation spéciale pour qu'un avion militaire anglais puisse me conduire jusqu'au Caire. Le colonel qui m'avait déjà accueillie à Khartoum vint me chercher dans une voiture militaire pour m'amener à l'aéroport. Plusieurs kilomètres avant d'arriver à destination, nous vîmes de grands nuages de fumée venant de l'aéroport. Quand nous arrivâmes aux portes, le colonel dit qu'il allait se renseigner. Il revint un quart d'heure plus tard et dit très calmement : « Je suis désolé de vous apprendre que l'avion qui avait été prévu pour vous conduire au Caire est en flammes. C'est de là que venait la fumée. »

Je fus très étonnée par cet exemple de l' « *understatement* » (façon typiquement anglaise de dédramatisation des faits). Au Moyen-Orient, des nouvelles de ce genre auraient été accompagnées de force détails et exagérations. J'étais terriblement désappointée par ce nouveau retard, mais face au calme et à la réserve du colonel, je ne pus que me taire.

A mon retour au palais du gouverneur, je fus à nouveau chaleureusement accueillie et l'on fit quelques plaisanteries sur ma situation. Le gouverneur général m'informa que l'incendie n'était pas dû à un sabotage mais qu'il avait été provoqué par une fuite dans le réservoir d'essence. « En fait, vous avez eu beaucoup de chance, chère madame, dit-il, si vous vous étiez effectivement envolée, l'avion aurait sûrement explosé en plein vol. »

Deux jours plus tard, je pris place dans un autre avion militaire, sans incident cette fois. Pour la première fois depuis mon arrivée en Afrique, je me trouvai dans un moyen de transport sûr et solide. Certainement mes lointains ancêtres avaient dû faire, avec les caravanes, de tels voyages longs et tortueux, mais moi, je me sentais plus détendue et plus à l'aise dans ce genre de moyen de transport moderne et efficace.

Tout en volant vers Le Caire, je songeais que, grâce à ce voyage, j'avais vécu une longue et passionnante aventure partagée avec bien des gens : un capitaine de bateau et des douzaines de marins, le jeune pilote, le peintre allemand, les habitants des petits villages, le gouverneur général et sa femme — le tout sur fond de flore et de faune les plus exotiques que j'aie jamais vues. Il est curieux de penser comment des gens qui sont complètement étrangers les uns aux autres peuvent se rencontrer brièvement, partager un moment de leur existence, et puis se séparer pour toujours. Je pensais pendant ce voyage que le jeune pilote était sans doute en train de saupoudrer d'insecticide un autre champ, le peintre allemand en train de dessiner une de ces scènes villageoises, les indigènes en train de barboter dans le Nil, et j'emportais aussi dans mon cœur la dernière image de mon père, avec son visage fatigué et ses yeux intenses, pendant qu'il m'ordonnait de dire à mon frère de ne pas avoir peur.

A l'aéroport militaire du Caire, je fus accueillie par le roi Farouk et la reine Farida. Je n'étais pas plus tôt installée au palais Abdin que Farouk se remit à parler amour et mariage. Ahmad Shafiq se remit également à me faire la cour et je dus faire attention, pour la sécurité d'Ahmad, de cacher ses intentions au roi.

Je remarquai que Farouk semblait encore plus démoralisé par la présence des Anglais et encore plus détaché de ses devoirs de roi qu'à mon dernier passage. Bien que les Anglais aient sauvé l'Afrique des nazis, Farouk n'avait plus aucun espoir de se voir débarrassé de leur présence après la guerre.

Le bruit courait que Farouk avait une discrète aventure avec une toute jeune fille de la moyenne bourgeoisie appelée Narriman et la reine Farida, qui avait eu vent de ces rumeurs, me demanda mon avis. Farida avait trois filles, mais elle n'avait pas eu la chance d'avoir un fils. Étant décidée depuis longtemps à ne rien faire pour aggraver les problèmes matrimoniaux de Farida, j'essayai de la consoler en lui disant que l'intérêt que Farouk portait à cette Narriman était probablement superficiel et passerait avec le temps. Mais comme Farouk semblait ne plus tenir à sa femme, et comme il fallait encore un héritier mâle, je pensais qu'il y avait peu d'espoirs que leur mariage tienne encore longtemps.

Envers Ahmad Shafiq, mes sentiments étaient complexes. Je savais que je n'étais pas amoureuse de lui, mais plus je le voyais, plus je m'attachais à lui. Il n'était pas seulement beau et bien élevé, il était aussi sérieux et travailleur ; c'était un *self made man* — il s'occupait de la gestion financière d'une usine de sucre — et c'étaient ces qualités-là que j'admirais. Nous eûmes une longue et sérieuse conversation avant mon départ du Caire et j'essayai d'être franche et honnête envers lui sur mes sentiments à son égard, tout en laissant la porte ouverte à un mariage possible.

On peut ajouter qu'après mon départ, Farouk se tourna de plus en plus vers Narriman. Il décida de se séparer de sa femme, mais il dut faire face à un sérieux dilemme. A cette époque, il aurait été le premier roi musulman à se séparer de sa reine et cela aurait eu sans doute des conséquences fâcheuses, car Farida était très populaire en Égypte.

De manière inattendue, les circonstances donnèrent à Farouk la solution qu'il cherchait quand Fawzia fit un de ses nombreux voyages en Égypte. Il était clair qu'elle préférait la vie de la cour du Caire à celle de Téhéran, et cette fois-ci son voyage se prolongea de semaine en semaine pendant des mois. Chaque fois que mon frère lui demandait de rentrer, elle se trouvait d'autres excuses pour ne pas le faire. Finalement — elle fut sans doute encouragée en cela par Farouk qui préparait ainsi le terrain à sa propre séparation — elle demanda le divorce à mon frère. (Contrairement à la rumeur publique, ce ne fut pas le Shah qui prit l'initiative du divorce en raison de l'absence d'un héritier mâle.)

Le Shah refusa mais quand il réalisa que Fawzia était décidée à rester au Caire, il finit par accepter. Il m'était difficile d'en vouloir à Fawzia de sa façon d'agir. Elle était comme ces chattes apprivoisées qui s'adaptent mieux à un environnement familier qu'à un autre. Une fois rentrée au Caire et une fois réinstallée, je pense que la chose la plus facile pour elle était d'y rester, même si cela impliquait l'abandon de son mari et de sa petite fille.

Son divorce prononcé, Fawzia épousa un officier de l'armée égyptienne. A ma connaissance elle fut satisfaite de sa nouvelle vie, simple et tranquille. Après que Farouk eut été déposé, son mari et elle déménagèrent pour s'installer dans une modeste maison des faubourgs du Caire. Nous gardâmes le contact avec elle et après que Farouk eut perdu son trône, nous l'aidâmes financièrement ; elle put ainsi rendre visite , en Suisse, à sa fille, la princesse Shahnaz.

5

LA PANTHÈRE NOIRE

Les premières semaines de mon retour en Iran furent trépidantes. La confusion politique que j'avais laissée derrière moi à mon départ pour l'Afrique avait empiré pendant les derniers mois de la guerre. J'étais persuadée que la vision que j'avais eue tandis que j'étais au loin était la bonne. Le moment d'une action décisive en Iran était venu. Presque toute notre famille était en exil, Fawzia était partie pour Le Caire, et mon frère et moi restions seuls. Comme il y avait peu de gens en qui mon frère puisse avoir confiance, et comme j'avais promis à mon père de rester auprès de lui, je commençai ma carrière sur la scène politique intérieure — mais pas officiellement, car la Constitution interdit aux membres de la famille royale d'occuper un poste politique.

J'avais souvent pensé, pendant les mois passés en Afrique, à la nécessité de trouver un moyen pour sensibiliser le peuple et le mobiliser en faveur de mon frère. Un journal efficace et bien composé semblait être l'une des solutions. Je rencontrai un éditeur expérimenté qui affirma pouvoir faire sortir un tel journal, moyennant finances. Après une recherche minutieuse pour dénicher des journalistes qualifiés et des écrivains, dont nous étions dépourvus en Iran, nous fondâmes un organisme pour la création d'un quotidien du soir, qui devint le plus lu des journaux iraniens.

Le plus important cependant était de trouver des sympathisants au régime et de neutraliser quelques-uns des opposants. J'avais chaque jour des contacts, à caractère non officiel toutefois, avec des individus et des groupes qui représentaient différentes tendances. Je les écoutai et j'essayai de les convaincre que l'Iran avait vraiment besoin d'un gouvernement central cohérent et d'une plus grande unité nationale. J'escomptais de ces discussions personnelles et de ces contacts la perspective de consolider et de gagner à notre cause quelques-unes de ces factions et d'obtenir ainsi un appui solide pour la monarchie.

Mon entrée dans la politique déclencha la « machine à rumeurs », bien huilée, qui produisait régulièrement des histoires sur mon compte, m'impliquant dans toutes sortes d'affaires politiques, des plus petits incidents aux assassinats de hauts fonctionnaires. Ces rumeurs étaient si persistantes qu'elles traversèrent les frontières et que les journaux européens me baptisèrent bientôt « l'éminence grise du trône » et la « Panthère noire de l'Iran ».

Rétrospectivement, j'ai presque envie de sourire quand je pense à toutes les intrigues compliquées et presque surhumaines qui me furent imputées. La politique au Moyen-Orient paraissait terriblement byzantine à un observateur occidental, et je n'étais à cette époque qu'une jeune femme, qui n'avait pas encore trente ans, avec plus d'énergie et de volonté que d'expérience. (Mon frère et moi n'avions à nous deux pas plus d'un demi-siècle d'existence derrière nous.)

En réalité, je pense que c'est parce que j'étais une femme faisant activement de la politique, domaine à l'époque exclusivement réservé aux hommes, que les sourcils se haussaient et que les langues se déliaient. Mes activités dans ce monde d'hommes commencèrent aussi à faire naître des rumeurs sur ma vie privée. Pour mettre fin à ces histoires, mon frère me suggéra de me marier pour faire taire au moins les rumeurs les plus scandaleuses. (Je me mariai, mais les rumeurs ne cessèrent pas.) Bien que je n'aie pas eu particulièrement envie de trouver un autre mari, j'avais finalement réalisé que pour une princesse le mariage n'était pas nécessairement une affaire sentimentale et privée. Je n'étais amoureuse de personne, et mon choix était limité aux princes égyptiens qui avaient paru souhaiter ma main et bien sûr à Ahmad Shafiq. Puisque on me demandait de choisir un mari à ce moment-là, je choisis Ahmad pour qui j'avais de l'admiration et de l'affection.

Mais quand je lui écrivis que j'acceptais sa proposition, je m'aperçus que tout projet de mariage devrait attendre. L'orgueil royal de Farouk semblait apparemment atteint. Non seulement j'avais refusé ses propositions mais en plus j'acceptais maintenant celles d'un autre Égyptien, d'un rang social inférieur. Il refusa son passeport à mon fiancé pour quitter l'Égypte.

Je n'avais d'autre choix que de retourner moi-même en Égypte, accompagnée de Nasrollah Entezam, chef du protocole iranien, qui devint plus tard président de l'assemblée générale des Nations unies, puis ambassadeur d'Iran en France. Mon deuxième mariage ne fut pas une affaire de « chichis », il eut lieu à l'ambassade d'Iran au Caire, sans pompe ni cérémonie, mais j'étais néanmoins plus heureuse que le jour de mon premier mariage. Si mes yeux n'étaient pas pleins d'étoiles, j'avais cependant un mari beau et charmant, et l'espoir que notre vie commune serait fondée sur l'amitié et l'estime mutuelle. Farouk continua à manifester son hostilité à mon mariage en n'envoyant ni félicitations ni fleurs (dans une partie du monde où les rites de la courtoisie sont observés en dépit des sentiments personnels, c'était une manifestation d'hostilité envers toute ma famille), mais il ne pouvait plus refuser un passeport à mon mari sans rompre les relations diplomatiques entre nos deux pays.

En dépit de la dégradation de nos relations, je gardai tout de même un sentiment de compassion pour Farouk, pour le patriote idéaliste qu'il avait été et pour le roi qu'il aurait pu être. Comme on le sait, le règne de Farouk prit fin en 1952, à la suite d'un coup d'État militaire, appuyé tacitement par les Américains (Nasser, Najib, et Abdu Latif Baghdadi, ainsi que quelques autres, rencontrèrent l'attaché militaire des États-Unis au Caire avant le putsch). Farouk abdiqua sans histoires et fut envoyé en exil en Italie sur le yacht royal. Il avait à ce moment-là épousé Narriman, et par une ironie du sort, il avait maintenant le fils héritier qu'il désirait depuis si longtemps.

De retour à Téhéran, mon mari et moi nous mîmes tout de suite au travail, chacun de notre côté. Shafiq était un businessman intelligent et travailleur, et très rapidement après notre arrivée en Iran, il créa grâce aux capitaux de sa propre famille une petite ligne aérienne civile appelée Pars. Il fréta quelques avions et créa des lignes régulières Téhéran-Paris ainsi que des vols intérieurs. Cette compagnie, qui fut plus tard rachetée à un prix dérisoire par le gouvernement, fut le noyau de la compagnie nationale d'Iran, Iranair, la plus prospère du pays au moment de la récente révolution.

Après mon mariage, je commençai à m'occuper de l'assistance sociale. A la mort de mon père j'avais hérité quelque 300 000 dollars ainsi qu'un million de mètres carrés de terres près de la Caspienne et de propriétés à Gorgan et à Kermanshah, qui allaient prendre beaucoup de valeur. Je consacrai à peu près 15 000 dollars de mes fonds personnels à créer la fondation du Service social. Je persuadai un groupe de femmes iraniennes cultivées de consacrer leur énergie et leurs capacités à m'aider à mener à bien plusieurs programmes consacrés à l'aide sociale.

Bien que la religion islamique fasse un devoir à chacun d'aider ses frères moins fortunés, la création d'un organisme gouvernemental destiné à mener à bien cette tâche se fit pour la première fois en Occident, assez récemment d'ailleurs. Mais en dépit de notre niveau de vie inférieur, notre sens des responsabilités envers nos frères est bien plus développé. Bien que j'aie l'impression que l'altruisme et le souci des autres ont plus de valeur humaine que la charité froide et anonyme souvent propre à l'Occident, nous avions néanmoins besoin d'une sorte d'organisme social.

Beaucoup des nôtres n'avaient pas les moyens de subvenir à leurs besoins, sans parler de ceux de leur famille. La première fois que j'allai dans les bas-quartiers de Téhéran pour me rendre compte par moi-même quel genre d'aide était le plus nécessaire, j'en devins littéralement malade. J'avais toujours su, au moins théoriquement, qu'il existait des gens moins fortunés que moi, pour qui le fait de se loger confortablement, de se nourrir suffisamment et de s'habiller, n'était pas évident, mais je n'avais jamais vu de mes propres yeux la misère quotidienne qui engendre l'apathie et le désespoir. Je n'avais jamais vu tant de gens entassés dans des espaces si sales et si exigus, avec si peu de choses pour se couvrir, vivre et se nourrir.

Quand je pris une jeep pour me rendre dans les villages perdus de la province, j'y trouvai des conditions qui n'étaient pas moins sordides. Il n'était pas rare de voir, dans ces villages agricoles, toute une famille vivant de la production d'un dattier et d'une paire de chèvres étiques. Leur niveau de vie était si bas qu'ils n'avaient aucune défense contre les catastrophes naturelles comme les épidémies, les tremblements de terre et les grandes sécheresses. Il était fréquent dans ces villages d'entendre les gens âgés parler du passé en disant : « l'année de la famine » ou « l'année du choléra ».

Étant donné que notre organisation d'aide sociale, encore à ses débuts, avait plus de chances d'être efficace dans des secteurs plus accessibles comme Téhéran, nous y commençâmes, mes collègues et moi, notre œuvre. Nous nous rendions chaque jour dans les bas-quartiers au sud de la ville pour une opération « soupe populaire », distribuant des repas chauds et des vêtements. Nous créâmes aussi une clinique pédiatrique dans ce même secteur.

Dès que ces premiers plans furent opérationnels sans trop de problèmes, je commençai à chercher les moyens d'étendre cette organisation ; elle deviendrait plus tard l'Organisation impériale d'assistance sociale, un des bureaux d'aide sociale les plus importants. Je m'assurai le concours d'un vieil ami, Abdolhossein Hajir, qui était ministre des Finances. Hajir était un homme intelligent et compatissant avec une profonde connaissance des problèmes historiques et politiques, qui allait de pair avec une apparence physique remarquable. Il était grand et mince et portait toujours des lunettes de soleil pour cacher un œil artificiel. Il deviendrait plus tard Premier ministre et jouerait un rôle court mais important sur la scène politique intérieure. Il alloua à notre organisation un pourcentage sur ce que rapportaient les droits de douane et les ventes de pétrole. Nous obtiendrions plus tard la permission d'organiser et de gérer une loterie nationale.

Avec ces moyens de financement, nous pûmes étendre nos services à la province. En moins d'un an, nous avions construit deux cent cinquante cliniques dans les fins fonds du pays. Nous eûmes des problèmes au début pour trouver du personnel pour ces cliniques, car l'Iran n'avait pas beaucoup de médecins qualifiés, et ceux que nous avions n'avaient pas très envie d'aller travailler dans ces coins perdus. Nous résolûmes le problème en engageant des docteurs venus d'autres pays, spécialement des Indes et d'Autriche.

Sur le plan politique, nous eûmes à faire face cependant à des problèmes plus complexes. Alors que les puissances alliées fêtaient leur victoire par des festivités nationales, l'Iran avait peu de raisons de se réjouir. Nous étions toujours un pays pauvre, notre économie déjà restreinte avait été sérieusement désorganisée par la guerre, notre machine administrative n'était plus que chaos.

Suivant les termes de l'alliance anglo-russe de 1942 avec l'Iran, les forces alliées étaient supposées quitter le territoire iranien, dans les six mois suivant la fin de la guerre. Mais les activités militaires des Russes en Azerbaïdjan montraient clairement qu'ils n'avaient pas l'intention d'évacuer cette région qu'ils convoitaient depuis si longtemps. Avec l'aide de l'Armée rouge, le parti communiste Tudeh se réorganisait en Azerbaïdjan sous le nom de « parti démocrate ». Des bandes armées investirent des postes de l'armée et de la gendarmerie, et en décembre 1945, ils proclamèrent la « République autonome d'Azerbaïdjan » avec à sa tête Jafar Pishevari, un communiste de longue date, qui avait passé plusieurs années en Russie.

Mon frère expédia des troupes de Téhéran pour reprendre le contrôle de cette province, mais elles furent arrêtées par les tanks russes à Sharifabad, à 150 kilomètres de Téhéran. Encouragés par leur succès en Azerbaïdjan, les communistes, qui s'étaient infiltrés pendant la guerre dans les tribus kurdes, fomentèrent une nouvelle révolte séparatiste, qui se termina par l'instauration d'une nouvelle soi-disant république indépendante au Kurdistan, dans l'ouest de l'Iran. Cela suscita d'autres mouvements séparatistes, dans les tribus du Sud cette fois.

A Téhéran une autre forme de séparatisme l'emportait. Comme je l'ai déjà dit, il y avait tellement de courants de pensée politique différents au Parlement qu'aucun gouvernement ne réussissait à obtenir une majorité. C'était l'époque des manifestations dans les rues et des articles incendiaires dans les journaux.

Comme les communistes représentaient la seule force politique disciplinée à Téhéran, le Premier ministre, Ahmad Qavam (Qavam Saltaneh) forma un cabinet comprenant trois ministres du parti Tudeh. En même temps, il créa son propre parti démocrate. Bien que Qavam soit âgé de soixante-dix ans, c'était une personnalité politique charismatique. Aristocrate jusqu'aux bouts des ongles, Qavam avait aussi quelque chose du garde-chiourme. Il ne permettait pas que l'on installe des chaises dans son bureau, excepté la sienne, de sorte que personne d'autre, pas même ses ministres, ne pouvait s'asseoir en sa présence. Il ne permettait pas non plus aux membres du Parlement de lui parler directement. Qavam insistait pour que les remarques soient adressées à son secrétaire, qui à son tour transmettait à « Son Excellence ». Si quelqu'un oubliait de se conformer à cette règle, il se tournait vers son secrétaire en demandant : « Que dit ce monsieur ? »

Si certaines de ses façons de faire semblaient affectées, Qavam n'en était pas moins une force politique dont il fallait tenir compte. Quelques mois seulement après la formation de son parti démocrate, il se sentit assez sûr de lui pour renvoyer les ministres appartenant au parti Tudeh. Après cent jours d'existence, les membres du parti démocrate descendirent dans les rues de Téhéran, défilant dans leur uniforme caractéristique, en une manifestation inhabituelle de solidarité. Quelques-uns des amis et des partisans de mon frère le mirent en garde : la popularité personnelle de Qavam, même si ce dernier militait pour un gouvernement plus unifié, pouvait, si elle n'était pas contenue, créer des problèmes à la monarchie.

Ce fut cependant à propos du problème de l'Azerbaïdjan que mon frère commença à avoir des doutes sur la conduite politique de Qavam. Le Shah m'avait souvent dit que, pour lui, perdre l'Azerbaïdjan serait comme perdre un bras, et qu'il était décidé à faire tout ce qui était en son pouvoir pour reconquérir cette province. Au début de 1946, l'Iran avait déposé une plainte dans les règles devant le Conseil de sécurité des Nations unies contre la présence des troupes armées russes en Azerbaïdjan. (Incidemment ce fut le premier problème soumis à cet organisme nouvellement créé.) Néanmoins des représentants du gouvernement de Qavam engagèrent des négociations avec ceux de la « république » communiste. J'étais tout à fait contre de tels pourparlers, car je sentais qu'ils constituaient une reconnaissance *de facto* de ce régime séparatiste. Quand, en février 1946, Qavam se rendit en Russie pour y rencontrer Staline, le Shah décida qu'il était temps de prendre des mesures directes et personnelles.

Dans le cadre de mes activités sociales, j'avais quelques contacts avec l'hôpital russe de Téhéran qui était dirigé par un Russe arménien. Au nom de la Croix-Rouge russe il s'arrangea pour m'obtenir une invitation pour visiter la Russie. Il était bien évidemment sous-entendu que cette invitation de la Croix-Rouge servait de couverture, et que tout en visitant des hôpitaux, j'aurais l'occasion de rencontrer Staline, pour avoir une sérieuse discussion politique avec lui.

En avril 1946, à bord d'un avion soviétique, je quittai Téhéran, avec une petite équipe qui comprenait un aide de camp, le général Shafai. A l'aéroport de Moscou nous fûmes accueillis par le président de la République ukrainienne et par plusieurs ministres qui nous accompagnèrent au secteur réservé aux hautes personnalités étrangères en visite. Le lendemain on me demanda d'approuver l'emploi du temps officiel de mon séjour, qui comprenait la visite de Kiev, de Kharkon, de Leningrad et Stalingrad.

Au cours des années suivantes, je devais faire de nombreux voyages en Russie, mais les détails de celui-ci sont encore très présents à ma mémoire. Cette Russie, ce grand pays sauvage au nord du nôtre, était à la fois notre voisin le plus proche et la puissance la plus à craindre. Mais c'était alors un géant blessé, marqué par la guerre, dont les cicatrices étaient visibles partout.

Dans les faubourgs de Leningrad, je vis les restes de centaines et de centaines de tanks et de canons allemands, fantômes silencieux et gris d'une machinerie de guerre qui avait cessé d'exister. Je visitai l'Ermitage (qui abrite une importante collection d'objets persans), les villes et les sites historiques ; les souvenirs de la guerre étaient omniprésents. Dans les villes, je vis des forçats, des jeunes gens déguenillés faisant de lourds travaux de construction, transportant des moellons, posant des briques, réparant des fondations. Quand je me renseignai sur ces équipes de travailleurs, on me répondit qu'il s'agissait de prisonniers de guerre allemands qu'on avait condamnés à rebâtir ce que leur armée avait détruit. J'étais désireuse de parler à ces jeunes gens, de savoir d'où ils venaient, et ce qu'ils savaient de leurs familles et de leurs enfants, mais mon aide de camp me dit qu'il ne serait pas sage de soulever de telles questions.

Stalingrad n'était presque plus que ruines, parsemées de quelques constructions plus solides et plus massives encore debout. Seule la Volga ne semblait pas avoir été touchée par la guerre, elle continuait à couler, large et sereine, vers la mer Caspienne.

On nous avait logés dans des baraquements militaires décorés d'images représentant la bataille de Stalingrad. C'était là, en effet, que la VIe armée allemande, commandée par le Feldmarschall Paulus, avait été encerclée et battue, événement qui avait marqué le tournant de la guerre entre la Russie et l'Allemagne.

Nos hôtes russes étaient très accueillants et aimables, mais personne ne semblait vouloir parler de mon projet de rencontre avec Staline. Aucune mention de cette rencontre n'était portée sur mon emploi du temps officiel, mais on m'avait prévenue, en privé, que le Généralissime était prêt à me recevoir. Un après-midi, à 2 heures, mon aide de camp arriva avec un large sourire, pour m'annoncer que nous allions voir Staline une heure plus tard.

Je me suis toujours considérée comme une personne forte, capable de conserver, au moins extérieurement, son calme et son assurance en face de situations difficiles ou déplaisantes. Mais maintenant que j'allais réellement me trouver en face de l'homme le plus puissant de l'hémisphère oriental, l'homme dont la réputation était à la fois impressionnante et effrayante, mes nerfs ne me paraissaient pas aussi solides que je l'aurais souhaité. Cette rencontre avait beaucoup plus d'importance que n'importe quelle autre visite à un chef d'État, et je ne savais toujours pas ce que j'allais dire à cet homme qui contrôlait la destinée d'une partie vitale de mon pays. En me rendant en voiture au Kremlin, je vérifiai mon apparence dans un petit miroir de poche qui me glissa soudain des mains et se brisa en mille morceaux. Je suis superstitieuse et l'anxiété que j'éprouvais à l'idée de cette rencontre avec Staline se trouva accrue par ce que je considérai comme un mauvais présage.

Quand j'arrivai au Kremlin, en compagnie du général Shafai, mon aide de camp, d'un interprète russe et de ma dame de compagnie, nous fûmes salués par un jeune officier qui dit quelque chose en russe à l'interprète. On m'informait qu'à partir de là je devais continuer seule. L'interprète russe et moi-même montâmes plusieurs escaliers, empruntâmes de longs couloirs, traversant au passage de grandes salles de réception. Partout je vis des chandeliers massifs en cristal, de splendides tableaux et autres « objets d'art * » de valeur. Enfin nous atteignîmes une grande salle rectangulaire surplombée par des chandeliers décoratifs et au centre de laquelle se trouvait un tapis seigneurial rouge. Alignés autour du tapis comme des jouets, se trouvaient des gardes en uniforme portant des lances d'apparat. Nous fûmes rejoints dans cette salle par le chef du protocole qui, nous précédant de quelques pas, nous fit traverser une autre de ces interminables salles. Aucune des visites que j'avais pu faire ne s'était entourée d'un tel cérémonial et je trouvais ce silence absolu et cette solennité à la fois comiques et intrigants. J'avais en quelque sorte imaginé que l'atmosphère au siège du gouvernement d'un pays communiste, spécialement après une grande guerre, aurait été... disons plus prolétaire. Mais j'étais là, prise dans un cérémonial pompeux et circonstanciel que j'aurais plus volontiers associé au régime impérial tsariste.

Nous arrivâmes devant une porte monumentale qui donnait encore sur une autre pièce de réception, où cinq officiers russes, tous lourdement chargés de décorations et

* En français dans le texte.

autres insignes militaires, se tenaient rigidement au garde-à-vous. Un de ces officiers me désigna une chaise, et comme il semblait m'inviter à m'asseoir, je le fis. Je me trouvais encore plus troublée par tout ce rituel et je ne pouvais m'imaginer ce qui pourrait bien encore se produire. Considérant la situation de nos deux pays, j'eus du mal à écarter de mon esprit une vision lancinante ; j'allais d'une manière ou d'une autre être arrêtée et envoyée dans la fameuse prison de la Lubyanka, et l'on n'entendrait plus jamais parler de moi.

La sonnerie du téléphone interrompit ma vision. Un des officiers répondit et, après une courte conversation, il me fit signe de m'avancer vers un autre jeu de portes massives à l'autre bout de la pièce. Ces portes étaient manœuvrées par deux serviteurs en civil qui m'introduisirent dans une autre grande pièce. Je crus un moment que cette pièce était vide, que c'était encore une étape de ce voyage compliqué. Aussi fus-je surprise quand j'aperçus quelqu'un debout à l'autre bout de la pièce. Je fis quelques pas en avant et réalisai que je me trouvais en présence du généralissime Josef Staline.

Il ne ressemblait pas du tout à l'image que je m'en faisais. Je m'étais imaginé quelqu'un d'aussi grand et d'aussi terrifiant que l'était sa réputation, et je me trouvais en face d'un homme petit, plutôt mou, rebondi, avec de larges épaules et une épaisse moustache. Il aurait aussi bien pu être cocher ou portier. Ses yeux seuls étaient sombres et perçants, et même, oui, effrayants.

La première chose qu'il fit fut de tendre la main en un geste de bienvenue, puis il se saisit de la mienne et la secoua vigoureusement. Il me conduisit à un canapé où nous nous assîmes l'un en face de l'autre et il commença à parler (un interprète était assis derrière lui) d'une voix basse et monocorde, en remuant à peine les lèvres.

Je crois qu'il avait dû remarquer combien j'étais tendue car il commença par une conversation amicale faite de remarques anodines destinées à me mettre à l'aise. J'avais été prévenue par le chef du protocole que notre entretien ne durerait que dix minutes, car le Généralissime avait beaucoup d'autres engagements. Mais Staline ne semblait pas très pressé et quand le chef du protocole entra pour lui murmurer quelque chose à l'oreille, Staline l'éloigna d'un signe.

Je ne savais pas de combien de temps je pourrais disposer, aussi pris-je mon souffle et commençai-je à parler. L'essentiel de ce que je lui dis alors, je peux bien maintenant le révéler ici. Je rappelai au Généralissime qu'après la Révolution, Lénine avait annulé tous les avantages impériaux dont le tsar jouissait en Iran, se gagnant ainsi le respect et l'admiration de notre peuple. Je plaidai, aussi passionnément que possible, pour que cesse l'aide des Russes à la « république » d'Azerbaïdjan, essayant de convaincre Staline que cette république de pantins créerait dans les années à venir une tension entre nos deux pays. En fin de compte, ajoutai-je, l'amitié et la confiance de l'Iran seraient plus précieuses pour l'Union soviétique car nous étions prêts à coopérer au développement des liens économiques avec notre voisine du nord. Staline m'écoutait attentivement, sans m'interrompre, tout en renvoyant le chef du protocole chaque fois qu'il essayait de parler de la fin de notre entretien. A ce moment-là, notre conversation avait duré plus d'une heure.

Quand je me tus, Staline commença à échafauder une théorie sur ce thème : l'Iran n'aurait pas besoin « d'autres amis » en plus de l'Union soviétique. Il fit plusieurs allusions voilées à la plainte que nous avions déposée devant les Nations unies, démontrant que les désaccords entre nos deux pays devraient être résolus par des négociations et des accords mutuels sans intervention de forces ou organisations étrangères. Il m'avertit que l'Iran aurait tort de s'opposer à la Russie en comptant sur une aide américaine. Dans l'esprit de Staline, c'était lui qui avait vaincu les puissances de l'Axe, et il me fit comprendre clairement qu'il n'avait peur ni de l'Amérique ni de la Grande-Bretagne.

Pendant qu'il parlait, une image se formait dans mon esprit : celle d'un homme qui n'était pas du tout un intellectuel communiste mais qui était un homme réaliste et pragmatique, qui gouvernait la Russie d'une manière presque impériale. Bien qu'il fût prêt à utiliser la force armée chaque fois que ce serait nécessaire, il savait très bien que son pays ne pouvait pas se permettre un conflit sur une large échelle, mais ses choix politiques étaient fondés sur la certitude que personne d'autre ne pouvait se permettre de tels conflits.

A l'instant même où nous échangions ces paroles, je crois qu'il avait déjà compris qu'une révolution communiste en Iran n'était pas viable. Alors il insistait sur des avantages plus réalistes, spécialement l'établissement d'une société soviéto-iranienne pour l'exploitation du pétrole en Azerbaïdjan.

Il aborda le sujet de l'entente sur le pétrole qui avait été esquissé par le Premier ministre Qavam et l'ambassadeur de Russie Sadchukov. J'essayai d'observer une réserve prudente, tout en écoutant ce qu'il avait à me dire, n'approuvant ni ne désapprouvant. Cela sembla le satisfaire. Aussi, avant la fin de notre entretien, j'exprimai l'espoir que la Russie mettrait fin à ses manifestations de « guerre froide » en Iran (les Soviétiques utilisèrent ces méthodes en Iran avant que le terme de « guerre froide » ne fût inventé).

Notre entretien qui ne devait durer que dix minutes avait duré deux heures et demie et, quand il prit fin, Staline me tendit la main et me raccompagna jusqu'à la porte. Avant que je ne sorte, il posa sa main sur mon épaule, me regarda dans les yeux et dit : « Faites toutes mes amitiés à votre frère, le Shahanchah, et dites-lui que s'il en avait dix comme vous, il n'aurait plus aucun souci à se faire. » Se tournant alors vers l'interprète, il me désigna et dit : « Ana Pravda Patriot », voilà une vraie patriote.

Le jour suivant j'étais supposée visiter un hôpital de Moscou, mais on m'informa que la visite était annulée. Au lieu de cela j'étais invitée par le généralissime Staline à me joindre à lui pour assister à une cérémonie sportive dans un des plus grands stades de Moscou. Quand j'arrivai, on me conduisit à la loge de Staline et il m'offrit galamment le siège à côté du sien. Plusieurs hauts fonctionnaires soviétiques étaient déjà installés, y compris Molotov, que l'on reconnaissait aisément à ses lunettes rondes et à son visage mongol très caractéristique. Une fois les présentations faites en bonne et due forme, je me rassis, prête à me détendre et à apprécier le spectacle composé d'épreuves sportives et de numéros folkloriques.

Maintenant que notre « business » était terminé, Staline était devenu un hôte aimable et attentif. Avant de rencontrer un personnage public, j'essaye toujours de faire mes « devoirs du soir », et je lis toutes les informations que je peux trouver sur sa biographie. Dans le cas de Staline, je savais qu'il n'avait jamais reçu une princesse et n'éprouvait aucune affection pour les régimes monarchiques. Mais dans nos rapports personnels il fut plein de sollicitude ce jour-là, me regarda souvent, me demanda si j'étais bien installée, m'offrit du thé et des gâteaux et me parla un peu de tout ce qui se passait sur le stade.

Avant mon départ de Russie, Staline m'envoya un magnifique manteau de zibeline. Ce don provoqua quelques gros titres plutôt fracassants mais je tiens toujours beaucoup à ce souvenir de ma première mission diplomatique à l'étranger.

Comme j'aurais pu le prédire après ma conversation avec Staline, l'ambassadeur Sadchukov continua à pousser à la ratification de l'accord Qavam-Sadchukov et à la création de la compagnie pétrolière russo-iranienne. Pourtant, bien que cette entreprise menée conjointement semblât imminente, l'Iran ne retira pas sa plainte des Nations unies, en dépit des pressions extrêmes exercées par les Russes. En cette occurrence, nous fûmes soutenus par les États-Unis et par d'autres puissances occidentales car alors le « mariage de raison » du temps de guerre entre l'Est et l'Ouest subissait bien des aléas et la guerre froide avait officiellement commencé. Le président Truman ne pouvait plus ignorer la nature des activités russes en Iran et en Turquie.

Aux Nations unies, les débats sur ces activités atteignirent leur apogée au printemps 1946, les Soviétiques menaçant constamment de quitter le Conseil de sécurité. Pourtant, en ce qui concerne l'Azerbaïdjan, les Russes cédèrent et évacuèrent leurs troupes, apparemment décidés à se contenter, pour le moment, d'un accord sur le pétrole.

L'Armée rouge se retira, et sept mois plus tard, des troupes iraniennes commandées par le Shah en personne attaquèrent l'Azerbaïdjan sur trois fronts à la fois. Privée de son appui militaire, la république de pantins s'effondra rapidement, et le 10 décembre 1946, les troupes du Shah entrèrent à Tabriz, où elles furent acclamées par la population.

Une semaine plus tard, ces troupes prirent Mahabad, au

Kurdistan, mettant fin ainsi en même temps à l'existence — qui n'avait duré qu'un an — des deux républiques séparatistes cautionnées par les Russes. En octobre 1947, les accords Qavam-Sadchukov, concernant le pétrole, furent soumis au Parlement qui vota contre par cent deux voix contre deux. Ce faisant, les membres se référaient à une loi de 1944 — qui avait été instaurée par un député qui deviendrait bientôt fameux dans le monde entier, le Dr Mohammed Mossadegh — qui interdisait au gouvernement de négocier un traité sur le pétrole avec une puissance étrangère, sans l'accord préalable du Parlement.

Avec la résolution du problème de l'Azerbaïdjan, que le peuple ressentit comme une grande victoire nationale, la popularité personnelle de mon frère s'accrut et au cours de sa première visite à cette province nouvellement libérée, il fut accueilli par une foule immense de gens qui l'acclamaient.

Pourtant le pouvoir politique du Shah était encore assez mal assuré. Certains pensaient qu'un Premier ministre puissant et ambitieux, comme l'était Ahmad Qavam, pourrait représenter une menace sérieuse pour le trône. A travers son parti démocrate, Qavam avait vite fait de consolider et d'asseoir son pouvoir personnel, dont il usait pour tenir les rênes du gouvernement d'une main de fer.

En juillet 1947, les élections parlementaires se soldèrent par une très nette majorité en faveur des partisans d'Ahmad Qavam, qui fut, une fois de plus, nommé Premier ministre. On eut de plus en plus l'impression au sein des délégations diplomatiques étrangères, et dans quelques-uns des cercles politiques iraniens, que Qavam pourrait, s'il le voulait, renverser le Shah.

Bien que Qavam fût un politicien vieux jeu, qui pensait que les femmes n'avaient pas leur place dans la politique, il m'avait tout de même parlé de temps en temps, et m'avait même plusieurs fois demandé mon avis. Un soir de décembre 1947, je l'invitai à venir me voir chez moi, et sans mâcher mes mots, je lui dis que j'avais entendu parler de ses ambitions politiques.

Il ne parut pas surpris, me regarda sans broncher et me dit : « Ces allégations sont tout à fait fausses. J'ai toujours été loyal envers la monarchie. » Sentant que je doutais encore de lui, il continua : « Qu'est-ce que la princesse voudrait me voir faire pour lui prouver que je ne mettrai jamais la monarchie en péril ? »

Je le regardai droit dans les yeux à travers ses lunettes noires et dis calmement : « La meilleure preuve de votre loyauté serait votre démission. »

Il réagit comme si je l'avais giflé. Manifestement secoué, il répondit : « Je n'ai pas l'intention de démissionner et aucune force au monde ne peut me pousser à le faire contre ma volonté. Demain je ferai en sorte d'obtenir le vote de confiance du Parlement. »

Le jour suivant, il appela le Parlement en session extraordinaire pour lui demander de lui voter sa confiance. A sa grande consternation, Qavam n'obtint pas la majorité et fut forcé de démissionner.

En réalité je n'avais pas bluffé : grâce à mes contacts avec différents membres du Parlement, je savais que Qavam n'obtiendrait pas le vote de confiance s'il le demandait. Quelques années plus tard, j'aurais une confrontation similaire avec un autre Premier ministre, le Dr Mohammed Mossadegh, mais l'issue serait cette fois-là bien différente.

Avant la Seconde Guerre mondiale, les contacts culturels de l'Iran avec les autres pays avaient été extrêmement restreints. Avant l'époque de mon père, les familles aisées envoyaient souvent leurs enfants faire leurs études en Russie et plus tard, en Allemagne ou en France. Quelques-unes des familles aristocratiques visitaient occasionnellement les centres touristiques et les grandes villes d'Europe, mais en règle générale les peuples d'Iran et d'Occident s'ignoraient totalement. (De nos jours, après des dizaines d'années de contacts dans un monde qui se rétrécit de plus en plus, j'ai bien peur, hélas, que ce ne soit toujours vrai.)

Pour la plupart des Américains, l'Iran n'existait même pas. On peut donc dire qu'après la Seconde Guerre mondiale, nos deux pays commençaient seulement à nouer de sérieux contacts, qui n'étaient pas fondés sur un passé de confiance et d'amitié, ni sur des erreurs et des récriminations. Les Américains arrivaient en Iran les mains relativement propres, et leur position était plutôt celle de donateur que celle de quémandeur. Mais, dans leur innocence, les Américains apportèrent avec eux une naïveté qui frisait souvent l'arrogance, la certitude que l'Amérique, parce qu'elle est une des nations les plus puissantes au monde, avait la meilleure façon de vivre. Il en découlait que les pays d'Asie et d'Afrique étaient à leurs yeux économiquement sous-développés parce que leur culture avait quelque chose d' « arriéré » et d' « inférieur ». Les Américains tiraient de ce genre de raisonnement une façon plutôt originale d'aider les autres cultures, en essayant de les rendre aussi « américaines » que possible.

En disant cela, je ne veux pas du tout mésestimer les intentions de l'Amérique, mais je veux plutôt suggérer qu'une aide sans compréhension peut créer des problèmes pour celui qui donne comme pour celui qui reçoit. Prenez par exemple « le programme du Point Quatre » qui fut lancé après la guerre pour administrer l'aide des États-Unis à l'Iran et à d'autres pays, et pour leur fournir une assistance technique.

Les procédures administratives et bureaucratiques du personnel de ce « Point Quatre » firent une grande impression sur l'Iran. Laissez-moi vous expliquer d'abord que l'atmosphère des bureaux iraniens était plutôt guindée. L'air conditionné n'était installé dans presque aucun de nos centres bureaucratiques, mais jamais un employé n'aurait osé tomber la veste, même au plus fort de l'été. De même, il n'aurait pas songé à s'asseoir sur un bureau et encore moins à y poser les pieds.

Dans n'importe quel bureau, le visiteur se voyait offrir le thé pendant que son hôte écoutait poliment les propositions qui lui étaient soumises. On n'entendait presque jamais dire « non » dans les discussions d'affaires, et même si les sujets dont on parlait n'avaient aucun intérêt, la courtoisie exigeait l'emploi de mots aimables et toute une technique pour décourager le visiteur importun. Le lecteur devine bien que cela faisait partie d'une manière très décontractée de faire des affaires : un milieu où il n'y avait pas vraiment d'impasses, où les heures de déjeuner n'étaient pas vraiment fixes, et où les ulcères dus au surmenage étaient pratiquement inconnus.

Inutile de dire que les Américains furent horrifiés par ce

manque d'efficacité. Ils se mirent sur-le-champ à essayer d'inculquer aux employés iraniens les méthodes américaines de travail. Quelques-uns des résultats furent surprenants. Notre peuple adopta assez rapidement les manières américaines : les fonctionnaires apprirent à s'habiller de façon plus décontractée pour aller au travail, à s'étaler dans leurs bureaux, à taper sur l'épaule de leurs collègues et à s'adresser à leur supérieur avec plus de familiarité. Ils apprirent même à dire « non » sans offrir d'abord une tasse de thé. Mais ils n'apprirent pas à devenir efficaces, au sens où les Occidentaux l'entendent, en adoptant simplement les manières superficielles de se conduire qui leur étaient totalement étrangères. Ils en étaient bien incapables.

Quand les administrateurs de ce programme engagèrent du personnel iranien, ils leur donnèrent un salaire plus proche des standards américains que des usages iraniens. Cela créa d'énormes inégalités entre les Iraniens qui travaillaient pour les Américains et ceux qui travaillaient dans des affaires privées ou pour leur propre gouvernement. Une secrétaire employée au « Point Quatre » pouvait gagner par exemple autant qu'un directeur général dans d'autres organisations. Bien que ces énormes salaires aient été sans aucun doute une bénédiction pour les rares personnes qui en bénéficiaient, ce fut ce genre de méconnaissance des conditions de vie locale (qui n'était en aucun cas limitée à l'Iran) qui engendra des sentiments tout à la fois, de frustration, d'étonnement, d'envie, d'admiration, et de ressentiment — en fait tout ce qui caractérisa les relations entre ceux qui possèdent et ceux qui n'ont rien, qu'il s'agisse de nations ou d'individus.

Incontestablement, les spécialistes de ce « Point Quatre » aidèrent notre pays à résoudre beaucoup de problèmes chroniques. Par exemple, les experts en agriculture et en santé publique visitèrent les régions les plus éloignées du pays, pour mettre sur pied une stratégie de défense contre certaines calamités, ce qui aboutit à l'élimination presque totale des plaies traditionnelles, comme les sauterelles et les moustiques porteurs de malaria.

Si certains de ces efforts furent extraordinaires, d'autres furent plutôt ridicules. Les spécialistes en élevage prirent apparemment soigneusement note du fait que les ânes en Iran étaient plutôt de petite taille. Pour trouver une solution à ce « problème » (les Américains ayant tendance à penser que « plus c'est grand mieux ça vaut », ces petits ânes leur paraissaient une erreur de la nature) ils firent venir par avion de Chypre, pour un prix exorbitant, de grands ânes pour les croiser avec les nôtres. Dans un pays où il y avait tant de problèmes urgents et réels à résoudre, cette nouvelle race « améliorée » d'ânes devint une sorte de plaisanterie locale. Tout en hochant la tête, les gens se posaient, avec ahurissement, des questions sur l'étrange sens des priorités chez les Américains.

Une autre des organisations qui favorisa les contacts entre les Américains et les Iraniens, après la guerre, fut le Service d'informations des États-Unis (U.S.I.S.) qui mit sur pied un programme d'échanges permettant à nos journalistes de se rendre en Amérique. A leur retour, ils écrivaient invariablement des articles à vous couper le souffle, où, avec force détails, ils décrivaient les merveilles étranges du Nouveau Monde. On s'arrachait les journaux qui parlaient de phénomènes tels que les gratte-ciel, les cafétérias, et les supermarchés. Ces histoires captivaient l'imagination de nos jeunes, qui commencèrent à voir les États-Unis comme un endroit merveilleux pour y parfaire leur éducation. Une éducation américaine présentait un autre avantage très alléchant. Avec une telle éducation on pouvait, une fois de retour en Iran, se faire engager dans les organismes du « Point Quatre » pour un très joli salaire. Ardeshir Zahedi, qui devint ambassadeur d'Iran aux États-Unis, fut un de ceux qui suivirent cette voie.

Je dois avouer que j'étais tout aussi désireuse que n'importe lequel de ces étudiants de saisir cette occasion de visiter les États-Unis, ce qui se produisit en août 1947, grâce à une invitation de la Croix-Rouge. Je fus accueillie à l'aérodrome par un représentant du maire de New York, par notre ambassadeur aux États-Unis, Hossein Ala, et par des membres du Département d'État et de la Croix-Rouge.

Maintenant que j'ai passé tant de temps à New York (au moins plusieurs mois chaque année depuis dix ans), je ne suis plus aussi frappée par la texture, ni par les détails qui caractérisent cette ville extraordinaire. Mais cette première vision des gratte-ciel de Manhattan miroitant dans le soleil de midi, cette marée humaine de « fourmis besogneuses » se précipitant à travers les rues au milieu des bruits ininterrompus et discordants de la ville est une vision à jamais inoubliable.

Notre ambassadeur m'avait installée dans les tours du Waldorf Astoria*. Je ne voulais pas perdre de temps à me reposer ni à m'installer. J'entrepris immédiatement l'exploration de la ville. Je m'aperçus rapidement que New York n'était pas comme Paris ou comme d'autres villes suisses où l'on pouvait flâner d'un pas tranquille pendant des heures. New York était une ville pleine de contrastes, parfois très belle, parfois sordide, parfois agressivement fonctionnelle, mais toujours excitante et dynamique.

La première chose qui me frappa dans le mode de vie américain fut l'abondance de nourriture. J'arrivais d'un pays où la nourriture était encore rare, et même à Londres où j'avais fait escale, bien des denrées étaient rationnées, et avoir un œuf pour son petit déjeuner était un luxe, même dans les meilleurs hôtels. Je ne pouvais croire à la quantité des denrées alimentaires que les Américains jetaient sous prétexte qu'elles « n'étaient pas assez fraîches » jusqu'à ce que je réalise que l'Amérique n'avait pas, en fait, été touchée par la guerre comme le reste du monde.

Je fus aussi très étonnée par l'énorme variété des biens de consommation dans cette Amérique de l'après-guerre. Apparemment on pouvait entrer dans un salon d'exposition d'automobiles et y acheter une voiture, ce qui était impossible en Iran et dans presque tous les pays européens. On pouvait choisir entre des centaines de paires de chaussures, de vêtements, d'appareils ménagers. L'Amérique était comme un immense bazar que même le génie d'Aladin n'aurait pu imaginer.

Pendant les deux semaines que je passai à New York, je me conduisis comme une véritable touriste. Je vis mon premier rodéo, dans Madison Square Garden, et ma première

---

* Célèbre hôtel new-yorkais.

parade américaine. Il y avait un congrès d'anciens combat-tants dans la ville à ce moment-là, et des milliers d'entre eux défilaient dans la Cinquième Avenue, acclamés par une foule de civils qui les arrosaient de confetti multicolores.

Je visitai les musées et les galeries d'art et écoutai la radio pendant des heures : les vedettes étaient Bob Hope, Bing Crosby, James Stewart, Abbott et Costello, Laurel et Hardy — des noms que je connaissais par les films que j'avais vus.

Je n'ai jamais été trop préoccupée par ma façon de m'habiller, mais avant que les prix ne grimpent tellement, j'avais l'habitude de m'acheter chaque année quelques nouvel-les toilettes chez des couturiers européens comme Lanvin ou Dior. (A présent, je fréquente les boutiques de prêt-à-porter de ces maisons.) Pendant ma visite à New York, je vis la première vague du « new-look » dans les vitrines et sur les femmes élégantes de la ville. Je trouvais que cette mode lourdement chargée, avec ses épaulettes, ses dentelles et ses mètres de tissu n'était pas particulièrement seyante pour les Améri-caines dont la silhouette était si naturellement séduisante.

Comme ma rencontre avec le président Truman était prévue après mon séjour à New York, je décidai pour l'occasion de m'acheter une nouvelle robe, une robe améri-caine. Une de mes dames de compagnie me dit qu'elle avait entendu parler d'un défilé de mode organisé par Sophie Gimbel chez Saks dans la Cinquième Avenue. Ce fut là mon premier contact avec la mode américaine.

Je trouvai Washington très étonnant après mes expé-riences russes. Le Kremlin était le siège du gouvernement communiste d'un pays déchiré par la guerre, mais tout y parlait d'aristocratie, d'opulence et de formalisme. La Maison-Blanche, au contraire, était le siège officiel du président du pays capitaliste le plus riche du monde, mais tout y était simple, sans prétention et détendu. Le président Truman et sa femme Bess me confirmèrent dans cette impression d'honnê-teté simple, car ils avaient tous les deux cette façon aisée et naturelle de se conduire en « voisins proches ».

Harry Truman me plut immédiatement. Bien que la presse se moquât parfois de son franc-parler et de ses manières peu policées, je trouvai ces façons directes et efficaces très rafraîchissantes. Il n'était pas nécessaire d'user d'un langage diplomatique compliqué pour lui parler, et il semblait très au courant des problèmes les plus pressants en Iran.

Il me demanda de lui parler de ma rencontre avec Staline, mais avant que j'aie pu répondre, il me dit : « J'en ai carrément assez de passer mon temps à surveiller ces Russes... Nous les avons prévenus quand ils étaient en Azerbaïdjan, et nous avons dû encore les prévenir maintenant de ne pas se mêler des problèmes grecs. » Il ajouta qu'il espérait que les Grecs suivraient l'exemple de l'Iran et défendraient leur pays contre les infiltrations communistes.

Les manifestations soviétiques de la guerre froide furent, on le devine, le sujet principal de notre conversation. Au début de cette même semaine, un groupe de guérilleros communistes grecs, commandés par le général Marcus Vafiades, avait proclamé l'établissement d'un État indépendant dans le Nord du pays. Le gouvernement d'Athènes avait appelé ce mouvement l'« Acte Deux » de l'essai avorté de mainmise sur l'Azerbaïdjan, et avait prévenu les Russes qu'ils pouvaient s'attendre au même résultat. Le général Dwight D. Eisenhower, qui était alors commandant en chef des forces armées, avait déclaré que les États-Unis ne permettraient pas que la Grèce devienne un « pays vassal » de la Russie, et le bruit courait à Washington que l'on pourrait bien envoyer des troupes américaines en Grèce.

J'assurai au président Truman que l'Iran serait toujours un bon allié des États-Unis, que mon frère était engagé dans la construction d'une nation moderne et indépendante. Notre visite prit fin sur une note très amicale, avec échange d'invitations de la part de chacun. J'appris à Truman que Roosevelt avait exprimé le désir de voir l'Iran en temps de paix (il n'avait pas vécu assez longtemps pour entreprendre ce voyage) et je l'invitai à venir visiter Téhéran avec sa femme, aussitôt que cela leur serait possible. De son côté le président Truman exprima le souhait que le Shah rende bientôt une visite à l'Amérique — mon frère fit ce voyage en 1948, et il rencontra le président et Dean Acheson — et Bess Truman me pressa de revenir à Washington « pour voir la " nouvelle " Maison-Blanche quand nous l'aurons restaurée ».

110

Pendant que j'étais à Washington, je donnai une grande réception à notre ambassade, ce qui me permit de rencontrer des personnalités officielles, des représentants élus et des journalistes américains. Je me rappelle les commentaires du magazine *Time,* qui parurent dans le numéro du 8 septembre 1947. « A Washington, la semaine dernière, une jeune femme brune et élancée a pu voir de ses propres yeux que la Perse avait des amis puissants aux États-Unis. Plusieurs centaines de personnes ont afflué à l'ambassade persane — installée dans une élégante résidence en briques rouges — pour serrer la main de Son Altesse Impériale Ashraf Pahlavi *(sic),* sœur jumelle du Shah, actuel dirigeant de la Perse. Le président Truman l'a reçue à la Maison-Blanche en compagnie de Bess Truman. Cette semaine le Département d'État a prévu une grande et brillante réception. »

La réception était offerte par le secrétaire d'État George Marshall, promoteur du plan Marshall, qui avait fourni une aide économique à l'Europe pour permettre sa reconstruction après la guerre. En tant qu'architecte de ce programme américain, Marshall avait subi de violentes attaques de la part du bloc soviétique. Anna Pauker, secrétaire générale du parti communiste en Roumanie, l'avait traité de fasciste. En parlant avec lui, je le trouvai intelligent, brillant même, et humain, sincèrement voué à la lutte contre la pauvreté et la faim. Le prix Nobel qui lui fut attribué en 1953 était bien mérité. Marshall était très conscient de l'existence de la guerre froide, et bien qu'il m'ait dit que son plan n'était dirigé contre aucune nation ou doctrine, il n'avait évidemment pas l'intention d'étendre son aide aux nations qui faisaient partie du bloc soviétique, hostile et non coopératif. C'est ainsi qu'il avertit que tout pays qui ne participerait pas à la Conférence de Paris (qui avait été organisée pour discuter des modalités d'application de son plan) ne pourrait espérer quelque aide que ce soit des États-Unis, et de fait, il cessa de fournir de l'aide à la Roumanie, la Pologne et la Hongrie. L'Iran étant l'objectif principal de la stratégie soviétique dans le cadre de la guerre froide (les Russes étaient toujours en train de faire pression sur le Parlement pour qu'il ratifie l'établissement de la compagnie pétrolière irano-soviétique), ce fut un grand soulagement pour moi de rencontrer des hommes politiques comme Truman et Marshall, des hommes qui comprenaient la nature des menées russes en Iran, et le genre de problèmes que cela nous créait.

Dans les années suivantes, je rencontrerais encore d'autres présidents des États-Unis. Mais, après Truman, il m'apparut que, dans l'ensemble, les présidents du parti républicain montraient plus de compréhension envers les problèmes de l'Iran que leurs pendants démocrates. Je ne sais si cela est dû au fait que les hommes politiques du parti républicain avaient plus de sympathie pour l'idée de monarchie, à cause de leur philosophie traditionnellement plus conservatrice, ou si cela ne fut pas plutôt une question d'individus.

Une des particularités américaines qui semble étrangère à tout parti, et qui paraît être devenue, de manière significative, plus prononcée depuis la guerre du Vietnam, est une forte tendance à l'isolationnisme. Bien que les États-Unis aient pris part à deux guerres mondiales, qu'ils aient accepté plus que leur part de responsabilités, économiquement parlant, envers les pays les moins riches du monde, et qu'ils aient activement coopéré à la création de l'Organisation des Nations unies, les hommes politiques américains semblent maintenant peu enclins à accepter entièrement les implications inhérentes au statut de super-puissance. Il est évident que les affaires intérieures du pays soulèvent des problèmes qui peuvent faire ou défaire une carrière politique en Amérique, et à moins d'une menace militaire directe contre la sécurité des États-Unis, rares sont les présidents, les secrétaires d'État, les sénateurs, les membres du Congrès qui oseraient, en ce moment, braver la colère de l'électorat américain en plaidant l'engagement de l'Amérique dans la politique mondiale, dans une politique bien coordonnée, qui à long terme, risquerait d'aboutir à une confrontation armée. En cela ils reflètent l'opinion de l'électorat américain qui pense que les États-Unis n'ont aucun besoin de s'imbriquer davantage dans les affaires du Moyen-Orient, de l'Amérique latine, de l'Afrique ou de l'Asie. Paradoxalement, ce sentiment s'intensifia à un moment où le monde se scindait en deux blocs voisins : celui qu'on appelle le « monde libre » et les pays satellites soviétiques. A l'époque de Roosevelt, quand celui-ci préconisait d'avancer doucement tout en brandissant un gros bâton, l'Amérique pouvait peut-être se permettre des tendances isolationnistes, mais maintenant que les conseils de Roosevelt auraient vraiment un sens, les amis et les ennemis de l'Amérique ont l'impression de plus en plus nette qu'elle peut bien parler fort ou doucement, mais que le peuple américain, lui, ne permettra à aucun gouvernement de brandir quelque bâton que ce soit. Ceci peut peut-être expliquer en partie pourquoi nous assistons au spectacle d'une Amérique dont on se moque ouvertement — que ce soit en Iran ou ailleurs. Les démagogues sont sûrs que les États-Unis supporteront pratiquement n'importe quel affront, pourvu que cela se passe sur un territoire étranger, et que leur seule réponse sera des menaces vides de tout contenu.

Bien qu'un gouvernement comme celui des États-Unis doive répondre aux vœux de sa population, il doit aussi trouver les moyens d'une politique extérieure efficace et bien structurée (je ne crois pas que cela ait été fait en ce qui concerne l'Iran), sinon des événements comme ceux de l'Iran ou d'Afghanistan se reproduiront ailleurs, et les Américains devront faire face de plus en plus souvent au type de confrontations dont ils ont le plus peur.

Bien que le souvenir du Vietnam ait engendré une politique étrangère passive et rétrograde, plutôt qu'une politique active et dynamique, les échecs au Vietnam n'expliquent pas à eux seuls pourquoi l'Amérique s'est trouvée elle-même « prise en otage » par un pays bien plus faible qu'elle-même, pourquoi ses ambassades à l'étranger ont été assiégées et brûlées, et pourquoi elle se retrouve l'ennemie universelle du soi-disant réveil islamique dans tout le Moyen-Orient.

Ces événements sont la conséquence d'un échec qui remonte à plusieurs années, dans la perception, la compréhension et même l'apprentissage de ce qui représente les bases les plus élémentaires du monde moyen-oriental. Quand je me rendis en Amérique pour la première fois, en 1947, l'Iran avait été le centre de la première confrontation entre l'Est et l'Ouest, le sujet d'un débat intense aux Nations unies, et tous ces événements avaient été sans aucun doute répercutés dans la presse américaine. Et cependant, je m'aperçus que beaucoup d'Américains ne soupçonnaient même pas l'existence d'un pays nommé l'Iran, sans parler de ce à quoi il ressemblait. Même les milieux diplomatiques et les gens cultivés n'avaient qu'une idée très imprécise sur les Iraniens et sur leur culture, une tendance à confondre Iran et Irak et à supposer faussement que l'Iran est un pays arabe sous prétexte que c'est une nation islamique. Cette ignorance à propos des pays étrangers est très caractéristique de l'Amérique ; dans l'intelligentsia européenne par exemple, on trouve généralement une meilleure connaissance et une information plus précise sur ce que sont les cultures dans les autres pays.

De nos jours, le citoyen moyen de n'importe quelle ville des États-Unis sait incontestablement que l'Iran existe. Mais qu'en sait-il d'autre ? Il comprend que, pour l'instant, il n'y aura plus de pétrole iranien et que cela aura un effet direct sur ses conditions d'existence, en raison de la montée des prix et des restrictions sur le pétrole. Mais je pense que quand il s'installe devant son poste de télévision et voit des foules iraniennes en colère et qu'il entend des dénonciations rhétoriques et compliquées contre les États-Unis, sa compréhension de la psychologie et de la politique iranienne n'est probablement guère plus grande que celle de la génération précédente. Les médias n'ajoutent rien à ce peu d'informations. Mises à part quelques rares considérations et quelques analyses historiques et sociologiques réfléchies, la plus grande partie de ce qui est imprimé est déformé (pour ne pas dire totalement faux), et ramène des problèmes politiques et sociaux importants à leur plus simple expression.

Étant donné que beaucoup des écrits actuels se réfèrent, bien que sans l'approfondir, à la crise du début des années 50 en Iran, une période pendant laquelle le Shah faillit perdre son trône, je pense qu'une meilleure compréhension des événements actuels pourrait être obtenue si l'on réexaminait ce qui s'est passé à ce moment-là. Cela peut en surprendre beaucoup mais, je crois qu'il y a d'étonnantes ressemblances entre les événements et les personnalités de cette période de 1950 et ceux qu'on voit à la télévision aujourd'hui. Ces similitudes démontrent la nature turbulente et cyclique de la politique iranienne et les forces explosives, à la fois intérieures et extérieures, auxquelles mon frère dut faire face pendant tout son règne. Si l'Amérique avait mieux compris ces événements, elle en aurait peut-être appris plus sur la nature fondamentale de l'Iran, et aurait ainsi évité la crise dont le monde est témoin aujourd'hui.

Le thème dominant en 1950 était le pétrole. Les anciens Persans voyaient en cette substance précieuse et volatile, que nous appelons « naft », un symbole divin de vie. Dans leurs temples du feu, les Anciens installaient des autels du feu, utilisant pour cela le phénomène naturel créé par l'inflammation spontanée du pétrole qui suintait à la surface de la terre.

L'histoire actuelle de notre pétrole commence en 1872, quand le baron Julius de Reuter, qui avait été naturalisé anglais, obtint une concession générale qui comprenait le droit d'exploitation des filons de minerais (y compris le pétrole) dans la Perse occidentale. Grâce à une concession plus réduite, accordée en 1889, Reuter créa la « Persian Bank Mining Rights Corporation » qui entreprit sans succès des recherches pendant un certain nombre d'années, jusqu'en 1901, quand la firme fut démantelée.

Bien qu'on n'ait pas trouvé de pétrole dans l'Ouest pendant ces premières explorations, le gouverneur de la province occidentale de Kermanshah persista à croire qu'il y en avait. A sa requête, l'archéologue français Jacques de Morgan entreprit une étude systématique des ressources pétrolières de la Perse. Les recherches de Morgan, qui furent publiées en Europe, attirèrent l'attention de William Knox D'Arcy, un Anglais qui avait déjà gagné une fortune considérable dans les mines d'or australiennes. En 1901, D'Arcy acquit une concession pour l'exploitation du pétrole dans le Sud de l'Iran. Aux termes de cette concession, conclue pour soixante ans, D'Arcy devait payer au gouvernement persan 20 000 livres, lui céder vingt mille actions sur sa compagnie, et lui donner 16 pour 100 de son bénéfice net. Le gouvernement britannique, réalisant l'importance de cette concession, acheta la majorité des parts de cette compagnie en mai 1914.

Les premières recherches pour trouver du pétrole au Khuzistan, dans le Sud de l'Iran, se firent dans des conditions extrêmement pénibles. La température dépassait 50° C pendant la journée, l'eau potable était rare, et les facilités sanitaires pratiquement inexistantes. Les problèmes de ces pionniers de la prospection pétrolière étaient aggravés par les tribus locales qui, de temps en temps, razziaient les camps des prospecteurs, en emportant le matériel léger et les biens personnels.

Pour protéger la vie et les biens de son personnel pétrolier, la Grande-Bretagne envoya une compagnie de soldats indiens dans le Sud de la Perse. Bien que cela ait représenté une violation manifeste de la souveraineté persane, le roi Ghadjar manqua de l'énergie et peut-être même du désir de présenter une protestation en règle. En fait, la seule chose que le roi fit, pour protéger ses propres intérêts dans l'entreprise de D'Arcy, fut de nommer un fonctionnaire des douanes à la retraite comme son représentant personnel à la direction locale de la compagnie pétrolière. Le rôle de ce fonctionnaire fut immédiatement neutralisé : dès le premier jour en fait, quand on le chargea des bulletins confidentiels de paye de la compagnie. A partir de ce moment-là, il fut évidemment plus concerné par les intérêts de celle-ci que par ceux de l'Iran. Il me faut faire ici un commentaire sur le genre de marchandages qui caractérisait une grande partie des transactions avec les étrangers, non seulement en Iran, mais dans tout le Moyen-Orient.

La tradition du « bakchich » en remerciement de faveurs ou de services rendus est ancienne. Intrinsèquement, le concept de « bakchich » n'est pas plus déshonorant que l'idée de « pourboire* ». Cependant, comme c'est le cas en Occident, on commença à utiliser le « bakchich » en Iran dans de nombreuses transactions bureaucratiques : pour hâter les formalités officielles, pour faciliter le passage de cargaisons à la douane, etc. Mais dans les années 50, à mesure que l'Iran devenait plus intéressant pour les firmes étrangères, pour des projets sur une large échelle, pour des ventes faramineuses et lucratives, je vis l'escalade des « bakchich ». Ils devinrent une

---

* En français dans le texte.

sorte de moyen assez subtil de règlements destinés à donner à une firme étrangère ou à un gouvernement quelques avantages sur les autres. Bien que mon frère n'ait certainement jamais eu aucune indulgence pour ces pratiques (en fait il lança périodiquement de sérieuses campagnes pour éliminer la corruption de la bureaucratie iranienne), il vit une certaine ironie dans le fait que la corruption iranienne était très vigoureusement condamnée dans la presse occidentale, la presse des pays mêmes qui étaient le plus activement impliqués dans la promotion à n'importe quel prix et par tous les moyens de ces ventes gigantesques et de ces affaires extraordinairement profitables.

Il était assez clair dès le début que l'industrie pétrolière iranienne, avec ses bénéfices potentiels, offrirait des possibilités considérables, non seulement pour des affaires douteuses, mais aussi pour une distribution assez bancale de ces bénéfices. Au commencement cependant, le gouvernement persan n'eut pas d'autre choix que de permettre aux étrangers d'exploiter son pétrole aux conditions que ceux-ci voulaient bien offrir. A l'orée du xxᵉ siècle, la Perse n'avait évidemment ni l'argent ni la technologie nécessaires pour exploiter ses propres ressources ; elle n'avait pas non plus le pouvoir politique pour négocier des accords équitables. Avec le temps, ces conditions changeraient, l'Iran pourrait alors demander à bénéficier d'une part plus grande de ses propres ressources et avoir plus de poids dans leur gestion.

Mais au début de ces recherches pétrolières, il n'y avait effectivement aucun profit à partager ou à discuter. On dépensa quelque 250 000 livres pendant les deux premières années consacrées par D'Arcy à la recherche du pétrole, sans en produire une seule goutte. En janvier 1904, les ennuis de D'Arcy semblèrent être terminés quand le pétrole jaillit de l'un de ses puits, mais après quelques mois, le puits fut tari, et les finances de la compagnie se retrouvèrent en fâcheuse posture. Pour maintenir la solvabilité de son entreprise, D'Arcy fusionna avec la Compagnie des pétroles de Birmanie, qui avait travaillé en Asie du Sud-Est. Finalement, le 26 mai 1908, après des années de travail éreintant et de recherches improductives, il y eut un premier jaillissement de pétrole, à

Masjid-i-Sulaiman, à quelque 150 miles au nord d'Abadan. Cette découverte marqua le début de l'industrie pétrolière, non seulement en Iran, mais dans tout le Moyen-Orient.

Le pétrole une fois trouvé, chacun fit valoir à nouveau ses intérêts propres. A cette époque le gouvernement de Téhéran n'avait aucun pouvoir, et les chefs de tribus étaient les principaux arbitres de la loi et de l'ordre ; d'une certaine manière, ces conditions étaient celles de l' « Ouest sauvage » des États-Unis, il y a un siècle. Les foreurs avaient payé le prix de leur sécurité au chef bakhtiar, mais maintenant il leur fallait passer un accord par lequel les chefs de tribus recevraient une part des revenus de ce pétrole. Avant de pouvoir construire un pipe-line et une raffinerie, il fallut aussi passer un accord financier avec le Cheik Khazal de Muhammara, dont le contrôle personnel s'étendait sur l'île d'Abadan et sur le territoire situé autour du port de Khorramshahr. Une fois ces accords passés, le syndicat pétrolier fonda la Compagnie anglo-persane des pétroles, connue plus tard sous le nom de Compagnie anglo-iranienne des pétroles et devenue en 1954, la British Petroleum (B.P.).

Le pipe-line qui allait de Masjid-i-Sulaiman à Abadan fut terminé en 1912 et pendant la première année complète de production (1913) la Perse produisit 80 000 tonnes de pétrole ; en l'espace de cinq ans, cette production tripla.

Il était évident que l'industrie pétrolière persane deviendrait très substantielle, mais jusque-là le pays n'en avait pas tiré de gros bénéfices. Avant même de devenir Shah, mon père s'était préoccupé, militairement parlant, de mettre les secteurs pétrolifères sous le contrôle du gouvernement de Téhéran de l'époque. Il avait soumis les principales tribus l'une après l'autre — les Lurs, les Qashgaï, les Kurdes, et finalement les Bakhtiar —, en dépit des violentes protestations des Britanniques contre toute intervention à l'encontre des chefs de tribu qu'ils considéraient comme leurs amis. Quand, en 1924, mon père entreprit une campagne pour mettre fin au régime autonome du Cheik de Muhammara, les Anglais émirent des protestations encore plus violentes. Mon père les ignora, mena ses troupes dans le Sud et, au cours d'une opération militaire sans effusion de sang, il mit fin au régime du Cheik dissident qui fut ramené à Téhéran. Pendant la Deuxième Guerre mondiale, les Anglais, quand ils envahirent l'Iran, firent payer à mon père sa position intransigeante de cette époque.

Une fois Shah, mon père commença à se familiariser avec les rouages de nos industries pétrolières. Il se rendit immédiatement compte que la politique du pétrole était entièrement dictée par l'intérêt des compagnies, qui s'identifiait naturellement à celui des Britanniques, sans aucune considération pour les besoins de la Perse.

Plus d'une fois, mon père fit savoir à la compagnie qu'il n'était satisfait ni du pourcentage de royalties perçu par l'Iran, ni de la portée du premier accord avec D'Arcy, ni du fait qu'aucun effort n'était fait pour former des techniciens iraniens capables de travailler dans la production du pétrole. Une génération plus tard, toute la question du « transfert technologique » deviendrait vitale dans les relations entre les pays techniquement avancés et les pays en voie de développement.

Quand il ne fut plus possible d'arriver à un accord par des négociations, Reza Shah annula, en 1932, la concession de D'Arcy, décision qui fut approuvée par le Parlement et largement applaudie par le peuple persan. Le gouvernement britannique en fut indigné (encore un grief contre Reza Shah) et présenta une protestation en bonne et due forme à la Société des nations. En fin de compte on trouva une solution en entamant des négociations directes entre le gouvernement de mon père et la compagnie pétrolière. On signa un nouvel accord en 1933, dans lequel la Perse obtenait quelques avantages plus substantiels : des royalties de 20 pour 100 sur les bénéfices nets, 4 shillings sur chaque tonne de pétrole vendue, une réduction de la surface de la concession, et une promesse que la compagnie « persaniserait » le personnel.

Cet accord était encore en vigueur en 1950. A ce moment-là, la raffinerie d'Abadan produisait cinq cent mille barils par jour, et était la plus importante du monde ; l'Iran en produisait sept cent mille. Il était clair que l'Iran était devenu un des pions les plus importants sur l'échiquier du pétrole dans le monde et pourtant nous ne percevions encore qu'une très petite part des bénéfices de l'exploitation de cette ressource si importante.

Pendant ces dix-sept années, la Compagnie des pétroles iraniens essaya de maintenir ses positions sans céder aucune de ses prérogatives, malgré la nouvelle attitude militante qui se faisait jour vis-à-vis des compagnies pétrolières dans les pays où l'exploitation était moins développée. En 1938, par exemple, le gouvernement mexicain expropria les compagnies pétrolières anglaises et américaines. En Arabie Séoudite, l'Aramco obtint en 1950 un partage 50/50 et, au Venezuela, la Standard Oil recommanda à ses directeurs de s'intégrer au pays au lieu de rester à part, comme de simples représentants d'intérêts étrangers.

Les signes avant-coureurs ne manquaient pas dans le monde indiquant aux compagnies pétrolières que des changements dans la politique, la philosophie et la façon de conduire les affaires allaient se produire dans les pays qui étaient leurs hôtes. Mais en ce qui concernait la compagnie anglo-iranienne, il n'y avait apparemment aucune raison de changer quoi que ce soit, en dépit d'un ressentiment croissant des Iraniens contre l'intervention et l'exploitation étrangère.

C'est à ce point crucial de l'histoire du pétrole iranien que surgit un génie machiavélique : un intellectuel, un fanatique, un démagogue, un orateur doué d'une personnalité charismatique, et par-dessus tout un acteur consommé. Cet homme, qui brandirait la bannière du « pétrole aux Iraniens », était le Dr Mohammed Mossadegh. Ce sera lui qui déclarera la guerre à la compagnie pétrolière, et qui réussira presque à renverser le Shah. Même maintenant, plus de dix ans après sa mort, il est encore difficile de décrire, à quelqu'un qui ne l'a jamais rencontré, le phénomène Mossadegh. Il rallia suffisamment de partisans venant de différents partis pour devenir, au moins pour un temps, le meneur le plus puissant en Iran, et il provoqua une période de crise économique et politique assez semblable à celle que nous voyons en Iran aujourd'hui.

Le Dr Mossadegh était le fils d'une princesse ghadjar et d'un aristocrate fortuné qui avait été ministre des Finances sous le roi ghadjar Ahmad Shah. Quand il eut terminé ses études en Suisse et en France, il rentra en Iran et, en 1915, commença sa carrière politique comme membre du Parlement. En tant que descendant des Ghadjars, Mossadegh s'opposa aussitôt au régime de mon père, et tout au début du règne de Reza Shah, il fut arrêté pour complot contre le roi. Sa santé, qui n'avait jamais été très brillante, commença à se détériorer en prison et mon frère intervint auprès de mon père pour obtenir sa libération. Je me rappelle que ce fut un des rares cas où mon frère ne fut pas d'accord avec les décisions prises par mon père. Mossadegh fit plus tard beaucoup de déclarations publiques de gratitude envers mon frère, mais derrière ces déclarations se cachait une animosité implacable contre les Pahlavi.

Dans les premières années de la Seconde Guerre mondiale, Mossadegh cessa ses activités politiques, mais en 1944 il fut à nouveau élu au Parlement. Un de ses premiers succès politiques fut la promulgation, cette année-là, d'une loi qui défendait au gouvernement de passer un accord sur le pétrole avec des puissances étrangères, sans avoir obtenu au préalable l'accord du Parlement ; c'est en vertu de cette loi que le Parlement rejeta les accords Sadchukov-Qavam en 1947.

Dans les années qui suivirent la Seconde Guerre mondiale, Mossadegh réussit à acquérir une popularité personnelle considérable et à se gagner des partisans en mobilisant les sentiments xénophobes nés de l'occupation du pays par les Alliés. Avec huit autres députés, il fonda le Front national et, au bout de quelques mois, avec leur aide, il put contrôler le Parlement iranien.

Bien que la montée de Mossadegh vers le pouvoir ait pu sembler incroyable aux Occidentaux, il y eut des cas semblables dans la vie politique iranienne et même dans celle de tout le Moyen-Orient, en particulier dans les périodes d'incertitude et de confusion nationale (les États-Unis eux-mêmes, pendant la période anticommuniste de la guerre froide, n'ont pas été à l'abri de la démagogie et du fanatisme d'un homme comme Joseph McCarthy).

Pouvoir mobiliser les masses en manipulant adroitement des émotions primaires et généralement négatives est l'image de marque des politiciens comme Mossadegh ou comme

Khomeiny. Il est également vrai que de tels hommes politiques ne gardent le pouvoir que pendant des périodes relativement brèves car ils rassemblent des gens d'opinions politiques diverses sous des bannières extrémistes « anti-ceci » et « anti-cela ». Quand la poussière s'installe, quand l'émotion soulevée par leur façon théâtrale d'orchestrer des problèmes tels que la nationalisation du pétrole ou la prise d'otages américains commence à retomber, les forces qui les soutenaient commencent à se démanteler et le mouvement initial s'effondre ou devient le fer de lance d'un autre programme politique mieux organisé et plus élaboré.

Dans le cas de Mossadegh, la note « anti-étranger » qu'il fit vibrer toucha une corde sensible dans le cœur de bien des Iraniens, d'autant que son message était inspiré par un patriotisme authentique quoique assez confus. Il en va tout à fait différemment avec le message antiaméricain de Khomeiny. La montée de Mossadegh vers le pouvoir se produisit à un moment où l'Iran était encore le théâtre des interventions et des interférences étrangères. Notre pays était encore pauvre et faible et notre système politique encore vulnérable aux divers essais de démembrement et de manipulations.

A cette époque, mon frère régnait mais il ne gouvernait pas encore. Théoriquement, il avait le pouvoir de nommer le Premier ministre, mais ses choix étaient limités aux hommes politiques qui pouvaient efficacement travailler avec, ou sous la coupe, des grandes puissances — Russie, Grande-Bretagne, Amérique — dont le bon vouloir était nécessaire à la survie de l'Iran. Bien évidemment ces hommes politiques devaient avoir une confortable majorité au Parlement, ou au moins la possibilité de mobiliser cette majorité sur des problèmes cruciaux. Ce n'était pas une tâche aisée. Pour un Occidental qui se meut principalement dans le cadre d'un système, bi, tri, ou quadripartite qui a évolué, des générations durant, d'ajustement en ajustement, le Parlement iranien des années 1940 et 1950 n'aurait semblé qu'un chaos vaguement organisé. Pour le Shah et pour les Premiers ministres, le Parlement pouvait présenter le spectacle déprimant d'un rassemblement d'opinions aussi nombreuses que les députés eux-mêmes.

En accord avec notre constitution d'alors, un quorum des

deux tiers était nécessaire pour mener à bien quelque affaire que ce soit, et un quorum des trois quarts pour voter les lois. Ces règles, ainsi que la diversité des intérêts politiques, donnaient à de petits groupes, ou même à des individus, la possibilité de paralyser la machine législative, simplement par abstention.

Aux yeux d'un Occidental, cet individualisme et cet obstructionnisme semblaient n'être que les crises de croissance d'un système démocratique, mais en fait il n'en était rien. Le concept de monarchie constitutionnelle, comme tant de nos institutions modernes, n'était pas le fruit de notre propre culture, mais bien celui d'une tradition étrangère, en l'occurrence l'imitation d'un système dont on nous avait fait croire qu'il était le meilleur, le plus progressiste et le plus efficace.

Après avoir importé dans nos murs les mécanismes de la démocratie, nous eûmes à faire face aux manifestations d'acceptation et de rejet que toute transplantation engendre. Nous pouvions organiser des élections (comme les Américains), faire jouer les mécanismes de la procédure parlementaire (comme les Anglais), mais dans l'esprit de notre peuple et de beaucoup de nos hommes politiques, c'était plutôt « *pro forma* », une façon de faire jouer des mécanismes, qu'une conviction profonde ou qu'une utilisation constructive d'une forme de gouvernement. L'évolution d'une psychologie démocratique de style oriental prendrait du temps et il y aurait toujours des possibilités pour que ce processus soit interrompu ou disloqué par des interventions extérieures ou par des crises intérieures.

Pendant les années d'après guerre ces crises et ces interventions furent presque un événement quotidien. Prenez par exemple notre système électoral. Pendant cette période, pour être élu, un candidat au Parlement devait être riche ou avoir des relations puissantes. Dans les grandes villes, il arrivait qu'un candidat soit élu grâce à son éducation, sa personnalité ou ses idées politiques. Mais dans les provinces, où la population était très éloignée intellectuellement et géographiquement parlant de ce qui se passait à Téhéran, les votes étaient souvent achetés ou faisaient l'objet de pressions dans des conditions semblables à celles qui se pratiquaient dans la vie politique américaine du passé. Cela revenait à dire que le candidat heureux était vraisemblablement un propriétaire fortuné, un membre d'une famille influente de la province, ou un homme qui avait des liens étroits avec le clergé ou avec les puissances étrangères (les représentants des gouvernements étrangers fournissaient souvent l'argent et les moyens de pression nécessaires pour soutenir le candidat qu'ils favorisaient). Il n'était pas rare de voir les urnes trafiquées ou de voir les cartes d'identité de gens décédés achetées en masse par l'aspirant député parlementaire (on votait avec sa carte d'identité).

Ce fut dans ce cadre politique que mon frère essaya de reprendre le programme de mon père, en y ajoutant quelques éléments de son cru, tout en essayant de sauvegarder l'équilibre fragile de la souveraineté de l'Iran, sans éveiller l'antagonisme d'une grande puissance étrangère.

Dans ce but, il nomma Abdolhossein Hajir Premier ministre en juin 1948. Hajir était un de mes bons amis (je dois avouer que je ne fus pas étrangère à sa nomination). Il avait été ministre des Finances et ministre de la Cour. C'était un bureaucrate intelligent, capable et loyal, qui pouvait comprendre et faire face aux problèmes intérieurs et internationaux. Pourtant, cette nomination fut immédiatement l'objet d'attaques de l'ayatollah Kashani, un prêtre qui eut presque autant d'influence en son temps que l'ayatollah Khomeiny au moment de la révolution. L'ayatollah Kashani était né en Irak et avait combattu dans les rangs de l'armée ottomane pendant la Première Guerre mondiale. Il avait été condamné à mort par les Anglais pour ses activités pendant la guerre, sentence à laquelle il avait échappé en quittant le pays. A partir de ce moment-là il avait voué une haine passionnée aux Anglais et à tous ceux qu'il soupçonnait d'avoir affaire à eux. Il avait essayé de rentrer en Iran sous le règne de Reza Shah, mais l'autorisation lui en avait été refusée. Après le départ de mon père en exil, il revint à Téhéran où il s'arrangea pour s'entourer d'une troupe solide de partisans appartenant à la mafia du bazar, appelés « tchajho kesh » (« les tireurs de couteau »). C'étaient les marchands de fruits et de légumes du marché (les « Halles * » de Téhéran, et, avec leur appui, Kashani pouvait soulever rapidement une foule et prendre une position « pro » ou « anti » sur n'importe quel problème. (Nous voyons la même chose se produire aujourd'hui avec Khomeiny : le régime semble être capable de mobiliser les foules à son gré pour les caméras des télévisions.)

Presque immédiatement après la nomination de Hajir, Kashani organisa des manifestations (qui firent plusieurs morts), attaquant le nouveau Premier ministre et l'accusant d'être un agent du gouvernement britannique et un espion à la solde des Anglais.

Au printemps 1950, Hajir fut poignardé en entrant dans une mosquée de Téhéran. Dès que j'appris la nouvelle, je me précipitai à l'hôpital où je fus accueillie par deux médecins qui me dirent qu'ils ne pouvaient rien faire pour le sauver.

Quand je vis mon ami, il était d'une pâleur de mort et à peine conscient. Je lui touchai doucement le bras. « Monsieur Hajir... c'est Ashraf. »

Il ouvrit les yeux avec difficulté et essaya de se redresser, mais je lui mis la main sur le front et lui dis de ne pas bouger. Ses lèvres commencèrent à remuer comme s'il voulait me dire quelque chose. J'approchai mon visage du sien et je l'entendis murmurer : « Votre Altesse, je sais que je vais mourir. Mais c'est pour vous et pour le Shah que j'ai peur. » Et il dit alors une chose que je ne m'attendais pas à entendre. Il me dit que le plus grand danger viendrait, non de ceux qui l'avaient attaqué, mais des partisans de Mossadegh. « Il faut vous méfier de lui », murmura-t-il. Sa tête retomba sur l'oreiller et il mourut. La mort de Hajir me secoua, car bien que le climat politique de l'Iran ait rarement été tranquille, c'était la première fois que je connaissais personnellement quelqu'un qui avait été victime de ce terrorisme. On ne trouva pas l'assassin, mais je pense que c'était un membre des Fedayin islamiques, une secte xénophobe.

La mort de Hajir me rappela ce matin du 4 février 1949, quand le terrorisme politique avait aussi frappé, mais beaucoup plus près de moi cette fois-ci. C'était une froide

---

* En français dans le texte.

journée d'hiver, toute la ville était couverte de neige, et mon frère devait assister à une cérémonie d'anniversaire à l'université de Téhéran. Comme les membres importants du parti Tudeh, le parti communiste contrôlé par Moscou, avaient prévu un grand meeting dans la capitale ce même jour, les contrôles policiers étaient encore plus sévères que d'habitude. Personne ne pouvait pénétrer sur le campus universitaire sans un sauf-conduit. Les membres du gouvernement, les parlementaires, les militaires et les représentants de la presse étaient admis entre 11 heures du matin et 2 heures de l'après-midi. Personne ne remarqua l'arrivée d'un jeune homme portant une caméra bon marché et une carte de presse provenant d'un journal appelé : *Le Drapeau de l'islam.*

A 3 heures de l'après-midi, mon frère arriva en grand uniforme militaire, et il fut accueilli par le doyen de l'université, le Dr Ali Akbar Siasi, ainsi que par le ministre de l'Éducation et par une délégation de professeurs. Quand la garde militaire se mit au repos, le Shah s'avança vers les escaliers qui menaient à l'entrée principale de l'université. Les photographes se mirent à le mitrailler de photos, tous sauf Nasser Fakhrarai, le jeune homme du *Drapeau de l'islam*, qui attendait au bas des escaliers.

Quand mon frère arriva à sa hauteur, Fakhrarai ouvrit sa caméra et en sortit un petit revolver, et il commença à tirer. D'une distance d'à peine 6 pieds, l'assassin tira trois coups de feu. Par miracle les balles traversèrent le képi du Shah et ne firent qu'effleurer son crâne. Assez étrangement, tous les gardes s'éparpillèrent et mon frère se trouva seul face à son agresseur. Une quatrième balle l'atteignit à la joue et sortit par la lèvre supérieure. Bien qu'il fût en train de saigner abondamment, mon frère eut la présence d'esprit de reconnaître le revolver comme étant un « Herstal » belge, qui n'avait que six coups. Mon frère commença à le contourner en se baissant et en faisant des écarts. Fakhrarai pointa alors son pistolet sur son cœur et tira. La balle atteignit mon frère à l'épaule. Quand il appuya sur la gâchette pour la sixième fois, le pistolet s'enraya. Mohammed Reza Shah était encore en vie.

A ce moment-là la foule entra en action. Bien que le Shah ait crié à ses hommes de prendre Fakhrarai vivant, les gardes

Portrait de famille : mon père, Reza Khan, avec
(de gauche à droite) mon frère jumeau Mohammed Reza (le futur Shah d'Iran),
ma sœur aînée Shams et moi.
Mon frère et moi étions âgés de trois ans.

Mon père et mon frère, alors prince héritier,
à bord du chemin de fer transiranien.

Débarquement à Khorramshahr de mon frère et de sa jeune épouse Fawzia.
Au premier rang : la reine-mère d'Egypte, Nazli, et ma mère.
Au second rang : Fawzia, ma sœur Shams, moi-même et la sœur de Fawzia, Faiza.

Entrevue de mon père Reza Shah et du maître de la Turquie,
Mustapha Kemal Ataturk.

Mon frère et moi à l'âge de 14 ans, à La Rosey en Suisse.

En compagnie de Nehru au cours d'un voyage au Cachemire.

Deux attitudes de Mossadegh, prenant à partie
son propre avocat au cours de son procès en 1953.

Le Shah distribuant à des paysans
les terres de la couronne.

Le Shah et Farah Diba reçus
par le général de Gaulle à Paris.

Mon fils aîné Shahram
et ma fille Azadeh.

Le Shah et son fils
le prince héritier Cyrus Reza.

Sur l'île d'Hormoz,
avec mon fils Shahriar
qui fut assassiné à Paris
en décembre 1979.

A Pékin en 1977 devant le «mur des dazibao»...

... et en compagnie du Président Hua-Kuo-Feng

Je remets au secrétaire général de l'O.N.U.,
Kurt Waldheim, un chèque de 2 millions de dollars
pour l'année internationale de la femme.

Avec le Président Carter et sa femme,
venus passer à Téhéran le réveillon du Nouvel An,
le 31 décembre 1977.

le tuèrent sur-le-champ. Quand tout fut fini, mon frère voulut poursuivre la cérémonie, mais les officiels le convainquirent de se rendre à l'hôpital. On m'annonça qu'il avait été blessé superficiellement, mais quand je me précipitai à l'hôpital et que je le vis couvert de sang, je sentis tout mon sang se retirer de mes veines et je m'évanouis. Je fus embarrassée quand on me dit plus tard que les docteurs avaient abandonné mon frère pour se précipiter et me ranimer, mais mes réactions à ses douleurs et à ses blessures sont toujours viscérales et immédiates. C'est un domaine où mes essais de self-control sont rarement couronnés de succès.

Mon frère cependant garda son sang-froid comme il le fait presque toujours. Il me dit plus tard qu'après cet attentat manqué, il n'avait plus peur de la mort ; c'est un état d'esprit que je partage aussi maintenant. Depuis ce jour de février, mon frère croit que c'est Dieu qui décide de l'heure de la mort de chaque individu, et qu'aucune intervention terrestre ne peut ni hâter ni retarder ce moment. Il fut confirmé dans cette croyance des années plus tard ; un jour qu'il entrait dans le Palais de marbre, un de ses gardes ouvrit le feu sur lui avec une mitraillette — une agression qui coûta la vie à plusieurs autres gardes — mais le Shah ne fut pas blessé.

Après ce premier attentat, les investigations de la police permirent de découvrir que Fakhrarai était membre du parti communiste Tudeh, que c'était un fanatique religieux professant des idées marxistes. (Ceux qui de nos jours semblent déconcertés par la montée d'une force « islamo-marxiste » peuvent prendre note du fait que cet hybride politico-religieux s'est développé, dans notre partie du monde, depuis plus d'une génération, et qu'il semble gagner en puissance chaque fois que nous nous trouvons dans une période de désenchantement vis-à-vis de l'Occident.) A partir de ce moment-là le parti Tudeh fut déclaré illégal, mais ses membres se contentèrent de reprendre leurs activités sous le manteau et continuèrent à jouer un grand rôle dans la politique de l'Iran.

Après la mort du Premier ministre Hajir, mon frère nomma, en juin 1950, le général Haj Ali Razmara à la tête du gouvernement. Razmara était un militaire de profession, sorti de Saint-Cyr, qui avait été commandant en chef pendant cinq ans. Ce n'était pas un politicien, mais c'était un administrateur capable et énergique, qui se levait à 5 heures du matin et travaillait sans relâche, souvent jusqu'à minuit, un homme incorruptible et loyal. Je le savais car nous étions amis. Sur le front intérieur il fit de gros efforts pour assainir et mettre au pas une bureaucratie inefficace et souvent corrompue.

Il essaya également de normaliser les relations de l'Iran avec les grandes puissances. Bien que nous soyons en train de resserrer activement nos liens avec les États-Unis, nous ne pouvions jamais nous permettre d'ignorer notre voisine du Nord. En un geste de conciliation, Razmara permit à l'agence russe d'information Tass d'opérer librement en Iran, tout en limitant les activités de la Voix de l'Amérique et de la B.B.C.

Cette décision provoqua une rafale d'accusations et de rumeurs selon lesquelles Razmara était à la solde des Russes. Je ne prêtai aucune attention à ces rumeurs et je n'écoutai pas non plus ceux qui prétendaient que le Premier ministre était un homme puissant et ambitieux qui pourrait devenir dangereux pour la monarchie. Dans ces cas-là, j'ai toujours fondé mon jugement sur l'intuition plus que sur un processus de raisonnement. (Même à la fin, avant la révolution, mes intuitions concernant ceux qui resteraient fidèles au Shah furent presque toujours exactes.) J'étais certaine que Razmara était loyal.

En dépit des tentatives de Razmara pour adopter une position de conciliation vis-à-vis des Russes, les Américains lui faisaient aussi confiance car il semblait assez habile pour maintenir le pays uni et pour le protéger contre toute menace communiste sérieuse. Néanmoins, quand il demanda aux États-Unis 100 millions de dollars au titre d'aide économique pour remettre en état notre économie dévastée par la guerre, on ne lui offrit qu'un prêt de 25 millions.

Ce refus, suivi du départ de plusieurs conseillers américains pour le développement de l'économie, à un moment où l'Iran avait vraiment besoin d'aide, amena les Iraniens à croire que l'Amérique se désintéresserait de nous. Un tel sentiment fut transformé facilement par les partisans du Front national de Mossadegh en une vague d'antiaméricanisme.

Cet échec dans l'obtention de fonds américains amena

aussi Razmara à intensifier ses efforts pour augmenter les revenus fournis par le pétrole, en passant un nouvel accord avec l'Anglo-Iranian. A cette époque l'Aramco avait accordé un partage 50/50 à l'Arabie Saoudite, mais la compagnie anglo-iranienne refusa de passer de semblables accords. Cette résistance fit le jeu de Mossadegh et de ses partisans, qui s'agitaient, non pour obtenir une plus grande part de royalties, mais pour l'exclusion pure et simple de toute participation étrangère et pour la nationalisation de notre pétrole. Il rassembla de nombreux partisans de cette politique, car beaucoup d'Iraniens étaient prêts à croire que la compagnie pétrolière n'était qu'une autre forme de l'impérialisme étranger et qu'elle était responsable de presque tous nos problèmes internes.

Razmara résista à la poussée de ceux qui voulaient qu'il nationalisât les pétroles iraniens. Il avait l'impression que les problèmes financiers de l'Iran et son manque d'expérience technique feraient de cette démarche un acte prématuré et économiquement désastreux. Il continua à insister pour l'obtention d'un partage moitié-moitié des bénéfices nets — tout en subissant des attaques personnelles venues de toutes parts. D'un côté on l'appelait le pantin de la compagnie pétrolière parce qu'il refusait la nationalisation, de l'autre on le traitait d'agent russe en raison de sa politique étrangère équilibrée. L'ayatollah Kashani participait à ce concert d'accusations. Il avait été élu au Parlement en 1950 et choisi comme président de la Chambre. Il prononça des discours pour démontrer que les accords en vigueur avec une puissance étrangère concernant le pétrole étaient contraires aux enseignements du Coran. Ainsi, quiconque s'opposait à la nationalisation du pétrole était un ennemi de l'islam. Cela renforça en même temps le sentiment que quiconque était un ennemi de Mossadegh était un ennemi de l'islam.

Razmara se trouva en butte à des attaques encore plus violentes quand un groupe de meneurs du parti Tudeh s'échappa de prison. Il fut accusé par les partis de droite — et par les journaux qui les soutenaient — d'avoir organisé cette évasion. Le 7 mars 1951, Haj Ali Razmara assista à une cérémonie dans une mosquée de Téhéran ; comme il entrait dans la cour, un jeune homme barbu se détacha de la foule, se plaça derrière le Premier ministre et tira quatre coups de feu, tuant non seulement Razmara mais un policier qui se trouvait près de lui. L'assassin, Khalil Tahmasebi, essaya de se suicider à l'instant même, mais on l'attrapa et on l'arrêta. Par une ironie du sort, au moment même de son assassinat, Razmara avait obtenu de la compagnie pétrolière la convention stipulant le partage moitié-moitié.

Khalil Tahmasebi était charpentier, il étudiait le Coran et était membre des Fedayin islamiques, une organisation fanatique qui dénonçait tous les étrangers — de Truman à Staline et à la famille royale anglaise — les accusant tous de « crimes » contre l'Iran. (Si ce thème ne semble que trop familier aujourd'hui, le lecteur doit se rappeler que beaucoup de mouvements en Iran ont un caractère cyclique.) Étant donné l'état d'esprit à l'époque, Tahmasebi ne fut jamais traîné devant les juges mais il fut traité en héros national par Kashani et ses partisans. Les journaux publièrent des photographies montrant l'ayatollah Kashani touchant la barbe de l'assassin en signe d'amitié et d'approbation. Ce fut ce genre d'enseignement donné par les meneurs chiites comme Kashani, qui promettaient un passeport pour le ciel en récompense de tout acte de terrorisme, qui explique la réapparition de tels actes dans l'histoire contemporaine de l'Iran.

Quelques jours après le meurtre de Razmara, le Shah nomma Hossein Ala Premier ministre. C'était un homme d'État capable et un diplomate qui avait été ambassadeur aux États-Unis et qui avait déposé devant les Nations unies la plainte de l'Iran concernant les activités des Russes en Azerbaïdjan. En tant que Premier ministre, Ala proposa un arrangement aux termes duquel l'industrie pétrolière iranienne serait dirigée par des techniciens étrangers. Mossadegh et ses partisans ne voulurent pas en entendre parler. Grâce à des promesses extravagantes de revenus de 1 million de dollars par jour, grâce aux manifestations continuelles qu'il pouvait provoquer à son gré (avec l'aide de son allié l'ayatollah Kashani), Mossadegh força Hossein Ala à démissionner et créa un climat politique dans lequel personne, mis à part lui, ne pouvait être le nouveau Premier ministre. Ainsi, le

130

29 avril 1951, le Shah nomma le Dr Mohammed Mossadegh Premier ministre (mais pas avant que ce dernier n'ait obtenu du Shah la promesse qu'il aurait le soutien des Britanniques). Son premier souci fut de régler ses vieux comptes avec les Pahlavi et spécialement avec moi qui, il le savait bien, m'étais violemment opposée à lui pendant les années de son ascension vers le pouvoir.

D'un point de vue plus personnel, Mossadegh et moi nous étions déjà rencontrés quelques années plus tôt, peu de temps après que j'eus mis sur pied l'Organisation impériale d'assistance sociale. Je l'avais alors invité chez moi pour discuter du choix des membres du conseil d'administration ainsi que d'autres problèmes d'organisation.

Un serviteur entra dans mon salon pour annoncer l'arrivée du Dr Mossadegh. Celui-ci entra, s'inclina et s'assit près de moi. Je commençai à lui parler de notre conseil d'administration, mais son attitude me montra que le problème social était la dernière chose dont il avait envie de parler. Aussitôt que la politesse le lui permit, il commença à parler pétrole.

Je lui expliquai que mon frère était, comme beaucoup d'Iraniens, pour la nationalisation du pétrole, pourvu que cela se fasse d'une manière rationnelle, et par les moyens appropriés. Sa réponse fut : « Cela pourrait se faire si vous ne mettiez pas de bâtons dans les roues. »

Notre discussion se mua en une confrontation personnelle quand Mossadegh commença à critiquer mon père et mon frère. Il soutint que les Pahlavi avaient compromis l'indépendance de l'Iran en essayant de moderniser le pays. Quand j'essayai de lui démontrer que son point de vue n'avait rien à voir avec la réalité, il perdit le contrôle de lui-même et dit : « Votre père a fait une terrible erreur en faisant construire le chemin de fer transiranien. S'il n'avait pas fait cela, l'Iran n'aurait pas été occupé pendant la guerre. »

C'en était trop pour moi. Tout en me forçant à garder mon sang-froid, je sonnai un domestique et dis : « S'il te plaît, reconduis ce monsieur. » En l'espace d'une seule visite, Mohammed Mossadegh et moi étions devenus des ennemis. (C'est peut-être difficile pour un Occidental de comprendre

131

entièrement comment des rancunes personnelles vieilles de plusieurs années peuvent l'emporter au Moyen-Orient sur des considérations purement politiques.)

Une heure exactement après avoir été nommé Premier ministre, Mossadegh me fit porter un message m'ordonnant de quitter l'Iran dans les vingt-quatre heures. Ma première réaction fut d'ignorer l'ultimatum pour défier le pouvoir de Mossadegh. Mais mon frère me conseilla de quitter le pays.

De mauvaise grâce, je pris mes enfants (en plus de Shahram, j'avais maintenant deux enfants de Shafiq) et quittai l'Iran. Ce fut le début de mon deuxième exil, mais celui-là je ne l'avais pas décidé moi-même et, à cause de lui, j'allais me trouver éloignée de mon pays et de mon frère pendant des années.

6

MOHAMMED MOSSADEGH

Les années pendant lesquelles Mossadegh exerça le pouvoir en Iran furent extrêmement pénibles pour mon frère. Mon exil le laissait seul au moment même où le Premier ministre l'éloignait du gouvernement. Et avant longtemps Mossadegh allait tenter de réaliser son véritable plan : déposséder le Shah de son trône. La seule consolation de mon frère fut à cette époque la compagnie et la fidélité d'une femme : celle qu'il avait épousée quelques mois avant que je ne parte pour Paris et avant que son pouvoir ne fût gravement menacé.

Cette femme, c'était Soraya Esfandiari, de l'influente tribu des Bakhtiaris qui vit dans le Centre et le Sud du pays. Khalil, son père, a jadis aidé le mien à ramener les chefs de tribus sous le sceptre du gouvernement de Téhéran.

Khalil Esfandiari avait fait ses études à Berlin en 1924. Un an plus tard, il y épousait Eva, une Allemande née à Moscou. Eva donna à Khalil une fille en 1932. Cette fillette, Soraya, avait huit ans lorsque ses parents regagnèrent l'Iran.

Mais après avoir vécu en Europe, Eva ne désirait plus demeurer dans notre patrie. Son mari et sa mère repartirent pour aller s'installer en Suisse. Ils la placèrent dans une pension de Montreux puis, plus tard, à l'École des Roseaux, à

Lausanne. A dix-huit ans, Soraya était une grande et belle fille brune, aux yeux verts en amande et une jeune personne accomplie qui parlait le français, l'allemand et le persan. Plus tard, elle ajouterait l'anglais à ce riche répertoire.

Shams avait posé les fondations de cette union royale le jour où elle avait rencontré Soraya dans son hôtel de Londres. Elle lui avait dit ce jour-là — avec une grande discrétion, naturellement — qu'il serait merveilleux que son frère eût une femme comme elle. Soraya accueillit très favorablement cette idée et elle accepta de se rendre à Téhéran avec son père. On organisa une rencontre « fortuite » dans la demeure de ma mère. Cette première rencontre se déroula le mieux du monde. Mon frère semblait tout à fait conquis et les premiers instants qu'ils passèrent ensemble parurent plaire à Soraya. Tout alla très vite : les fiançailles furent annoncées presque aussitôt et le mariage prévu pour le 27 décembre 1950.

Au fil des jours qui précédèrent le mariage, le Shah et Soraya découvrirent qu'ils partageaient le même goût pour les sports de plein air, l'équitation en particulier. Un certain soir, après une longue et fatigante randonnée à cheval, Soraya fut prise d'une forte fièvre. Le lendemain matin, ce que l'on avait pris pour un rhume banal se révélait être une fièvre typhoïde. Mon frère fit immédiatement transporter Soraya à l'hôpital et appela les meilleurs médecins de Téhéran.

Mon frère avait eu à vaincre le même mal lorsqu'il était enfant mais, bien que près d'un quart de siècle se fût écoulé depuis, la typhoïde restait un danger mortel. Chaque jour, mon frère abandonnait les affaires du royaume pendant une heure ou deux pour rester au chevet de sa fiancée — exactement comme mon père l'avait fait bien des années auparavant. Mais le Shah voyait l'état de la malade empirer chaque jour. Soraya délirait à peu près sans cesse et son existence paraissait gravement menacée lorsque le médecin personnel de mon frère se rappela avoir lu un article sur un nouveau médicament : l'auréomycine. On en fit venir des États-Unis par avion et le nouveau médicament sauva miraculeusement la vie de Soraya.

Mais la guérison complète se fit longtemps attendre. Soraya demeura pâle et faible pendant des semaines et

134

incapable de supporter la longue et formelle cérémonie d'un mariage protocolaire. La date en fut donc repoussée au 12 février, mais Soraya souffrit inopinément d'une rechute. La typhoïde est une maladie intestinale et le malade doit donc observer un régime sévère jusqu'à guérison définitive. Or, l'une de ses amies lui avait envoyé de Suisse une boîte de chocolats ; sans y prendre garde, Soraya en avait mangé la plus grande partie. La maladie reprit de plus belle et laissa la fiancée complètement épuisée. Cependant et sans doute en raison de l'instabilité de la situation politique, on prit la décision de ne pas reculer de nouveau la date du mariage.

Nous nous efforçâmes de ramener à un degré supportable les cérémonies et les festivités de façon que Soraya ne soit contrainte à nul effort qui ne fût pas absolument nécessaire. Le lieu du mariage fut transféré du palais Golestan au Palais de marbre, plus petit, moins important et beaucoup plus facile à chauffer. L'hiver de Téhéran est parfois férocement glacial. On réduisit au minimum la cérémonie musulmane ainsi que les festivités prévues pour le même jour. A l'origine nous avions rêvé d'une célébration de gala et envisagé une longue liste d'invités du monde entier ; on réduisit les invitations à deux familles d'amis très anciens, à l'Aga Khan et sa femme, la Begum, aux personnalités de la cour, aux ministres du Shah, au corps diplomatique, à quelques membres du clergé et, bien sûr, aux membres de la famille.

Il faisait très froid, le 12 février, la ville était couverte d'un épais manteau de neige. La robe de Soraya, une création de brocart de lamé argent, ornée d'une magnifique traîne, pesait plus de 20 kilos et l'infortunée fiancée manqua s'évanouir avant d'atteindre le Palais de marbre. La cérémonie fut très simple et dans la tradition persane séculaire. La fiancée et son futur époux étaient assis sur un sofa, face à une table ornée d'accessoires symboliques : un miroir, deux chandeliers d'argent et d'or, une grosse miche de pain iranien, des œufs, des herbes aromatiques, le Coran, des friandises persanes, du *nabat* (sorte de bonbons persans faits de sucre cristallisé) et des pièces d'or ; l'ensemble représente la santé, le bonheur, la fidélité, la prospérité et la tendresse.

Le mollah commença par demander à Soraya si elle

consentait à devenir l'épouse légitime du Shah. La tradition veut que la fiancée ne réponde à cette question que lorsqu'elle lui est posée pour la troisième fois (elle ne doit pas, en effet, montrer trop d'impatience ou de hardiesse) et sa réponse doit être faite d'une voix contenue et modeste. Lorsque la réponse est donnée, les invités font pleuvoir sur les époux des bonbons et des pièces d'or que se disputent alors les jeunes filles car on dit qu'ils portent bonheur.

La cérémonie religieuse terminée, nous passâmes tous dans la pièce voisine pour y admirer traditionnellement les cadeaux de mariage, parmi lesquels on pouvait remarquer la coupe de cristal d'Harry Truman, le manteau de zibeline de Staline et deux vases de cristal offerts par moi.

J'étais heureuse de voir mon frère épouser une femme qu'il aimait visiblement du plus profond de son cœur mais ce jour-là, nous éprouvions plus d'inquiétude que de véritable gaieté. A plusieurs reprises Soraya avait paru sur le point de s'évanouir et lorsque le banquet du mariage royal — qui comportait évidemment notre caviar national — prit fin nous fûmes tous heureux et soulagés de voir que l'épousée était toujours debout. Le lendemain, les jeunes mariés partaient pour une plage sur la côte de la mer Caspienne où ils allaient demeurer jusqu'à ce que la santé de Soraya fût complètement rétablie ; ils devaient ensuite s'envoler vers l'Europe et y passer une longue lune de miel.

Je fus envoyée en exil quelques semaines après le retour de Soraya et de mon frère. Je n'ai donc pas eu l'occasion d'apprendre à connaître ma belle-sœur. Mais pendant le temps très bref où nous nous sommes trouvées ensemble à Téhéran j'ai eu l'impression qu'elle souhaitait conserver à ses relations avec sa belle-famille un caractère plutôt protocolaire. Comme mon frère était profondément amoureux d'elle, je restais donc à distance tant que je n'étais pas invitée au palais. Cette situation fut le sujet de nouvelles rumeurs de la ville : certaines assuraient que ce désir d'isolement et d'indépendance de Soraya étaient un signe évident de son hostilité à mon égard. Plus tard, et bien que j'aie vécu en Europe à l'époque où Soraya tentait vainement de donner au Shah un héritier, les colporteurs de potins allèrent jusqu'à prétendre

— et je compris alors qu'ils ne reculaient devant rien — que je lui avais administré une drogue pour la rendre stérile.

Mes trois années d'exil à Paris ont été en même temps l'époque la plus douloureuse et la plus heureuse de ma vie. A mon arrivée en France, j'avais l'impression que ma vie était irrémédiablement brisée. J'étais séparée de mon frère, éloignée des activités qui m'avaient tellement passionnée et contrainte de vivre dans un pays où je n'avais nulle famille et très peu d'amis. Shafiq n'avait pas offert de me suivre en exil et je ne le lui avais pas demandé.

Après six années de mariage, nos relations étaient correctes mais froides. Nous avions commencé assez affectueusement la vie commune, chacun avait un travail qui l'intéressait et l'absorbait, et nous aimions partager nos loisirs. Nous avions eu — après l'enfant de mon premier mariage — un fils, Shahriar, et une fille, Azadeh.

Nous aurions dû former une famille heureuse et si elle ne l'a pas été suffisamment il me semble que la faute m'en revient. Quelque rôle extérieur que puisse jouer une femme, qu'elle soit princesse, qu'elle fasse de la politique, qu'elle soit savante ou institutrice, je crois qu'elle joue le rôle essentiel lorsqu'il s'agit de créer — ou de ne pas créer — l'union d'une famille. Je suis intimement persuadée qu'être une épouse doit être une occupation de tous les instants mais, comme bien des jeunes femmes d'aujourd'hui, je ne voulais pas qu'il en fût ainsi.

Comme beaucoup d'hommes — et les Orientaux notamment — mon mari attendait qu'on eut pour lui attentions et respect ; il attendait aussi d'être traité comme le chef de la famille. Mes occupations politiques et mondaines m'empêchaient de répondre pleinement à ce désir. Je ne pouvais pas, c'est simple, être ce que certains appellent en Amérique « l'épouse totale ». Le seul point qui m'autorise à ne pas me sentir coupable de ce fiasco, c'est que mon mari a toujours su quelle sorte de femme il épousait. Notre mariage était de ceux qui chancellent lorsque la carrière de l'un des partenaires, qu'il s'agisse de politique ou d'art, devient de plus en plus exigeante. Ces mariages-là ne sont jamais faciles, mais je crois qu'ils sont encore plus difficiles lorsque celui qui est le plus accaparé ou qui apparaît le plus souvent en public est la femme.

Mon mari avait l'impression d'être délaissé, méconnu, mais comme c'était un fort beau garçon il n'eut pas grand mal à trouver des consolations auprès d'autres femmes. Je crois bien que j'avais deviné que Shafiq était infidèle, mais je n'exprimais jamais ces soupçons. J'ai horreur des discussions conjugales et des scènes familiales quelles qu'elles soient. Je pense sincèrement que mari et femme doivent s'arranger pour vivre en paix ou pour se séparer en paix. Et puis je suppose qu'il existait un élément de doute : tant que je n'avais pas la certitude que Shafiq avait d'autres femmes, je pouvais toujours me dire : « Non, ce ne peut pas être vrai — il n'oserait pas — pas ici, à Téhéran. »

Mes doutes se dissipèrent lorsque le mari d'une des maîtresses de Shafiq vint me dire que nos conjoints étaient amants depuis quelque temps. Je ne peux pas prétendre que j'en eus le cœur brisé puisque Shafiq et moi n'avions jamais été follement épris l'un de l'autre. Mais je souffris et je fus encore plus humiliée que ce fût un étranger qui m'apportât la révélation des infidélités de mon mari.

Lorsque je révélai à Shafiq les accusations portées par cet homme, il en reconnut l'exactitude avec calme et de manière que je comprisse que ce genre d'affaires allait sans doute continuer.

Avec deux enfants de ce second mariage et un premier mariage déjà rompu, je ne songeais pas réellement au divorce, à ce moment-là tout au moins. Notre mariage devint une sorte d'arrangement — poli, correct et distant. Lorsque je quittai Téhéran pour aller à Paris, avec Shahriar, qui avait six ans, et Azadeh, qui avait six mois, Shafiq et moi ne parlâmes nullement de nous revoir. (En fait, il nous a rendu visite trois fois en trois ans.) Nos adieux furent pareils à ceux de cousins, et de cousins fort éloignés.

Mon premier refuge à Paris fut le Diana, dans l'avenue George-V, un petit hôtel dans un quartier tranquille.

Je vivais enfin dans le Paris de mes rêves d'enfance, encore que la situation ne fût pas exactement celle dont j'avais rêvé. Je compris presque tout de suite que vivre à Paris, même assez simplement, allait être beaucoup plus onéreux que de vivre à Téhéran et que l'argent que j'avais pu emporter avec moi ne durerait pas très longtemps.

Des années plus tard, lorsque la valeur des terres en Iran fut multipliée par mille, les domaines que j'avais hérités de mon père firent de moi une femme riche. Mais au moment où je quittai Téhéran, l'argent que j'avais était « gelé » dans les banques iraniennes — le gouvernement venait d'adopter un train de décrets sévères et stricts sur le contrôle des changes — et comme le *rial* avait subi une grave dévaluation par rapport au dollar et au franc français, la richesse dont je disposais diminua tragiquement lorsqu'elle fut convertie en monnaie française.

Je ne voulais pas demander un secours financier à mon mari et un virement bancaire de mon frère aurait inévitablement déclenché l'artillerie de l'adversaire politique. J'écrivis donc à ma mère et à ma sœur Shams pour leur demander de vendre ma maison et de me faire parvenir le produit de la vente. Malheureusement, le marché des affaires immobilières se trouvait dans un tel marasme qu'aucun acheteur ne se présenta. Ma demeure fut vendue plus tard, au temps du Premier ministre Zahedi, qui y installa les bureaux de son ministère, et elle devint le siège du Conseil des ministres.

Ma situation financière difficile était voisine de la banqueroute lorsque mon fils Shahriar fut atteint d'une maladie des os. J'étais horrifiée à l'idée qu'il pût avoir soit un cancer soit une tuberculose osseuse, et je ne me rassurai qu'en apprenant qu'il n'en était rien. Il souffrait pourtant d'une maladie très rare qu'il fallait traiter dans un hôpital spécialisé de Zurich. Bien que cela paraisse malaisé à croire, je n'avais, à l'époque, pas le premier franc pour payer le traitement et même je ne savais simplement pas où le trouver.

C'est la seule fois de mon existence où j'eus de graves problèmes financiers et j'ignorais comment les résoudre alors que je me trouvais dans un pays étranger, privée de toutes ressources. J'étais désorientée, abattue et anxieuse. J'ai toujours eu même enfant un sommeil difficile, mais je passais maintenant des nuits entières sans fermer l'œil et dans le désespoir.

C'est à cette époque que j'ai commencé à passer des nuits dans les casinos, sans y prendre le moindre plaisir mais pour les mêmes raisons qui poussent parfois les gens à boire ou à se droguer... pour ne pas affronter la réalité, même lorsqu'ils n'en ont guère les moyens financiers. J'ai rapidement perdu là l'argent qui me restait et l'horreur de ce que j'avais fait a été telle qu'elle m'a longtemps tenue à l'écart des tables de jeux.

Les rumeurs iraniennes, qui circulent aussi ponctuellement à l'étranger qu'à Téhéran même, furent mon salut. Un ami de longue date, Jahangir Jahangiri, gros négociant en tapis, eut vent de la maladie de mon fils et de ma situation financière. Il m'appela de Zurich où il vivait à l'époque, pour m'offrir de nous payer le voyage, les frais d'hôpital et de me prêter quelque argent pour vivre. J'acceptai son offre avec joie et gratitude et je partis aussitôt pour la Suisse avec Shahriar.

Lorsqu'il fut enfin en bonnes mains à l'hôpital, je revins à Paris et m'installai dans un appartement de l'avenue de Montespan. La maison était ancienne, mes fenêtres donnaient sur une cour intérieure qui avait abrité jadis les voitures à cheval ; il en restait une, d'ailleurs, souvenir fané de la vieille France. Maintenant que mes ennuis étaient moins pressants, j'avais retrouvé assez de calme pour goûter le simple plaisir de regarder par mes fenêtres et de rêver à ce qu'avait pu être ce Paris du XIXe siècle ou à l'époque dont Mme Arfa me contait de merveilleuses histoires.

C'est à ce moment-là que j'ai connu Mehdi Bushehri, l'homme qui allait devenir mon troisième mari et qui l'est encore. J'étais allée un après-midi prendre le thé dans un petit café en compagnie d'une jeune femme iranienne que j'avais rencontrée à Paris. Deux jeunes gens étaient assis à la table voisine ; l'un des deux, un Français, connaissait ma compagne et vint nous saluer. Après quelques propos anodins, il nous demanda la permission de nous présenter son ami Mehdi Bushehri. Je fus surprise d'entendre ce nom iranien car notre jeune voisin de table avait le teint blanc, les cheveux blonds, les yeux marron, bref, le type parfaitement européen.

En prenant place à notre table, Mehdi nous expliqua, en excellent français, qu'il étudiait à Paris et que ses sujets favoris étaient les lettres, l'art, le cinéma et le théâtre. Il me plut tout de suite et les instants de cette première rencontre passèrent très vite. Lorsque, mon amie et moi, nous nous levâmes pour partir, Mehdi me demanda s'il pouvait espérer me revoir. J'acceptai aussitôt sans l'ombre de la réserve ou de l'hésitation qu'on a enseignée aux femmes de ma génération.

La mère de Mehdi est originaire du Caucase, son père, un homme d'affaires très connu du sud de l'Iran. En fait, leur nom de famille est dérivé de celui d'un port méridional et ne date pas plus avant que le règne de mon père. En effet, auparavant, les Iraniens n'avaient généralement qu'un prénom : ils étaient appelés, par exemple, « Fario, fils d'Ali », prénom et filiation. Lorsque mon père avait décidé que chaque Iranien devait avoir un nom de famille, le père de Mehdi emprunta le sien au port de Buscher d'où il faisait les expéditions pour son négoce.

Mehdi transforma complètement mon existence à Paris. Jusqu'alors je m'étais sentie seule dans un pays étranger et voilà que, soudain, j'avais un nouvel ami et qui ouvrait toute grande la ville devant moi. Il m'emmenait dans les musées, les théâtres, dans des cinémas hors des sentiers battus où l'on montrait le film qu'il fallait voir à ce moment-là.

Nous avions découvert très vite que nous partagions la même passion pour le jazz. Mehdi me fit connaître aussitôt le club du Vieux Colombier. Nous y passions des heures à écouter Sidney Bechet, le clarinettiste noir à la blanche chevelure, qui nous révélait le style Dixieland de La Nouvelle-Orléans.

Sans le savoir, Mehdi m'avait fait un don précieux qui m'avait été refusé jusqu'alors : vivre à Paris comme une étudiante. Dans le passé, mon père avait opposé un « non » catégorique à mon désir d'étudier dans une université européenne et voilà que se présentait inopinément une nouvelle chance, que je pouvais partager avec un homme dont la compagnie m'était une constante source de plaisir. Mehdi m'apportait des livres, les œuvres d'auteurs européens comme Moravia, Camus, Gide, Sartre et Malraux. Lorsque j'avais lu l'un de ces livres, Mehdi et moi en discutions, nous les commentions — les œuvres de Sartre et Malraux, en particulier.

Des années plus tard, j'ai rencontré Malraux dans une réception à l'ambassade d'Iran à Paris ; il y avait deux semaines à peine qu'il venait de perdre ses deux fils, tués dans un tragique accident de voiture. Je mourais d'envie de lui parler mais je me demandais quoi lui dire dans de telles circonstances. Alors que je le regardais en m'étonnant qu'il pût être si calme et maître de lui après un drame aussi récent, il s'approcha de moi et se mit à parler de la culture et de l'art iraniens et de la ville d'Ispahan qu'il considérait comme l'une des sept villes les plus captivantes au monde. Lorsqu'il s'aperçut de mon étonnement à constater qu'il pût parler si calmement de ces choses, à un moment où sa vie personnelle devait être extrêmement douloureuse, il me dit :

« Je dois vous avouer que je ne cesse de pleurer mes enfants mais il se trouve que je ne m'appartiens plus. J'ai accepté des responsabilités qui m'obligent à continuer de jouer mon rôle et à faire abstraction de mes problèmes et mes sentiments personnels. »

Je ne pouvais pas bien comprendre alors ce que Malraux voulait dire, car mes drames personnels avaient été assez insignifiants. J'ai compris beaucoup plus tard ce que ressentait Malraux ; je l'ai compris seulement lorsque j'ai perdu mon pays et mon fils.

Aujourd'hui, je revois ces dernières années de Paris comme les plus légères et les plus heureuses de ma vie. Mehdi et moi nous voyions presque chaque jour : je savais maintenant qu'il était devenu une partie importante et indispensable de mon existence. Pour la première fois, depuis la disparition d'Houshang, j'étais de nouveau amoureuse. A cette différence, toutefois : Mehdi était devenu un ami très cher et de toute confiance, un homme à qui aujourd'hui encore je ne vois aucun défaut.

Ensemble, nous avons connu Paris à l'une de ses époques les plus riches et les plus passionnantes. C'était encore le Paris pôle d'attraction des intellectuels, des bohèmes, des artistes et des amoureux depuis tant de générations. Mais il commençait pourtant à laisser apparaître des traces de ce que les Français appelaient la « colonisation du Coca-Cola ». Les bas de nylon remplaçaient les bas de soie et les ménagères françaises commençaient à enrichir leur vocabulaire de mots nouveaux :

supermarché, aspirateur, machine à laver et poste de télévision.

La vie culturelle de la ville reflétait ce mélange de l'ancien et du moderne. L'une des troupes de ballet que Mehdi et moi préférions était celle du marquis de Cuevas, une troupe qui évoluait avec autant de panache dans la vie quotidienne que sur les planches. Le maître de la troupe aimait à vivre dans le style Grand Siècle : il ne se déplaçait jamais sans son lit Louis XVI, ses vingt chiens et ses six médecins personnels. Il est facile à comprendre que dans ces conditions, la troupe ait fini par faire faillite.

Le style « nouvelle vague » de la vie artistique française apparaissait le plus nettement dans les œuvres des nouveaux cinéastes, surtout chez les metteurs en scène comme Roger Vadim. Il avait réalisé quelques films très intéressants, aussi lorsque Dominique Seif, un ami iranien, m'invita à un cocktail chez Vadim, acceptai-je avec joie et une certaine curiosité. En arrivant chez Vadim, dans un vaste appartement de Saint-Germain-des-Prés, je reconnus de nombreux acteurs dont Marlon Brando, qui était en compagnie de l'un de mes amis. Je portais ce soir-là le manteau de zibeline que Staline m'avait offert des années auparavant. Un peu plus tard, au moment où Brando et notre ami commun me déposaient devant chez moi, l'Américain me démonta quelque peu en me disant :

« Vous êtes très belle mais le manteau que vous portez me donne à penser que vous êtes, soit une femme très riche, soit la maîtresse d'un homme très riche. »

Je devins de glace.

« Vous ne semblez pas savoir qui je suis, ajouta-t-il.

— Détrompez-vous, monsieur Brando, je vous connais fort bien. Mais il me paraît clair que c'est vous qui ne savez pas qui je suis, *moi*. »

Je ne pourrais pas dire que je fus abasourdie lorsque Mehdi me demanda ma main mais il me semblait que je devais renoncer à faire le moindre projet tant que je ne pourrais pas retourner en Iran et résoudre le problème de mon mariage avec Shafiq.

Mais dans tout ce que je pouvais lire ou entendre, je ne

trouvais guère de nouvelles encourageantes de l'Iran. Mon frère perdait chaque jour plus de terrain devant Mossadegh, dont le comportement théâtral ravissait les foules qu'il aimait à rassembler ; il ruinait aussi l'économie iranienne.

Le lendemain du jour où il avait prêté serment et pris le poste de Premier ministre — le 30 avril 1951 —, il faisait adopter par le Parlement, au milieu d'un enthousiasme qui tenait du délire, la loi sur la nationalisation du pétrole. On eut dit que le peuple croyait que toutes les richesses des compagnies pétrolières étrangères allaient soudain revenir à l'Iran. Il est vrai que ces profits étaient énormes. Ainsi, en 1950, la part des bénéfices pétroliers qui revenait à l'Iran s'élevait à 16 millions de livres — ce qui représentait la moitié du budget national — alors que la part de l'Anglo-Iranian était cinq fois plus forte.

Mais que se produisit-il à la suite de la nationalisation du pétrole ? Non pas la vague de prospérité immédiate attendue par le peuple, mais une démonstration de la solidarité des grandes compagnies pétrolières — les « Sept Sœurs » — qui mit aussitôt l'Iran à genoux.

Le plan Mossadegh se retourna contre son auteur. En nationalisant l'industrie pétrolière, il avait chassé tous les techniciens britanniques — dans l'espoir de poursuivre l'exploitation des puits avec une aide qui lui viendrait d'Amérique. Mossadegh avait de solides raisons d'entretenir cette espérance : les États-Unis avaient délibérément aidé à sa nomination de Premier ministre. Et Henry Grady, l'ambassadeur américain à Téhéran, l'avait fermement encouragé à la nationalisation, sans aucun doute, dans l'espoir secret de conquérir ainsi un avantage sur les Britanniques.

Mais le soutien américain ne se concrétisa point : comme l'Anglo-Iranian Oil Company — et ses autres « sœurs » —, les compagnies pétrolières américaines boycottèrent le pétrole iranien, comblant leur déficit d'approvisionnement en accélérant la production au Koweit, en Arabie Séoudite, à Bahrein et en Irak. Et même lorsque, dans un effort désespéré pour trouver des acheteurs, le prix du pétrole iranien fut ramené de 1,70 dollar le baril à 90 cents, seule une modeste compagnie italienne, la Supor, se présenta pour profiter de cette offre. Un navire citerne — la *Rose-Marie* — parvint à Abadan et quitta le port après une cérémonie assez pitoyable. Et le navire n'alla pas loin : il fut saisi par la Royal Air Force dans le port d'Aden, sous le prétexte que sa cargaison appartenait à l'Anglo-Iranian. Après cet incident, le pétrole iranien ne trouva plus un seul acheteur étranger.

Pourtant Mossadegh restait populaire, grâce à ses gestes théâtraux qui détournaient l'attention populaire des graves problèmes économiques de l'avenir. Pendant que son ancien allié, l'ayatollah Kashani, enflammait les foules en prêchant une doctrine panislamique — qui allait, affirmait-il, avoir le soutien de toute une armée musulmane internationale — Mossadegh publiait une liste de personnages politiques qui étaient supposés avoir accepté des cadeaux des compagnies pétrolières. Nous voyons là l'exemple — semblable à celui qui allait suivre trente ans plus tard — de l'art et de la manière de dissimuler une crise économique en mobilisant les sentiments xénophobes du peuple.

L'Anglo-Iranian Oil Company avait fait appel à la jurisprudence de la Cour internationale de justice de La Haye et la Cour avait rendu un arrêt provisoire en demandant aux parties en cause d'observer le *statu quo* jusqu'à ce que fût adoptée une décision définitive. Dans l'espoir de favoriser ce règlement, le président Truman envoya à Téhéran Averell Harriman, son représentant personnel — un geste qui provoqua aussitôt des manifestations antiaméricaines organisées par les mouvements très actifs de la gauche clandestine.

Les Britanniques déposèrent alors devant le Conseil de sécurité des Nations unies un projet de résolution qui, s'il était adopté, contraindrait l'Iran à accepter la décision de la Cour de La Haye. C'est alors, en octobre 1951, que Mossadegh fit son fameux voyage à New York, où il prit la parole devant le Conseil de sécurité. Au cours de son séjour en Amérique, Mossadegh rencontra le secrétaire d'État, Dean Acheson, qui parut enchanté de le connaître. Acheson était un personnage qui avait l'allure d'un diplomate britannique et en même temps une violente aversion à l'égard de l'impérialisme britannique. Mossadegh s'arrangea pour offrir aux membres des Nations unies un spectacle qu'ils n'oublieraient pas de sitôt. Certains disent qu'il se conduisit comme un imbécile et fut un objet de gêne pour l'Iran. C'est possible, mais c'était aussi un orateur capable d'hypnotiser son public. Pour impressionner ses auditeurs et les convaincre de sa sincérité, Mossadegh fondait constamment en larmes, séchait ses pleurs avec des mouchoirs qui furent aussitôt baptisés « Old Mossie » et devinrent son image de marque. Il se lançait enfin dans une logorrhée sentimentale qui se terminait généralement par un évanouissement.

Bien qu'il eût présenté fort éloquemment la thèse iranienne sur la nationalisation, Mossadegh quitta les États-Unis sans être plus près d'une solution que lors de son arrivée. En Iran, la situation économique s'aggravait chaque jour davantage : il y avait des semaines que le gouvernement ne payait plus les fonctionnaires, l'armée touchait seulement un prêt symbolique et l'inflation se gonflait de tout le papier-monnaie que le Premier ministre imprimait afin de mettre des *rials* en circulation.

Dans un dernier effort pour combattre l'érosion de son parti, Mossadegh se rendit au Parlement en juillet 1952 pour déclarer qu'il n'aurait aucun mal à résoudre les problèmes de l'Iran si on lui confiait le pouvoir absolu pour une période de six mois. Le Parlement refusa et Mossadegh démissionna. Pour le remplacer, mon frère désigna alors Ahmad Qavam. Bien que ce dernier se fût souvent opposé à mon frère au temps où il avait déjà occupé le poste de Premier ministre, le Shah l'avait choisi parce qu'il le croyait assez fort pour créer un gouvernement efficace. Mon frère se trompait. Qavam était maintenant un vieil homme malade et tout simplement incapable de supporter cette tâche écrasante. Des centaines de milliers de manifestants hurlaient le nom de Mossadegh et réclamaient la démission de Qavam. Dans les désordres qui suivirent, de nombreuses maisons, y compris la résidence de Qavam, furent la proie des flammes. Il ne restait plus au Shah d'autre choix que d'accepter la démission de Qavam, de rétablir Mossadegh et d'en passer par toutes les exigences de ce politicien.

L'assurance de Mossadegh ne connut alors plus de bornes et mon frère devint virtuellement prisonnier dans son propre palais. Mossadegh alla jusqu'à placer le téléphone du Shah sur table d'écoute et à peupler de mouchards la cour royale. Enfin, Mossadegh commit l'injure suprême : il réclama le poste de commandant en chef de l'armée, une prérogative qui a toujours appartenu au trône. Devant le refus que lui opposait mon frère, Mossadegh tenta un autre coup d'audace : il « suggéra » au Shah de quitter le pays pour prendre de longues vacances (comme les souverains qajar avaient coutume de le faire). Mon frère m'a dit plus tard qu'il avait, en fait, décidé de partir le 26 février 1953 mais qu'il avait changé d'avis en assistant à une violente manifestation qui se déroulait devant le palais et dont les participants scandaient des slogans en faveur du Shah et lui demandaient de rester.

Le plus plaisant, c'est que nous allions apprendre par la suite que cette manifestation avait été organisée par certains chefs religieux qui avaient soutenu Mossadegh mais s'inquiétaient maintenant de son pouvoir sans limites précises et du flirt qu'il entretenait avec le parti Tudeh et les forces de gauche. Après son arrivée au pouvoir, Mossadegh avait peu à peu négligé ses partisans religieux pour se tourner de plus en plus vers des groupes communistes iraniens bien organisés et abondamment financés. Ces groupes avaient certes été frappés d'interdit en 1946 mais les Soviets n'en continuaient pas moins d'espérer amener un jour notre pays dans la sphère soviétique... à la condition de renverser le Shah.

D'ailleurs, les mollahs n'étaient pas les seuls à s'inquiéter. Les Américains aussi se posaient des questions à l'égard de Mossadegh. Pendant la présidence de Truman, Dean Acheson, son secrétaire d'État, soutenait Mossadegh parce qu'il voyait en lui un homme politique assez résolu et puissant pour s'opposer à l'infiltration communiste. Mais l'Amérique avait maintenant un nouveau président, Dwight D. Eisenhower, ainsi qu'un nouveau ministre, John Foster Dulles. A l'inverse d'Acheson, Dulles considérait la politique comme une sorte de religion et les positions politiques étaient pour lui « justes » ou « injustes » sans laisser grand-place au compromis. Il travaillait avec l'ardeur d'un homme qui a une importante mission à accomplir en un temps fort mesuré et qui ne disposait que d'une infime marge d'erreur.

147

Au printemps de 1953, l'Amérique arrivait au terme de la guerre de Corée et la position officielle consistait, ainsi qu'on le disait au ministère des Affaires étrangères, « à attendre que la fumée de la bataille se dissipe en Corée et que le ciel s'éclaircisse en Iran ».

Lorsque la fumée fut enfin dissipée et le ciel d'Iran éclairci, il était grand temps de modifier la position officielle des États-Unis : l'Iran semblait tout prêt à basculer dans le bloc soviétique. Le 1ᵉʳ mai, une énorme manifestation de masse se tenait devant le Parlement iranien. Amplifiées par les haut-parleurs installés partout, des voix lançaient à la foule des slogans comme : « Vive le peuple de Corée et celui de la Chine ! Saluons les peuples héroïques de l'U.R.S.S. qui tiennent le gouvernail du monde démocratique ! Mort aux États-Unis ! Mort à la Grande-Bretagne ! »

Cela donnait le ton aux manifestations qui allaient se multiplier dans un avenir proche : elles auraient de moins en moins pour thème les affaires pétrolières et allaient avoir pour but d'attiser les sentiments antiaméricains et antibritanniques. Les Américains décidèrent enfin que le moment était venu d'intervenir.

Au cours de l'été 1953, un Iranien dont je dois taire le nom — appelons-le M. B. — me téléphona pour me dire qu'il avait pour moi un message urgent. Lorsque je le reçus, il me déclara que la situation qui régnait en Iran inquiétait au plus haut point les États-Unis et la Grande-Bretagne et que ces deux États avaient conçu un plan pour résoudre ce problème en faveur du Shah. Il ajouta qu'on avait besoin de mon aide pour l'exécution du plan. Lorsque je demandai à en savoir davantage, M. B. déclara que tous les détails me seraient exposés si je consentais à recevoir deux personnes — un Américain et un Anglais — dont il ne pouvait pas encore me révéler les noms.

Je connaissais fort bien ce M. B. Je savais qu'il possédait deux passeports — l'un iranien, l'autre américain — et qu'il était en relations avec de hauts fonctionnaires américains. Comme j'avais en lui la plus grande confiance, j'acceptai sa proposition.

Moins de vingt-quatre heures plus tard, mon téléphone

sonnait de nouveau. Cette fois, mon interlocuteur était un Américain qui se contenta de se présenter comme un ami de M. B. Il me demandait de me rendre le lendemain après-midi, à 4 heures, au restaurant de la Cascade, au bois de Boulogne. Lorsque je lui demandai comment je pourrais le reconnaître il me répondit qu'il me connaissait de vue et c'est lui qui se présenterait à moi.

Le lendemain, j'arrivai en taxi au restaurant et dès que j'eus franchi la porte deux hommes se précipitèrent pour m'accueillir comme si nous étions des amis de longue date. Nous nous assîmes et commandâmes du thé.

Je savais mon frère dans une situation extrêmement grave, aussi étais-je très impatiente d'entendre ce qu'on avait à me dire :

« Alors, Messieurs, de quoi s'agit-il ? demandai-je sans autre préambule. Pourquoi désiriez-vous me voir ?

— Pas ici, Votre Altesse, me répondit vivement l'Américain en secouant la tête. Pour parler il nous faut aller ailleurs. »

Nous prîmes donc notre thé en bavardant de choses et d'autres afin d'abuser ceux qui pourraient nous épier. Puis nous allâmes ensemble en voiture dans un immeuble résidentiel près de Saint-Cloud. C'est seulement lorsque nous y fûmes que l'Américain m'apprit qu'il était le représentant particulier de John Foster Dulles et que l'Anglais qui nous accompagnait parlait au nom de Winston Churchill dont le parti conservateur venait de prendre la direction du gouvernement.

En entendant cela, je ne pus me retenir de dire :

« Je vous prie de transmettre mon meilleur souvenir à John Foster Dulles. Rappelez-lui en même temps que Mossadegh est l'homme providentiel que l'Amérique a tiré de son trou. Et que, maintenant que votre homme vous pose des problèmes, je m'aperçois que vous essayez de l'y faire rentrer. »

J'ai le malheureux travers de toujours dire ce que je pense même lorsque je me trouve dans des situations politiques ou diplomatiques épineuses. Ce manque de mesure m'a souvent valu des ennuis mais, ce jour-là, mes interlocuteurs ne semblaient pas se soucier de protocole.

« Vous avez tout à fait raison, commença l'Américain, et c'est précisément pourquoi nous sommes ici — il s'agit de régler notre problème commun. »

Il m'affirma qu'il parlait en toute franchise et reprit :

« Notre service de renseignements nous confirme que le Shah a conservé toute sa popularité au sein du peuple. Bien que le commandant de l'armée, le général Riahi, soutienne Mossadegh, la majorité des officiers et des troupes sont restés fidèles au Shah. »

L'Anglais qui jusqu'alors était demeuré à peu près muet, intervint à son tour :

« Voici venu le moment d'agir, mais il nous faut obtenir votre appui. Si vous acceptez notre proposition, nous vous l'exposerons en détail. »

Il s'arrêta un instant et reprit.

« Comme vous allez risquer votre vie, nous vous remettrons un chèque en blanc. Vous y inscrirez la somme qu'il vous plaira. »

J'étais tellement stupéfaite par ces derniers mots que je n'entendis même pas la suite. Bien que mes fonds eussent été fort limités à l'époque, cette proposition de recevoir de l'argent pour le salut de mon pays me fit perdre mon sang-froid.

« J'ai l'impression que nous ne nous comprenons ni les uns ni les autres, dis-je, il n'y a donc aucune raison de poursuivre cette conversation. Et maintenant, allez-vous me reconduire ou dois-je appeler un taxi ? »

Le lendemain, je recevais une monumentale corbeille de fleurs. Nulle carte ne l'accompagnait. Mais elle fut suivie par la visite de M. B. qui désirait se faire pardonner le malentendu et qui me demandait d'accepter une autre rencontre.

Nous nous retrouvâmes cette fois dans une route du bois de Boulogne. On m'avait demandé d'y prendre une voiture d'une certaine marque et d'une certaine couleur qui m'attendrait. De nouveau, on me conduisit à l'appartement près de Saint-Cloud. Les deux personnages reprirent la conversation mais cette fois avec plus de circonspection, pour ne pas heurter mes sentiments. Ils m'expliquèrent que les préliminaires de leur plan supposaient un moyen sûr de faire tenir un message au Shah. Comme il leur fallait absolument un courrier de toute confiance et qu'il n'existât pas la moindre possibilité d'une fuite, ils avaient pensé à moi. A l'époque, la Grande-Bretagne n'avait plus d'ambassadeur en Iran et la mission devait être accomplie en dehors des voies diplomatiques américaines normales.

« Savez-vous bien, Messieurs, que je suis en exil ? Que je n'ai aucun passeport valide pour retourner en Iran ?

— Laissez-nous le souci de ce détail, répond l'Américain. Accepteriez-vous de faire cela pour votre frère ?

— Évidemment. Quand pouvez-vous me mettre à bord d'un avion ?

— Après-demain. »

L'Américain me donna le numéro d'un vol d'Air France et me recommanda d'être à l'aéroport d'Orly juste avant l'heure de l'envol de façon qu'on ait le temps de me remettre mon billet.

« Y a-t-il en Iran quelqu'un en qui vous puissiez avoir toute confiance ? » me demanda l'Américain.

Je lui donnai le nom d'une de mes amies. J'expédiai alors à cette amie un câble en langage convenu pour lui dire qu'il était possible que je sois bientôt à Téhéran. Mehdi fut la seule autre personne à connaître mon départ : je lui téléphonai pour lui dire simplement que je m'absentais quelques jours.

Quarante-huit heures plus tard, par un jour pluvieux de juillet, j'arrivai à l'aérogare d'Orly, vêtue d'un tailleur gris et portant seulement une petite valise. Je compris aussitôt que je n'étais pas seule. Un porteur se présenta bientôt, prit ma valise en me priant de le suivre. En jetant un bref regard autour de moi je sentis la présence protectrice d'une poignée d'hommes. Après quelques instants, d'autres passagers s'en aperçurent aussi et ils commencèrent à chuchoter, à pointer le doigt, essayant visiblement de deviner ce qui se passait.

Le porteur me fit passer par une porte et suivre un long couloir jusqu'à une voiture qui allait me conduire directement à l'avion. On me remit une carte d'embarquement et l'enveloppe à remettre à mon frère. Dès que j'eus pris place dans l'appareil, je remarquai deux hommes visiblement chargés de me protéger — ou, plutôt, de protéger l'enveloppe que je portais. L'avion s'envola à l'heure exacte. J'étais heureuse que le vol ne fût pas retardé : Téhéran était alors sous la loi martiale et si j'atterrissais à la nuit tombée, il me serait peut-être impossible d'aller jusque chez moi. Au cours des huit heures de vol, je me posais sans cesse les mêmes questions. Et si l'un des sbires de Mossadegh me reconnaissait à l'aéroport ? Et que se passerait-il si j'étais arrêtée ? Comment expliquerais-je ce retour illicite en Iran ? — et l'absence de visa de sortie de France sur mon passeport ? Si j'étais arrêtée à l'aéroport toute l'opération avortait ; ce serait un énorme scandale politique — et Mossadegh disposerait d'une arme terrible pour détrôner le Shah.

L'arrivée de l'avion à Téhéran fut une expérience que je n'oublierai jamais. Je craignais peu pour ma sécurité personnelle mais l'entreprise avait une telle importance que je tremblais de la tête aux talons en descendant l'échelle pour mettre pied à terre. La première personne que j'aperçus fut l'amie à laquelle j'avais câblé. Elle avança vers moi, me prit le bras et m'entraîna discrètement loin des autres passagers qui se dirigeaient vers l'aérogare. Dans une partie sombre de la piste un taxi nous attendait mais je vis aussitôt que ce n'était pas un taxi ordinaire. D'abord, les taxis n'ont pas le droit d'approcher la piste et puis le chauffeur paraissait fort bien connaître mon amie.

De nouveau, je quittai l'aéroport sans passer par la douane et, de nouveau, je retins mon souffle tant que nous ne fûmes pas loin. Je ne crois pas que nous échangeâmes plus d'une douzaine de paroles pendant le trajet. L'ambiance était tendue : nous savions trop bien tous les trois ce qui nous attendait si nous étions reconnus et arrêtés.

On m'emmena tout droit chez l'un de mes demi-frères, dans une villa des bâtiments du palais Saadabad. Mon demi-frère et sa femme me souhaitèrent la bienvenue, sans me demander la moindre explication sur cette visite pourtant exceptionnelle. Ils m'apprirent que le Shah était en bonne santé, que la situation politique était extrêmement instable et que la tension entre mon frère et Mossadegh était devenue insoutenable.

J'étais arrivée depuis une demi-heure à peine lorsqu'un

domestique fit irruption dans le salon pour nous dire que le gouverneur responsable de la loi martiale désirait me voir. L'homme entra, me salua et dit :

« Votre Altesse, le Premier ministre a été prévenu de votre arrivée à Téhéran. L'appareil d'Air France a reçu l'ordre de demeurer à l'aéroport pour vous emmener immédiatement hors du pays. »

Maintenant que j'étais arrivée à destination je n'étais pas disposée à m'en aller sans avoir remis à mon frère la fameuse enveloppe.

Je renonçai donc à toute prudence et risquai le tout pour le tout.

« Dites à votre maître d'aller au diable. Je suis iranienne et je resterai dans mon pays aussi longtemps qu'il me plaira. Je suis revenue uniquement pour réunir des fonds afin de payer les frais d'hospitalisation de mon fils. Si vous voulez m'arrêter, ne vous gênez pas, mais vous ne pouvez certes pas m'ordonner de quitter le pays comme ça. »

Le gouverneur s'en alla sans dire un mot. Une heure plus tard, il était de retour.

« J'ai transmis votre message au Premier ministre, dit-il. Il vous accorde l'autorisation de rester en Iran vingt-quatre heures, pas une de plus. Tous les services du gouvernement ont reçu l'ordre de se mettre à votre disposition pour les démarches que vous pouvez avoir à faire. Je dois également vous prier de ne pas quitter cette maison sans les gardes et l'escorte qui vous ont été assignées. Dans vingt-quatre heures cette garde vous conduira à l'aéroport. »

J'étais donc maintenant officiellement en état d'arrestation.

J'avais cependant dans cette escarmouche un léger avantage sur Mossadegh. Les bâtiments du palais Saadabad sont régulièrement protégés par la garde impériale, commandée à l'époque par le colonel Nematollah Nassiry. La garde est traditionnellement fidèle au Shah et à la famille royale. Dès que j'eus été arrêtée, des soldats de l'armée iranienne — sous le commandement du général Riahi, chef de l'état-major de Mossadegh — encerclèrent le palais et, en même temps, la garde impériale. J'étais certaine que si la troupe essayait de pénétrer dans le palais pour m'emmener de force, il y aurait un affrontement militaire et j'étais à peu près persuadée que Mossadegh essaierait d'éviter ce genre de guerre ouverte avec la famille royale.

Le même soir, Abolghassem Amini, le ministre de la Cour (un partisan de Mossadegh) vint voir le Shah et réussit à le convaincre que pour calmer Mossadegh il serait bon qu'il fît une déclaration officielle pour dire qu'il était absolument étranger à mon retour. Ce retour faisait déjà les gros titres des journaux de Téhéran. Cette déclaration, publiée dans les journaux et lue à la radio, disait :

« La cour impériale d'Iran déclare par la présente que la princesse Ashraf est rentrée en Iran sans l'autorisation préalable et l'approbation du Shah. Elle a été priée de quitter le pays immédiatement après avoir réglé certaines affaires personnelles. »

Bien que le ton du communiqué fût sévère, je comprenais bien qu'en la circonstance mon frère n'avait pas le choix. Or, j'étais revenue en Iran pour son bien et non pour l'entraîner dans un affrontement inopportun avec Mossadegh à mon sujet. S'il y avait une chose que j'avais apprise au cours de mes trente-quatre années d'existence, c'est que j'étais parfaitement capable de me tirer d'affaire toute seule.

Le jour suivant, un courrier vint me faire savoir que la reine Soraya serait en fin d'après-midi dans le jardin derrière la maison où je me trouvais. Je guettai par la fenêtre. Dès que j'aperçus ma belle-sœur, je sortis, lui remis vivement l'enveloppe et rentrai aussitôt. (Je ne peux pas encore révéler le contenu de cette lettre fatidique.) Je demeurai en Iran neuf jours de plus, m'occupant ostensiblement de mes affaires personnelles et financières.

Pendant ces journées-là, Saadabad, qui est normalement la résidence d'été de la famille royale, fut ma forteresse personnelle. Quelques années plus tard, ce palais deviendrait d'ailleurs ma demeure. L'ensemble du palais, situé au pied des monts Elbourz — à 5 200 mètres au-dessus du niveau de la mer — et à environ 60 kilomètres à l'est de Téhéran, couvre un vaste terrain coupé par une rivière torrentueuse que l'on traverse sur des passerelles. Dispersées parmi des arbres majestueux, se trouvent plusieurs maisons de briques roses qui hébergent les membres de la famille royale. Si je ne pouvais pas voir mon frère — une rencontre eût été alors dangereuse — je n'en avais pas moins le réconfort de la présence d'autres membres de notre famille.

Malgré tout mon désir de rester près de mon frère qui allait faire face à ce que l'avenir lui réservait, je comprenais bien que je ne pouvais pas faire autre chose que de reprendre le chemin de l'exil.

Dix jours exactement après mon arrivée, une escorte militaire m'emmenait à l'aéroport de Téhéran où je prenais l'avion d'Air France pour retourner à Paris.

Peu après mon retour en France, je décidai de m'installer à bord du bateau de Shafiq qui était ancré à Cannes. Shafiq avait acheté à Londres ce yacht — qui s'appelait alors le *Roma* —, il l'avait rebaptisé *Khorramshahr* et l'avait amené à Cannes.

En me voyant arriver avec ma valise, le capitaine du port me dit :

« Votre Altesse, si vous avez l'intention de monter à bord, je dois vous dire que le bateau n'est pas habitable. »

Je m'aperçus tout de suite que sa remarque était malheureusement exacte. Le bateau était à l'abandon depuis deux ans et cela sautait aux yeux. Les cabines étaient inondées, la peinture écaillée, le moteur hors d'usage, les bouteilles de gaz vides ; les tentures, les rideaux moisis et une épaisse couche de poussière et de toiles d'araignées couvraient le mobilier.

Le capitaine du port m'assura que pour la somme de 2 000 francs il se chargeait de remettre le bateau en état en moins de vingt-quatre heures. Je lui donnai mon accord, m'installai dans un petit hôtel tout proche et téléphonai à un ami français de venir me donner un coup de main.

Le lendemain matin, nous nous retrouvions à bord, nous relevâmes nos manches et joignîmes nos efforts à ceux des deux ouvriers qui étaient déjà en train de frotter et de gratter. Nous travaillions de bon cœur en écoutant sur ondes courtes un poste de radio que mon ami avait apporté. Tout à coup, la voix du speaker de la B.B.C. annonça une dépêche de

Radio-Téhéran : après un coup d'État manqué, le Shah et la reine Soraya avaient fui le pays à bord d'un petit avion.

« Mon Dieu !... que s'est-il passé ? » criai-je.

Mais le bulletin n'en disait pas plus. Puis d'autres messages déclarèrent d'abord que le Shah avait atterri à Bagdad, puis qu'il était à l'hôtel Excelsior, à Rome. Mais aucun de ces messages ne répondait aux questions que je me posais. Qu'était-ce donc que cette tentative de coup d'État ? Était-ce là le plan sur lequel les amis de M. B. paraissaient compter avec tant de confiance ? Qu'est-ce qui l'avait fait échouer ? Je ne pouvais pas contenir mon impatience, mon désir de voir mon frère et d'en savoir davantage que ce que pouvaient dire ces bulletins.

Le matin du 18 août, j'appelai l'hôtel Excelsior et mon frère m'apprit qu'il n'y avait pas eu de tentative de coup d'État mais qu'il ne pouvait pas m'en dire plus au téléphone. Je lui répondis que j'allais le rejoindre à Rome.

Je raccrochai pour appeler aussitôt un ami français.

« Il faut que j'aille à Rome aussi vite que possible. Quel est à votre avis le meilleur moyen ?

— Vous ne savez pas qu'il y a une grève des transports ? répondit-il. Aucun train ni avion ne quitte Cannes.

— Peut-être, mais il faut pourtant que j'aille à Rome et comme je n'y puis pas aller à pied essayons de trouver un autre moyen.

— Ma Peugeot est assez rapide. Voulez-vous que je vous conduise ?

— Je vous en serais très reconnaissante. Quand pourrions-nous partir ?

— Laissez-moi simplement le temps de faire le plein et de vérifier la voiture. »

A 2 heures de l'après-midi nous prenions la route de la frontière italienne. En traversant Nice, je me rendis compte que je n'avais pas de visa italien.

« Croyez-vous que nous aurons des ennuis à la frontière ? demandai-je.

Il réfléchit un instant puis il répondit :

— Je crois que nous avons une bonne chance de passer. Les gardes-frontières vérifient généralement le conducteur et la voiture. Comme je suis français, ils se contenteront sans doute de cela. »

Il pleuvait à verse lorsque nous arrivâmes à la frontière et le garde ne tenait pas autrement à quitter son abri. Mon ami sortit de voiture, présenta sa carte d'identité et on nous fit signe de passer.

La route de la côte italienne est bordée de bougainvillées et de géraniums, mais ce jour-là les nuages et la pluie donnaient au paysage un aspect gris et morne. J'aurais voulu rouler toute la nuit — je suis un « oiseau de nuit » qui ne se couche pas avant trois ou quatre heures du matin — mais je craignais que mon ami ne s'endorme au volant. J'ouvris la radio et je lui fis la conversation jusqu'à ce que nous n'en puissions plus. Nous décidâmes alors de nous arrêter pour manger et dormir une petite heure dans le parking d'un restaurant.

A 5 heures du matin, le bruit d'un moteur de camion nous réveilla et après une tasse de café nous reprîmes la route. Je me rappelle que nous venions de franchir une longue route de montagne lorsque la musique du poste de radio s'arrêta : une voix annonça : « D'après les dernières nouvelles de Téhéran, il s'y déroule d'immenses manifestations en faveur du Shah. Des soldats portant des banderoles en faveur du Shah ont attaqué les bureaux du gouvernement ainsi que la demeure du Dr Mossadegh. Le général Zahedi, Premier ministre nommé par le Shah, est sorti de la clandestinité et ses partisans se sont emparés de la station de radio de Téhéran. »

Cette nouvelle fut pour moi comme une injection d'adrénaline et je ne sais pas comment je pus demeurer dans cette petite voiture.

Nous arrivâmes à Rome tard dans la soirée du 19 et je ne pus donc me présenter à l'Excelsior avant le lendemain matin. Je trouvai mon frère assiégé par les journalistes mais quand il m'aperçut il m'attira vers lui et leur dit :

« Voici ma sœur Ashraf que vous connaissez tous. »

Plus tard, lorsque nous nous retrouvâmes seuls, il me conta les événements qui s'étaient déroulés depuis le 13 août, le jour où il avait rédigé un *firman* — un décret impérial — qui chassait Mossadegh du poste de Premier ministre pour le remplacer par le général Fazlollah Zahedi. Il avait donné au colonel Nassiry, commandant la garde impériale, la mission délicate — et dangereuse — de notifier le *firman*. Quand Nassiry avait remis le décret au Premier ministre, Mossadegh l'avait fait arrêter et avait lancé l'information prétendant que la tentative du Shah avait échoué. C'est à ce moment-là que mon frère avait quitté à bord de son avion privé la mer Caspienne où il se reposait avec Soraya, pour aller se poser à Bagdad.

Plusieurs jours d'incertitude suivirent car si Mossadegh ne menait pas à bien son complot visant à détrôner le Shah, le peuple, lui, devait savoir exactement ce qui se passait. Et c'est là que le plan « Opération Ajax », auquel M. B. avait fait allusion à Paris, fut mis à exécution.

Depuis 1953, il a été beaucoup question de cette « Opération Ajax » et le plus souvent pour démontrer que c'était une opération militaire grâce à laquelle la C.I.A. avait remis par la force le Shah sur son trône. A ma connaissance, « Ajax » ne fut pas une campagne militaire mais une campagne d'information. Elle a coûté à la C.I.A., pour la part qu'elle y a prise, près de 60 000 dollars. J'ai su plus tard qu'elle était prête à dépenser un million de dollars pour renverser Mossadegh. Après l'arrestation de Nassiry, les forces favorables au Shah trouvèrent une imprimerie qui, moyennant finances, était prête à éditer des dizaines de milliers de tracts et d'affiches portant le texte du décret signé par mon frère pour congédier Mossadegh. En moins de deux jours ils furent distribués à travers Téhéran : ils montraient au peuple que c'était Mossadegh qui avait commis un acte de trahison envers la Couronne et cela valut au Shah un énorme soutien populaire.

Après être restée quelque temps avec mon frère, je me préparai à retourner quelques jours à Cannes avant le terme de mes deux années d'exil. Notre ambassadeur à Rome m'appela pour me demander de le recevoir. En temps normal c'eût été là un geste de courtoisie que j'aurais volontiers accepté, mais j'étais furieuse à son égard (comme à celui de notre ambassadeur de Bagdad, qui avait tenté de faire arrêter le Shah lorsqu'il avait atterri en Irak). Mon frère m'avait appris que lorsqu'il était arrivé à Rome, notre ambassadeur avait diplomatiquement pris des vacances en laissant des ordres pour que l'on refuse au Shah les clefs de sa voiture personnelle qui se trouvait à l'ambassade. Je sais bien qu'il est dans la nature de l'homme de changer de camp en cas de défaite ; je peux même fort bien comprendre que les Iraniens, après des siècles d'invasion et d'occupation étrangère, soient capables de changer si facilement de convictions politiques. Mais je ne suis pas encore parvenue à accepter la rapidité et l'aisance avec lesquelles tant d'amis et d'alliés de mon frère ont pu se joindre à ses adversaires lorsqu'il a été dans le malheur.

Après la tension, les pressions de ces deux années, je pensais pouvoir regagner enfin ma patrie, mais il ne devait pas en être comme je le souhaitais. Peu de temps après mon retour à Paris, j'accompagnai une amie et son fils chez un médecin. Je profitai de cette occasion pour dire que j'avais subi récemment bien des épreuves et que je ne me sentais pas en aussi bonne santé que de coutume.

« Eh bien, pourquoi ne me laisseriez-vous pas vous examiner puisque vous êtes ici ? » me proposa le médecin.

J'y consentis d'un cœur léger mais je commençai assez vite à m'inquiéter : le médecin avait l'air de plus en plus grave et se taisait à mesure qu'il m'examinait. Son diagnostic fut net : tuberculose.

« La maladie n'en est qu'à son début et c'est fort heureux pour vous, chère Madame. Avec les médicaments dont nous disposons maintenant, vous serez sur pied dans six mois. Mais je vous conseille de commencer le traitement immédiatement. »

Ainsi, au moment même où j'espérais prendre l'avion pour Téhéran, le médecin allait m'expédier dans une clinique privée d'Arosa. Il m'expliqua que j'étais sans doute malade depuis un an — une année que j'avais passée à m'inquiéter des problèmes politiques de mon frère, de la maladie de mon fils et de ma nouvelle existence avec Mehdi sans me soucier de ma santé. C'est seulement lorsque je sus mon frère fermement rétabli sur son trône que je m'offris le « luxe » d'être malade.

A Arosa, les mois passaient lentement, mais je gardais mon optimisme naturel. Comme je ne savais pas comment

159

employer autrement l'énergie qui m'avait toujours tenue active et fort occupée, je consacrai toute ma détermination et ma volonté à retrouver la santé (avec, certes, le secours d'une thérapeutique chimique extrêmement efficace). Pour passer le temps, je lisais — romans policiers, romans d'imagination, en anglais ou en français — j'écoutais de la musique et j'attendais la visite de mes amis. (Mehdi ne put venir me voir que quelquefois et on m'accorda une seule permission pour aller à Paris.) La solitude et l'inactivité forcée furent les côtés les plus durs de ma maladie. (Aujourd'hui encore, il m'est toujours difficile de rester seule plus d'une heure ou deux ; la solitude évoque sans doute pour moi les souvenirs les plus pénibles de mon enfance.)

Et puis, bien sûr, j'étais furieuse de ne pas pouvoir observer et prendre part à ce qui dut être l'un des mois les plus heureux du règne de mon frère. (Il est tellement à la mode aujourd'hui de critiquer les Pahlavi et de dépeindre le Shah comme un despote autocratique que le monde oublie combien il a été aimé pendant si longtemps.) Comme je le fais toujours lorsque je ne suis pas chez moi, je me tenais au courant de ce qui se passait en Iran par la radio, les journaux, les magazines et par les récits de mes amis. Je ne fus pas étonnée d'apprendre que mon frère avait agi avec beaucoup de retenue à l'égard de Mossadegh, un homme qui pourtant avait tenté de le détruire. Mais dans les trente-sept années de son règne, mon frère n'a jamais répondu par la colère ou la vengeance à ceux qui ont comploté contre lui et tenté de lui prendre la vie. Je crois qu'il accepte avec fatalisme les risques qui vont de pair avec la Couronne.

Lorsque le plan de Mossadegh fut exposé au grand jour, le peuple iranien se retourna violemment contre lui et il se trouva en grand danger de laisser sa vie aux mains des hordes qui hurlaient à la mort et menaçaient de le lyncher. Mon frère demanda à l'un de ses amis fidèles d'abriter Mossadegh jusqu'à ce que l'ordre fût revenu et que l'ancien Premier ministre pût comparaître devant un tribunal.

Le crime dont Mossadegh était coupable n'eût été qu'un simple complot d'assassinat, je pense que mon frère le lui eût pardonné et se fût contenté de l'exiler. Mais comme ce crime était d'avoir tenté de renverser le gouvernement légitime d'Iran, son procès était inévitable. Le procès fut aussi spectaculaire que l'on pouvait s'y attendre ; ce fut une véritable représentation dramatique avec un accusé, en pyjama et robe de chambre, qui ne négligea rien : cinq heures de péroraison, évanouissements répétés, grèves de la faim, malédictions contre le juge, le procureur, l'accusation et le Shah. Finalement, Mossadegh fut jugé coupable et condamné à trois années d'emprisonnement mais le Shah intervint et réduisit la peine de moitié. A sa libération, Mossadegh se retira dans sa maison de campagne où il demeura jusqu'à sa mort, d'un cancer de la gorge, en 1966.

Le procès terminé, l'Iran retrouva une ambiance de paix. Le Premier ministre Zahedi put s'employer à restaurer l'ordre. L'objectif majeur de Zahedi étant de faire de nouveau couler le pétrole, il n'y avait d'autre alternative que de reprendre les relations diplomatiques avec la Grande-Bretagne et d'ouvrir des négociations avec un consortium international de compagnies britanniques, américaines, françaises et hollandaises. En 1954, on se mit d'accord pour un partage 50/50 et en 1958 les termes en furent établis sur la base de 75/25 qui donnait à l'Iran une part plus substantielle des profits.

Afin de tirer l'Iran de son état de banqueroute virtuelle, le gouvernement du président Eisenhower lui accorda un secours d'urgence de 45 millions de dollars, de sorte que lorsque je quittai Arosa pour revenir chez moi, je retrouvai un pays qui, comme sous le règne de mon père, était profondément engagé dans la voie d'un renouveau politique et économique.

7

« AMBASSADEUR ITINÉRANT »

Les années qui suivirent la période Mossadegh furent des années de changement pour mon frère et moi. Le Shah sortait de la tourmente avec le sentiment que le moment était venu pour le trône d'assurer une ferme direction mais il savait fort bien que l'Iran manquait trop d'expérience et de maturité politique (n'oublions pas que la grande majorité de notre peuple était illettrée) pour qu'on pût lui donner un régime imité de la démocratie à l'occidentale ou parlementaire à l'anglaise. Comme notre père, il voulait voir l'Iran sortir de son état de sous-développement et commencer d'exploiter les ressources économiques et de main-d'œuvre dont nous connaissions l'existence. Le Shah se convainquit qu'à long terme, les intérêts de l'Iran se trouveraient mieux servis s'il prenait fermement en mains les rênes du gouvernement pour céder ensuite et progressivement son pouvoir, à mesure que notre régime politique trouverait la maturité, la force et la souplesse pour concilier les principes démocratiques et le caractère national iranien.

Mon frère eut la possibilité de mettre en œuvre le programme qu'il avait conçu parce que notre peuple éprouvait alors une certaine fatigue et une répulsion certaine pour les désordres sociaux et économiques amenés par les chambardements du régime Mossadegh. Il est curieux, d'ailleurs, que ce soit Mossadegh lui-même qui ait servi à catalyser et à réunir sur son nom la déception et le ressentiment de notre peuple, alors que les malheurs économiques et sociaux découlaient aussi de la guerre et de l'après-guerre. Mais les Iraniens étaient las, épuisés et acquis à l'idée d'un personnage paternel qui se chargerait des problèmes du pays (et de leurs problèmes personnels) pour les résoudre.

Le gouvernement de l'Iran allait donc devenir de plus en plus le gouvernement du Shah et il en serait ainsi jusqu'aux dernières années de son règne. Cette situation devait avoir des conséquences graves, non pas immédiatement (puisque, jusqu'au début des années 70, le Shah bénéficiait encore d'une énorme popularité) mais plus tard. En assumant personnellement la responsabilité du destin de l'Iran, mon frère avait en quelque sorte déclenché le mécanisme d'une bombe à retardement qui finirait par exploser lorsque les factions seraient en nombre suffisant, en Iran même et au-dehors, pour oser déclarer que le Shah ne résolvait pas assez rapidement nos problèmes — ou, au contraire, qu'il les résolvait trop vite.

L'une des premières décisions adoptées et qui allait devenir le point noir du régime de mon frère fut la création d'une police secrète, la Savak. Bien que les allégations les plus folles et souvent les plus déformées lancées contre cette organisation aient paru plus tard dans la presse américaine, il n'en reste pas moins qu'en réalité la Savak constituait un effort de coopération avec nos alliés américains. Ses agents étaient formés par la C.I.A., avec l'assistance du Mossad, la police secrète israélienne. La fonction essentielle de la Savak consistait à aider le Shah à protéger le pays de l'infiltration communiste — qui reste un grave et constant danger depuis des décennies. Ainsi, la première enquête de Teymur Bakhtiar permit de découvrir un réseau de communistes infiltrés dans l'armée et qui, grâce à une révolte militaire, auraient fort bien pu réussir à instaurer un gouvernement de gauche.

Bien que la Savak ait acquis, au fil des années, une réputation sinistre, je crois fermement qu'elle n'était ni meilleure ni pire que n'importe quel service de contre-espionnage ou de police secrète, qu'il s'agisse du Mossad d'Israël, du S.D.E.C.E. français ou du M 16 de Grande-Bretagne. La Savak avait été créée pour tenir le Shah au courant de toute opposition politique éventuelle ; il n'entendait pas, ainsi que certains l'ont prétendu, entretenir une certaine ambiance de Goulag ou une force de sécurité de « bénis oui-oui ». Au contraire, mon frère a toujours fait une nette distinction entre le nihilisme politique et l'opposition constructive. Ainsi, par exemple, au moment où il était le plus préoccupé par les dangers que présentaient les infiltrations communistes menées par la Russie, il s'efforçait sincèrement d'appeler au gouvernement des intellectuels de gauche et, en fait, sous son règne, nombre d'entre eux y tinrent des postes importants.

Le trône de mon frère s'affermissant, je m'abstins de participer activement à la politique intérieure de notre pays. Mon frère n'avait plus besoin de mon aide en ce domaine et mon tempérament n'était visiblement pas fait pour les jeux subtils de cette politique-là. Mon franc-parler, mon manque de patience me mettaient souvent dans des situations embarrassantes et puis l'aisance avec laquelle certains politiciens suivent « le sens du vent » m'exaspère et je n'hésite jamais à le leur faire savoir. Je décidai donc de me consacrer désormais aux questions sociales, aux œuvres de bienfaisance (et Dieu sait s'il y avait à faire à cet égard) et, par ailleurs, à remettre en ordre, au sens propre et figuré, mes affaires personnelles.

Ma maison de l'avenue Khak avait été vendue pendant que je séjournais à Arosa. Désormais et jusqu'à la révolution de 1979, j'allais vivre dans la propriété de Saadabad, dans une maison que j'adorais parce qu'elle avait été construite d'après un croquis de mon frère. Dans les années qui suivirent (surtout après que le pétrole eut fait de nombreux millionnaires qui se firent construire de somptueuses villas, voire des châteaux), mes amis et mes relations insistèrent pour que je rajeunisse et que j'agrandisse ma maison de Saadabad. Mais, réellement, je n'ai jamais eu l'envie de la changer ni trouvé quelque intérêt à l'agrandir.

Après l'exil et ma longue maladie, j'étais si heureuse de me retrouver en Iran, et de nouveau auprès de mon frère, que ma nouvelle maison me paraissait fort belle telle qu'elle était,

165

plus intime et accueillante que toutes celles que j'avais connues. Avant de quitter la France, je m'étais mise d'accord avec Mehdi : je demanderais à Shafiq de divorcer et nous nous marierions aussitôt que possible. Lorsque je proposai à Shafiq de mettre un terme officiel à notre mariage, il accepta mais à la condition que le divorce soit discret et que j'attende que nos enfants fussent de quelques années plus âgés. J'acceptai. Je n'ai jamais été une mère classique — pas plus que je n'ai été une épouse de type classique — mais je n'en ai pas moins une affection extrême et jalouse pour mes enfants.

Comme j'estimais que j'étais celle qui n'avait pas su accorder à notre mariage l'attention et les soins indispensables à sa réussite, je me dis que Shafiq avait sans doute raison de penser que notre divorce serait moins traumatisant pour les enfants si nous laissions s'écouler quelque temps. Attendre était pénible mais j'étais arrivée à comprendre que toute chose a son prix et, notamment, la vie officielle que j'avais choisie : si je ne peux consacrer davantage de mon temps à ma vie personnelle, il me faut alors accepter l'idée que mes satisfactions principales me viendraient de mes entreprises et que je n'aurais que des moments limités de bonheur personnel.

Quelques mois après mon retour en Iran, Mehdi m'y suivait. Je lui expliquai qu'il allait falloir attendre plusieurs années avant de pouvoir nous marier et cet homme compréhensif et remarquable l'admit fort bien. Mais Téhéran n'est pas Paris, nous ne pouvions nous parler et nous voir qu'avec la plus grande discrétion — à l'occasion de grandes réceptions ou de réunions familiales auxquelles mon mari ne serait pas présent. J'avais fait l'objet d'assez de rumeurs — mon nom avait été romantiquement associé avec la plupart des hommes politiques avec lesquels j'avais travaillé, y compris celui des deux derniers Premiers ministres Hajir et Razmara — pour que je redouble de prudence maintenant qu'il y avait réellement dans ma vie un homme qui m'intéressait. Mon frère avait bien donné son accord à mon divorce, mais je ne voulais à aucun prix lui causer le moindre embarras inutile ; un second divorce d'un membre féminin de la famille royale ferait déjà assez parler. Il me suffisait — et il le fallait bien —

de savoir que Mehdi était là et qu'il serait encore là lorsque je serais libre de l'épouser.

Les deux hommes qui ont vraiment dominé mon existence sont mon père et mon frère. Mais Mehdi, à sa manière tendre et discrète, est devenu dès le premier jour une part importante de ma vie. A Paris, il m'avait donné l'occasion d'être jeune, un peu folle et frivole — c'est une époque que je n'oublierai jamais, d'autant que j'avais quitté une enfance assez solitaire pour un mariage qui ne l'était guère moins. Et Mehdi m'acceptait si entièrement, si tendrement que je pouvais, dans son regard, me voir sous un jour différent. Ainsi, mon image dans un miroir ne m'avait jamais plu, encore que les hommes m'aient assuré que j'étais séduisante. J'ai toujours désiré avoir un autre visage (ne me demandez pas précisément lequel), un teint plus clair ; j'aurais voulu aussi être plus grande. J'ai toujours été persuadée qu'il y avait au monde si peu de personnes plus petites que moi que, lorsque j'en rencontrais une par hasard, j'en ressentais une certaine satisfaction. Mehdi m'affirmait que j'étais parfaite et comme il était mon meilleur ami, j'ai fini par me trouver moins d'imperfections.

Je me suis souvent mise dans des situations impossibles parce que je dis généralement et sans détours ce que je pense. Mehdi était ravi de cette franchise un peu rude.

« Vous n'êtes pas comme toutes les femmes, disait-il. Il n'y a pas d'hésitations ni de faux-fuyants entre ce que vous avez en tête et ce que dit votre bouche. J'adore ça. »

Et comme nous étions amis, il me semblait qu'il existait au moins une personne qui ne se cabrerait pas si je ne réfléchissais pas davantage avant de parler.

Le moment me paraissait venu de commencer à consacrer la plus grande partie de mon temps à la défense des droits de la femme iranienne, puisque ce moment était aussi celui où j'éprouvais la plus grande joie d'être femme. Je dois avouer que, même si dans mon enfance j'ai dû payer le prix d'être une fille, sous le rapport de l'éducation et de ma liberté, je n'avais guère songé aux différentes manières dont les femmes en général étaient plus opprimées que les hommes, pas plus que je n'avais réfléchi aux théories qui engendrent cette oppression. J'avais simplement décidé de vivre ma vie selon mon goût, d'accepter les défaites comme elles venaient et de continuer d'aller droit devant moi. J'imaginais que cette attitude m'était permise parce que j'étais princesse et sœur du Shah.

Évidemment, il existait les bases d'un mouvement féministe depuis l'époque constitutionnaliste où l'on avait vu une poignée de femmes éclairées et courageuses rejoindre les hommes dans leur lutte politique contre les Qajars. Si l'on considère les choses avec le recul historique, on peut dire que ce renouveau d'activité plonge ses racines dans notre passé le plus ancien. Avant l'invasion arabe, au milieu du VIIe siècle, l'Iran a eu deux reines souveraines et nos femmes jouissaient d'une gamme étendue de droits et de privilèges dont certains font encore l'objet de discussions aujourd'hui. Avec la conquête islamique, les femmes d'Iran perdirent leur statut social et leurs droits civils, non que cela ait tenu à l'islam même mais aux usages adoptés sous l'influence arabe. Une fois perdus, ces droits n'ont pas été faciles à regagner (j'espère que cette leçon ne sera pas oubliée par les femmes iraniennes d'aujourd'hui).

Au cours de toute la première moitié du XXe siècle, cette renaissance a été lente. Au moment où j'ai entrepris de m'occuper des droits de la femme, nous ne connaissions que quelques organisations féminines dispersées, travaillant au hasard, sans le moindre programme ou projet d'avenir. Leurs membres s'occupaient d'œuvres charitables à titre bénévole, mais elles ne s'intéressaient pas aux questions essentielles comme l'égalité politique et économique des femmes.

J'ai fait la connaissance de ces groupes lorsque je cherchais des volontaires pour lancer des programmes de bienfaisance. Par la suite, j'ai rencontré les représentantes de différentes organisations dans l'intention d'établir le cadre d'un mouvement féministe. Ces rencontres donnèrent naissance à une fédération : le Grand Conseil des organisations féminines (qui serait connu par la suite sous le titre d'Organisation des femmes de l'Iran) doté de statuts et d'un état-major bénévole que je présidais.

Notre premier objectif était d'intégrer les femmes iraniennes dans tous les rouages de la société et de recréer la situation d'égalité que nos femmes avaient connue dans les siècles passés. Pour plus de précisions, voici comment nous opérions : nous travaillions à l'égalité économique par la formation professionnelle ; au rétablissement des droits et responsabilités civiles au moyen de l'instruction et de rencontres destinées à éveiller la conscience de l'Iranienne ; enfin nous cherchions à nouer une entente avec les femmes des autres pays par les relations internationales.

Au cours des dernières années, quand notre mouvement comptait environ un million de femmes, quatre cents organisations affiliées et un personnel volontaire de soixante-dix mille membres, nous nous sommes lancées dans une action politique plus directe (le soutien de certains candidats au Parlement, par exemple).

Tout cela ne s'est pas accompli en un jour. L'œuvre dont je vous parle n'a pu être réalisée qu'en près de deux décennies. Mais s'il m'est permis de sauter quelques années, je peux dire qu'après la Conférence de l'Année mondiale de la femme, tenue à Mexico, en 1975, l'Iran a été le premier à établir et à appliquer un « plan d'action » concret qui stipulait que le travail volontaire des femmes ne pouvait pas dépasser certaines limites, qu'il fallait que notre gouvernement s'engageât à ce que les femmes ne restent pas confinées dans le domaine qui leur était traditionnellement réservé, comme les services de l'enseignement élémentaire et les travaux domestiques. Nous obtînmes l'engagement du Shah et, jusqu'à la révolution, nous nous rencontrions régulièrement avec les ministres ou nous assistions aux réunions du Cabinet et discutions longuement de la manière d'étendre et d'améliorer la participation des femmes dans de nombreux domaines de la vie iranienne.

Sur le front politique, l'un des succès dont nous sommes le plus fières fut l'adoption du décret sur la protection de la famille, en 1975. Ce décret donnait aux femmes d'Iran les droits les plus étendus qui leur fussent accordés dans le Proche-Orient islamique. Il reconnaissait à la femme l'égalité dans le mariage : un droit égal de décision, dans le choix de l'avenir des enfants, pour le divorce et la garde des enfants. Il n'accordait plus au mari qu'une seule femme — mais cela

169

indirectement puisque le Coran lui en permet quatre — en établissant des conditions sévères qui lui rendaient pratiquement impossible de contracter un second mariage : le candidat polygame devait obtenir l'accord de sa première femme, disposer des ressources financières nécessaires pour l'entretien d'un second foyer ; enfin il devait faire la preuve que sa première femme était stérile ou atteinte d'une maladie incurable. Le décret stipulait par ailleurs qu'une femme pouvait demander le divorce pour les mêmes raisons que l'homme (ces raisons étaient désormais clairement définies), et il créait un dispositif aux termes duquel elle pouvait réclamer et recevoir pension alimentaire et soutien financier pour ses enfants. En cas de mort du mari, la garde des enfants serait accordée à la femme alors qu'auparavant la belle-famille avait la priorité.

Faire adopter ces lois fut une bataille inégale et de tous les instants. Nos différents comités passèrent des centaines d'heures à en rédiger les clauses de manière à réduire l'opposition civile et religieuse. Nous nous assurâmes la coopération de différents ministres — il m'apparaissait clairement qu'on ne peut pas obtenir l'émancipation de la femme dans une société éminemment masculine sans le soutien actif de quelques-uns au moins des hommes — et nous recherchâmes aussi l'appui des mollahs les plus progressistes. Nous leur adressions nos appels en commençant toujours par des formules comme : « Nous savons fort bien, évidemment, que les premiers devoirs de la femme sont ceux qu'elle a envers son mari et ses enfants, mais... »

Bien sûr, il fallait transiger à tous les instants ou presque. Par exemple, nous voulions faire disparaître du Code civil la clause qui stipule qu'une femme ne peut accepter un emploi sans le consentement de son mari.

« Mais réfléchissons un instant, Mesdames, dit l'un des religieux au cours d'une de nos réunions. Supposez que ma femme décide de prendre un emploi qui ne soit pas digne de mon ministère.

— J'aimerais beaucoup que vous me donniez un exemple, lui dis-je.

170

— Eh bien, supposons qu'elle accepte de travailler dans une usine ou de chanter dans un cabaret ?

— Voulez-vous dire que ces emplois sont moins honorables que le vôtre ? »

En fait, je me rendais compte pendant que nous discutions, que si cet homme assez libéral soulevait ce genre d'objections, les hommes d'esprit moins progressistes qui prenaient part comme lui à nos travaux reculeraient devant une loi qui donnerait aux femmes un droit illimité dans le choix de sa profession. Nous ajoutâmes donc une clause pour « sauvegarder » la dignité de l'homme — tout en insistant en même temps pour que la clause fût réciproque et s'appliquât aussi à la profession de l'homme et la dignité de sa femme.

Lorsque cela fut rédigé en bonne et due forme je dis à mes collaboratrices :

« Vous rendez-vous compte de l'étendue de la victoire que nous avons remportée grâce à ce compromis ? C'est la première fois qu'une loi iranienne reconnaît, d'abord que les femmes iraniennes ont une dignité et qu'elle prévoit en outre de la " sauvegarder ". »

Au moment où la révolution éclata nous avions acquis, aux yeux de la loi en tout cas, à peu près tous les droits des hommes. Nous étions même parvenues à autoriser l'avortement — indirectement puisque notre religion ne le permettrait pas autrement — en lui ôtant son caractère criminel et en prévoyant les formalités médicales qui permettaient d'y avoir recours.

Il restait trois domaines dans lesquels il y avait encore beaucoup à faire : le premier était la loi sur l'héritage. Le second concernait l'obligation faite à une femme d'obtenir l'autorisation du mari pour voyager à l'étranger. Là, l'opposition venait de la crainte d'une floraison « d'épouses fugitives », encore que je n'aie cessé de répéter qu'il était beaucoup plus important de se garder des « maris fugitifs » qui sont, dans la plupart des cas, les soutiens de la famille. Le dernier point inscrit à notre ordre du jour visait la suppression de l'article 179 du Code pénal qui permet à l'homme d'échapper au châtiment s'il tue sa femme lorsqu'il la surprend dans une situation qui lui permet de la « supposer » coupable d'adultère. Cette loi était interprétée si librement dans le passé qu'un frère avait échappé à la condamnation après avoir tué sa sœur — parce qu'il l'avait vue monter en taxi avec un homme !

Encore que l'application de toutes nos réformes ne fût pas tâche facile, elles nous valurent de nombreuses satisfactions. Un jour, un ministre de mes amis vint me voir pour se plaindre de ce que les droits de la femme allassent trop loin : il avait toutes les peines du monde à obtenir que sa femme consente à un divorce.

« Je suis absolument navrée si ce que nous avons pu faire vous pose des problèmes, lui dis-je. Mais je ne peux pas dire que je sois navrée que le jour soit révolu où un homme pouvait rejeter une épouse parce que tel était son bon plaisir. »

Nous avions réalisé tant de progrès depuis l'époque où les femmes de l'Iran étaient pratiquement invisibles qu'il m'est difficile de comprendre comment elles peuvent sans plus de résistance renoncer à ces droits aujourd'hui. A mes heures d'optimisme, je veux croire que les Iraniennes sont entrées dans la clandestinité et qu'elles n'attendent qu'une occasion de se montrer de nouveau et de réaffirmer leurs droits. Quand je me laisse aller au pessimisme, au contraire, je pense que nos femmes tiennent peu à leur liberté parce qu'elles n'ont pas eu à combattre où à connaître la prison pour l'obtenir et qu'elles comprendront seulement tout ce qu'elles ont perdu lorsqu'elles retomberont dans l'oppression.

Cette époque de libération de la femme, de l'instruction dispensée à une grande partie du peuple et de grandes réalisations sociales fut également marquée par un tournant de la politique étrangère de l'Iran. Pour la première fois depuis la guerre, nous prîmes la ferme décision de faire alliance avec les États-Unis au détriment de la Russie, une décision qui devait déterminer pendant des décennies l'histoire tout entière de notre pays et ouvrir finalement la voie à la dernière révolution.

En 1959, les Russes étaient de nouveau décidés à faire de l'Iran un allié et à affermir ainsi sur nous leur influence. Ils avaient même prévu un traité de non-agression et ils avaient convaincu le Shah de le signer. Mais lorsque la nouvelle de cette alliance parvint aux États-Unis, le président Eisenhower adressa à mon frère la promesse d'une aide américaine accrue s'il renonçait au traité avec les Russes.

Aussi, lorsque la délégation russe arriva à Téhéran pour concrétiser le projet, mon frère la renvoya-t-il chez elle les mains vides, ce qui eut pour effet, on s'en doute, de provoquer publiquement en Russie de violentes accusations à l'égard du Shah. Au cours d'une conférence de presse, Khrouchtchev déclara :

« Ce n'est pas grâce à des pactes avec les États-Unis que le Shah sauvera son trône pourri. Il nous a traités comme si nous étions le Luxembourg et il le paiera. »

Un article de la *Pravda* reprenait les menaces de Khrouchtchev et prophétisait :

« Le double jeu du Shah lui vaudra le même sort que celui du roi Faysāl d'Irak. »

Après un bombardement constant d'attaques verbales (et dans la certitude que les Soviets ne renonceraient pas à leur effort afin d'assurer leur présence en Iran, d'une manière ou d'une autre), nous fûmes grandement rassurés lorsqu'Eisenhower vint en Iran, à la fin de 1959, après son voyage en Inde. Le président des États-Unis prit la parole au Parlement pour faire l'éloge du Shah.

« Vous avez tenu contre l'assaut d'une violente propagande », dit-il et il promit de maintenir l'aide américaine.

Et l'on pouvait avoir foi en Eisenhower. Lorsque j'allai le voir à la Maison Blanche, en 1956, j'ai trouvé en lui un homme honnête et réaliste, une personnalité pleine d'humanité et à qui l'on pouvait se fier. Bien qu'il relevât de maladie et qu'il fût encore faible et amaigri, il me déclara qu'il avait la ferme intention de retrouver sa santé et de se représenter aux élections, et c'est ce qu'il fit.

L'allusion de la *Pravda* au roi Faysāl était une pointe habilement choisie, car le feu roi d'Irak était non seulement un ami intime de notre famille mais aussi notre allié et sa mort nous avait profondément émus. Faysāl était un homme charmant, qui avait une éducation britannique et les manières d'un gentleman. Il était en fait un monarque symbolique, car le pouvoir véritable en Irak était exercé par le Premier ministre Nouri el-Saïd, un homme qui avait établi le système gouvernemental le plus perfectionné de tout le Proche-Orient.

Comme nos familles et nos deux pays étaient intimement liés (les échanges de visites entre Téhéran et Bagdad étaient continuels), Faysāl présenta sa demande dans les formes : il désirait épouser ma nièce Shahnaz. Mon frère laissa à sa fille la liberté de se décider et il fut convenu qu'elle et Faysāl se rencontreraient à Londres de façon à faire plus ample connaissance. A l'issue de cette rencontre, Shahnaz opposa un « non » à la proposition de Faysāl — ce qui à mon époque n'était pas chose que femme pût faire.

Faysāl trouva, pendant l'été 1957, une autre femme à épouser — la princesse Fazilat, descendante des souverains ottomans, mais le mariage n'eut jamais lieu. Le soir du 14 juillet 1958, deux généraux irakiens, Abd-el-Karim Qassem et Abd-el-Salam Aref, fomentèrent une révolte : le roi Faysāl et toute sa famille furent massacrés, en même temps que le Premier ministre Nouri el-Saïd. A Téhéran cette nouvelle nous frappa comme un deuil familial.

Nous voyions avec inquiétude notre voisin devenir la proie d'émeutes et d'assassinats. En 1955, dans les dernières années du règne de Faysāl, nous avions signé le Pacte de Bagdad qui, à l'initiative de John Foster Dulles, devait constituer un système collectif de défense pour ses adhérents (Iran, Irak, Turquie et Pakistan). La mort de Faysāl sonna le glas de ce traité.

Abd-el-Karim Qassem succéda à Faysāl mais il fut assassiné à son tour cinq ans plus tard ; Abd-el-Salam, qui lui avait succédé, le fut également : il trouva la mort dans un étrange accident d'hélicoptère. On imagine facilement que, dans cette ambiance, le comité révolutionnaire qui gouvernait l'Irak pût vivre dans une terreur perpétuelle. Avant chaque réunion, ses membres se fouillaient les uns les autres et ils avaient fait serment de ne pas s'assassiner — au moins pendant la séance. C'est seulement depuis cette dernière décennie, sous la conduite d'Hassan al-Bakr et de Saddam Hussein, que l'Irak a retrouvé un gouvernement stable. Grâce à Saddam Hussein, que j'ai rencontré il y a trois ans à Bagdad, les relations entre l'Irak et l'Iran — qui étaient tendues depuis la mort de Faysāl — reprirent un cours normal.

174

Lorsque j'observe une situation politique comme celle-là ou comme les événements qui se déroulent dans mon pays, je suis de plus en plus persuadée que la politique, et tout particulièrement celle du Proche-Orient, concilie rarement la logique et l'amitié. Je me rappelle alors une fable inspirée de La Fontaine et que citait souvent notre ambassadeur à Bagdad.

« Au bord d'une profonde rivière un scorpion s'efforçait vainement de trouver un moyen de la franchir, lorsqu'il aperçut une tortue.

— Peux-tu m'aider à passer la rivière ? lui demande-t-il.

— Bien sûr, répond la tortue, monte sur mon dos et je te déposerai sur l'autre rive.

Comme ils atteignaient le milieu de l'eau, le scorpion se mit à piquer la carapace de la tortue. Je suis là, bonne fille, à te rendre service... En voilà une façon de me récompenser de mon aide ! D'autant que tu perds ton temps — tu ne peux pas transpercer ma carapace. Pourquoi agis-tu ainsi ?

— Oh, tais-toi, dit le scorpion. Ne me demande pas pourquoi. Tu ne sais donc pas que nous sommes au Proche-Orient ? »

Bien que mon frère fût toujours profondément épris de Soraya, leur mariage n'allait pas sans sérieuses difficultés à mesure que les années passaient sans leur apporter d'héritier. La situation empira en 1954, quand mon frère Ali Reza mourut sans laisser d'héritier mâle pour succéder au Shah.

Soraya avait consulté la plupart des grands spécialistes, en Europe et aux États-Unis, mais en pure perte. On envisagea toutes les solutions possibles pour sortir de ce dilemme, jusqu'à modifier les règles de succession ou encore à laisser au Shah la liberté de prendre une seconde épouse, mais on ne s'arrêtait finalement à aucune. Soraya et le Shah durent en arriver tristement à la conclusion qu'ils n'avaient d'autre solution que le divorce.

Un soir de mars 1958, nous fûmes tous invités à une réception au palais ; aucun de nous ne le savait mais c'était là la dernière soirée que Soraya et le Shah allaient passer ensemble. La réception fut très gaie : aucun des invités ne pouvait savoir la douleur que ressentaient leurs hôtes.

Le lendemain matin, Soraya s'envolait de Téhéran pour la Suisse et l'on annonçait officiellement un autre divorce dans la famille régnante. Mon frère conférait à Soraya le titre de « Princesse royale » et à l'idée que leur mariage dût prendre fin, je suis sûre qu'ils éprouvaient tous deux un immense regret et une même douleur.

Lorsque, vingt ans plus tard, mon frère suivit un traitement contre le cancer dans un hôpital de New York, Soraya fut l'une des premières à lui câbler ses vœux. Nous n'avions jamais été de grandes amies, mais je fus tellement émue de son geste que j'aurais souhaité qu'elle fût là pour la prendre affectueusement dans mes bras.

Bien que mon frère ne fût pas réellement pressé de prendre une autre femme, les pressions qui avaient précipité le divorce — la nécessité d'un héritier pour le trône — s'exerçaient de plus en plus mais cette fois pour un nouveau mariage. Les recherches discrètes reprirent donc. C'est alors qu'Esfandiari Diba, le dentiste de la cour, intervint dans les projets d'union en révélant à Ardeshir Zahedi (qui était devenu le gendre du Shah par son mariage avec Shahnaz) qu'il avait une nièce ravissante, Farah, qui ferait, pensait-il, une épouse idéale pour le Shah.

Le père de Farah, qui est mort lorsqu'elle avait dix ans, était né à Tabriz ; sa mère était originaire de la province de Gilan. Farah Diba avait d'abord fait ses études dans des institutions privées de Téhéran avant d'aller suivre les cours de l'École spéciale d'architecture de Paris. En fait, pendant qu'elle étudiait à Paris, elle avait aperçu une fois le Shah au cours d'une réception offerte aux étudiants iraniens.

Ardeshir Zahedi parla au Shah de cette jeune fille intelligente, cultivée, d'une éducation parfaite et qui était de plus très jolie. Comme Farah passait ses vacances d'été à Téhéran, Ardeshir et Shahnaz arrangèrent une réunion. C'était la première fois que le Shah rencontrait une épouse possible sans en avoir jamais vu d'abord des photographies. Une semaine plus tard mon frère proposait le mariage.

Farah fit un saut à Paris pour y acheter son trousseau

176

et, dès son retour, les fiançailles furent annoncées. Le 21 décembre 1959, mon frère et Farah se mariaient au palais Golestan en présence de plus de quatre cents invités.

Chaque fois que j'essaie de dépeindre ma belle-sœur, les superlatifs se précipitent sous ma plume. Bien que Farah n'eût que vingt et un ans lorsqu'elle épousa mon frère et qu'elle n'eût jamais connu que la vie d'une étudiante, elle s'acquitta de son rôle royal comme si elle était née pour le trône. Elle a été une épouse et une mère parfaite. Dix mois après leur mariage, Diba donnait à mon frère un fils, le prince héritier Cyrus Reza. Et trois autres enfants allaient suivre : Farahnaz en 1963, Ali Reza en 1966 et Leïla en 1970.

Par son amour des arts, la reine Farah a joué un rôle capital dans la renaissance culturelle de l'Iran (tout en s'occupant assidûment des œuvres sociales). Elle a créé le Festival artistique de Shiraz-Persépolis, présidé le Festival international du cinéma et patronné activement de nombreux artistes iraniens. Son goût personnel et son talent architectural se révèlent tout particulièrement dans la demeure qu'elle conçut pour elle et pour mon frère et qui s'élève près du palais Niavaran.

Après ce mariage, notre vie familiale adopta un rythme assez routinier. Nous rendions visite à ma mère deux fois par semaine ; la famille venait me voir également deux fois ; Shams nous recevait une fois ; et une autre fois, si aucune réception officielle n'était prévue, nous passions la soirée avec le Shah et Farah. Chacun pouvait amener à ces réunions quelques amis personnels mais, d'une manière générale, c'étaient de paisibles soirées, qui se passaient en conversations et autour d'une table de bridge. Ma sœur Shams, dont le premier mariage s'était soldé par un divorce, était maintenant mariée avec le directeur du Département des arts et de la culture. Nous assistions donc souvent chez elle à quelque récital de musique, de chants ou de danses populaires. Par les chaudes soirées d'été, mon frère et moi restions souvent dans le parc à goûter la brise fraîche et sèche de la montagne.

Mon frère restait toujours très protocolaire, même pendant ces soirées relativement détendues. Je ne me rappelle pas l'avoir jamais vu cravate dénouée ou veston déboutonné.

177

Comme mon père, il ne mangeait jamais beaucoup pendant un repas et il ne se permettait ensuite qu'une seule cigarette. Le Shah était toujours d'une galanterie parfaite avec ses invitées et, à l'inverse de tant d'Iraniens, il manifestait une exquise et constante courtoisie à l'égard de sa femme. Je n'en donnerai qu'un seul exemple : un soir où Farah se faisait attendre pour dîner, mon frère insista pour que tout le monde l'attendît (la plupart des maris iraniens se seraient mis à table sans leur femme).

Après le remariage du Shah, je recommençai à penser à mon propre mariage avec Mehdi. Je parlai une fois encore de divorce à Shafiq et il y consentit enfin. Notre union n'avait pas été celle de deux amoureux et c'est sans doute pour cette raison que nous pûmes nous séparer sans éclats et de manière plutôt amicale.

Shafiq épousa une autre femme, mais nous restions amis et nous parlions souvent de ce qui touchait nos enfants ou même de nos affaires personnelles. Il y a quelques années, lorsque Shafiq apprit qu'il était atteint d'un cancer, c'est à moi la première qu'il le révéla et nous décidâmes ensemble de la manière dont il convenait de l'apprendre aux enfants. Quand il mourut, quelque temps plus tard, je pris la part qu'on peut imaginer à la douleur qu'ils ressentaient.

Sept ans s'étaient écoulés depuis la première fois où Shafiq et moi avions parlé de mettre un terme à notre mariage et le moment où il prit fin effectivement. Nos enfants avaient maintenant quinze et neuf ans mais ils n'en furent pas moins attristés et traumatisés par le divorce. Shahriar me déclara qu'il désirait aller vivre avec son père et ma fille dit tout d'abord que c'était aussi le choix qu'elle avait fait. Encore que j'adorasse mes enfants, je ne tentai point de les convaincre de rester près de moi : je ne pouvais pas plus être une « mère totale » que je n'avais été une « épouse totale ». Pourtant, après avoir vécu plusieurs mois avec son père, Azadeh me dit un jour :

« Maman, je voudrais bien revenir à la maison maintenant. Je veux vivre avec toi.

— En es-tu certaine, Azadeh ? Absolument certaine ? lui

178

demandai-je. Tu sais que ton père, lui aussi, t'aime énormément. »

Bien que son désir de me revenir m'ait rendu infiniment heureuse, je savais que Shafiq pouvait sans aucun doute lui consacrer plus de temps et plus de soins que moi. Mes années d'enfance avaient été tellement solitaires que je ne voulais à aucun prix qu'un de mes enfants pût se sentir importun ou mal aimé. Je ne voulais pas qu'il pût me craindre autant que j'avais eu peur de mon père, aussi les ai-je toujours encouragés à me parler en toute franchise et à me dire exactement ce qu'ils pensaient ou ressentaient sans tenir compte de ce que pourrait être mon sentiment.

Azadeh me ressemblait beaucoup — même encore enfant elle avait une volonté prononcée et parlait sans ambages —, aussi lorsqu'elle prit la décision de venir vivre près de moi n'y eut-il plus à y revenir. Nous avions souvent été séparées, je le lui fis remarquer et lorsqu'elle atteignit sa treizième année elle partit étudier en France. Nous n'en avons pas moins eu des relations profondément affectueuses, davantage comme deux amies, d'ailleurs, que comme mère et fille. Aujourd'hui encore nous nous téléphonons presque chaque jour.

La rupture avec Shahriar fut plus longue à guérir mais lorsqu'il commença à penser lui-même à son propre avenir et à oublier l'époque de son enfance, il devint un peu plus tolérant pour les erreurs et les fautes des adultes. Comme mon frère Ali Reza, Shahriar était né pour la carrière des armes. Il aurait voulu devenir pilote d'aviation mais il était atteint de myopie et il se lança donc dans la carrière de marin. A seize ans, il entrait au Collège de la marine royale britannique, à Dartmouth, en Angleterre.

Shahram, le fils que j'avais eu de mon premier mariage, avait terminé ses études au Rosey et il était entré à Harvard pour y faire des études supérieures de commerce.

Lorsque j'y songe, que je revois mes enfants petits bébés et tels qu'ils sont devenus, il me semble que les années ont passé comme des minutes et que j'ai vécu des siècles.

Mes erreurs m'ont servi parfois de leçon, souvent il n'en a rien été — et voilà que j'étais prête à me marier encore. J'avais quarante ans et c'était la première fois que je me mariais par amour ; mais j'étais toujours la femme dont la vie ne pouvait pas être uniquement consacrée au mariage. Mehdi déclara qu'il le savait, qu'il l'acceptait et nous convînmes tous deux que nul ne tenterait d'imposer sa préférence personnelle à l'autre. Mais, avec deux mariages rompus dans le passé — pour quelque raison qu'ils l'eussent été —, j'abordai ma nouvelle union en proie à des sentiments divers : l'espoir et l'appréhension.

Pour ce mariage, Mehdi et moi prîmes l'avion pour Paris, la ville où nous nous étions connus. Le voyage ne fut pas autrement romanesque ni extravagant — il n'était pas coutumier et guère accepté qu'une princesse se mariât trois fois et je ne désirais pas attirer sur ma personne plus d'attention qu'il n'était strictement nécessaire.

Au mois de juin 1960, dans une robe plissée de chiffon rose, j'épousai très discrètement en l'ambassade d'Iran à Paris, Mehdi, l'être le plus parfait ou peu s'en faut que j'aie jamais connu. Nos relations évolueront peut-être dans les années à venir mais l'opinion que j'ai de lui ne changera jamais.

Nous passâmes notre lune de miel dans le midi de la France, dans ma maison de Juan-les-Pins, l'un de mes refuges favoris pour me dorer au soleil et « loin de tout ».

Voilà qui me rappelle que c'est à Juan-les-Pins que j'ai rencontré Jacqueline et John Kennedy. C'était l'été précédent ; l'un de nos amis nous avait invités à déjeuner, Mehdi et moi. En arrivant, nous vîmes qu'il y avait deux autres invités : le sénateur et Mme Kennedy. Mehdi avait étudié dans la même institution que Lee, la sœur de Mme Kennedy. Aussi lorsqu'il fut présenté à Jacqueline lui demanda-t-il des nouvelles de sa sœur, ce qui lui offrit l'occasion de lui parler de leur vie d'étudiants à Paris.

Quelles que soient les rumeurs qui couraient sur le désaccord de leur vie conjugale, les Kennedy paraissaient alors un couple « en or » — beaux, heureux et confiants. Pendant que Mehdi et Jackie s'entretenaient en français, je demandai à Jack :

« On dit que vous serez bientôt président ? Est-ce vrai ?

Il se mit à rire et me répondit :

— Ma foi, vous savez que la présidence est le but de tout politicien ambitieux. J'ai sûrement la volonté et peut-être la possibilité d'atteindre ce but-là. Si cela se réalise, je sais que je servirai mon pays de mon mieux. »

Puis, tournant la tête vers Jackie, il ajouta :

« Vous conviendrez que j'ai une femme charmante et belle et qui serait parfaite dans le rôle de Première Dame des États-Unis. »

Après le déjeuner Mehdi me dit : « Cet homme ira loin dans la politique américaine », et j'étais tout à fait d'accord avec lui.

Beaucoup d'initiatives de mon frère ont amélioré les conditions de la vie en Iran, mais je pense que le plus significatif fut la réforme foncière qu'il lança en 1963, dans le cadre de la révolution blanche. Au moyen d'une série de changements radicaux, le Shah entreprit de faire de l'Iran un État moderne et dont la plus grande partie de ses citoyens auraient leur part.

Près des trois quarts de la population travaillaient dans une branche quelconque de l'agriculture alors que plus d'un tiers des terres cultivées du pays étaient la propriété d'un nombre de familles terriennes qui n'atteignait pas 1 pour 100 de la population. Pour que cette situation devînt plus équitable, le Shah distribua, en 1950, ses propres terres d'abord puis, au cours des quinze années qui suivirent, il essaya systématiquement de changer la répartition des terres publiques et privées en limitant le nombre d'hectares que pouvait détenir un seul propriétaire. Dans la phase initiale de l'exécution de ce projet, près de 250 millions d'hectares furent ainsi distribués à quarante-deux mille agriculteurs. Et lorsqu'on en arriva au terme du programme, quelque 2 millions de petits fermiers possédaient enfin leur terre, plus de deux mille huit cents coopératives agricoles fonctionnaient et elles avaient accordé plus de 20 milliards de rials à titre de prêts individuels à leurs membres.

Tout cela n'alla pas sans provoquer de fortes résistances, tant de la caste des propriétaires terriens (de nombreux politiciens en particulier) que de celle du clergé (dont les membres avaient souvent d'immenses domaines, comme le clergé catholique d'Europe dans les siècles passés). Lorsque la loi limitant la propriété des terres fut soumise à un référendum, en 1963, nous vîmes déferler une vague d'émeutes sanglantes, d'incendies et d'actes de sabotage.

Puisque nous en sommes là, je dois dire que le fauteur de tous ces désordres était un membre du clergé iranien, un certain mollah appelé Ruhollah Khomeiny, adversaire déclaré de l'ensemble des projets de modernisation de mon frère et surtout de ceux qui avaient trait à la réforme agraire et à l'émancipation de la femme. Lorsque Khomeiny fut arrêté, une personnalité du clergé, l'ayatollah Kazem Shariat Madari (grand rival aujourd'hui de Khomeiny), intercéda en sa faveur auprès du général Hassan Pakravan, de la Savak, implorant que l'on accorde à Khomeiny le titre d'ayatollah ce qui lui vaudrait l'immunité contre les peines les plus sévères de la loi pour ses actes séditieux. Le titre lui fut accordé et Khomeiny fut simplement prié de quitter le pays. (Lorsque Khomeiny prit le pouvoir, en 1979, il paya le général Pakravan de ses bienfaits en le faisant exécuter, éliminant du même coup et fort à propos l'homme qui savait que Khomeiny lui-même avait eu des rapports avec la Savak.)

Outre la réforme agraire, la révolution blanche prévoyait la nationalisation des forêts, la cession des industries d'État aux coopératives et aux particuliers, la création d'un régime d'intéressement du personnel et des cadres de ces industries, la réforme de la loi électorale afin de promouvoir le suffrage universel (et, notamment, le vote des femmes), la création de différents corps — enseignement, santé et développement — destinés à améliorer la qualité de l'instruction, des soins médicaux et dentaires et de la formation agricole dans l'ensemble du pays. Cette révolution prévoyait aussi : la création de « maisons de justice » — tribunaux de villages — pour simplifier le système judiciaire et le rendre accessible à tous ; un plan d'urbanisation et de reconstruction rurale, la nationalisation des réserves hydrauliques, la réorganisation de l'administration gouvernementale et enfin la rénovation complète du système d'enseignement.

Naturellement, il y a toujours une certaine différence entre la conception de ces programmes ambitieux de développement et leur exécution. Lorsque j'entends, aujourd'hui, les attaques lancées contre mon frère pour ce qu'il n'a pas pu accomplir, sans qu'il soit fait la moindre allusion à ce qu'il a eu le temps de réaliser, je me demande si ces attaques ne viennent pas de ceux-là même qui, pour des raisons personnelles, ne désiraient pas voir l'Iran sortir aussi rapidement de sa situation de pays misérable pour accéder à celle d'État prospère et respecté.

Dans le « boom » de dix ans qui suivit la révolution blanche, l'Iran a connu une transformation spectaculaire, vertigineuse. Notre réseau de transport a été radicalement amélioré par la construction de plus de 30 000 kilomètres de nouvelles routes, de dix-sept aéroports et l'installation d'un réseau téléphonique qui reliait à peu près toute l'étendue du pays. Et grâce à quatorze barrages, qui irriguaient un million d'hectares de terres, la production d'électricité a décuplé.

Ayant compris que les réserves de pétrole du pays allaient s'épuiser vers le début du XXIᵉ siècle, le Shah encouragea la recherche d'autres sources d'énergie, notamment solaires et nucléaires, qui, espérait-il, fourniraient aussi l'énergie à des usines de « désalinisation » qui ajouteraient à nos ressources hydrauliques. (En fait, en 1979, six usines d'énergie nucléaires étaient déjà en construction.) Il estimait que le pétrole devait être réservé à l'usage industriel et l'Iran devint rapidement producteur de produits pétrochimiques, avec des usines à Shiraz, Shahpur, Abadan et Kharg. Dans ce pays qui était presque totalement agricole on assista au développement accéléré de l'industrie — le fer, le soufre, l'acier (à la fin du régime du Shah, le complexe fer-acier d'Ispahan allait atteindre une production de 4 millions de tonnes par an). L'Iran exportait des appareils ménagers, des automobiles, des tracteurs et des autobus vers l'Europe et le Proche-Orient. La production d'électricité était passée de 689 millions de kilowatts-heures en 1960 à 18 milliards en 1979. La production de ciment s'était multipliée par onze entre 1962 et 1974 pour atteindre 5 millions de tonnes par an.

Dans ce climat économique, l'immobilier fit littéralement explosion : la valeur des terrains se trouva multipliée plusieurs centaines de fois. Comme pour nombre d'Iraniens, les

183

transactions immobilières me permirent d'accroître ma fortune personnelle : transactions telles que, par exemple, le lotissement et la construction d'un millier de villas. J'ai lu, ces derniers temps, dans certains journaux, des articles qui prétendaient que les membres de la famille royale avaient acquis d'énormes richesses par des moyens douteux ou franchement malhonnêtes. En vérité, les progrès rapides de notre économie offraient à tous nombre d'occasions de devenir riche le plus légitimement du monde. Je n'en veux pour témoins que la foule de simples boutiquiers ou négociants qui allaient devenir millionnaires presque du jour au lendemain. Pour quelqu'un qui avait quelques moyens financiers personnels, même réduits, les occasions de devenir riche étaient pratiquement sans limites. Après la mort de mon père, j'avais consacré la plus grande partie de mon héritage à l'achat de pierres précieuses, des émeraudes russes, notamment. Avec le temps, elles ont pris une valeur énorme, comme mes biens immobiliers et elles m'ont fourni des capitaux pour d'autres placements.

Pendant que le revenu du peuple iranien s'accroissait et hissait notre pays au neuvième rang dans le monde, le Shah conduisait une politique étrangère qui s'inscrivait entre notre alliance primordiale avec les États-Unis et de bonnes relations avec la plupart des autres pays.

Au Proche-Orient, nous entretenions des relations stables, sinon toujours cordiales, avec nos voisins de bonne volonté. Au moment où l'armée britannique quittait progressivement le golfe Persique, mon frère jugeait impératif que l'Iran fût doté d'une armée moderne et bien équipée. L'accroissement de notre puissance militaire donna quelque souci à nos voisins arabes, bien que l'Iran n'eût pas d'intentions agressives à leur égard. L'attitude indépendante du Shah pour ce qui était du pétrole ne fut pas toujours du goût des autres membres de l'O.P.E.P., d'autant qu'il n'entendait pas faire du pétrole une arme politique dirigée contre Israël (bien que l'Iran ne vendît pas directement à Israël, le Shah n'avait mis aucun embargo sur la destination éventuelle d'un bateau-citerne dès lors que celui-ci avait quitté nos ports ; Israël pouvait, par conséquent, acheter du pétrole iranien).

Nous comptions des amis très chers dans nombre de capitales du Proche-Orient. Quelle que fût la situation politique, le roi Hussein de Jordanie fut toujours notre ami. La presse occidentale l'appelle souvent « le petit roi » à cause de sa taille et de l'exiguïté de son pays mais c'est un homme remarquable et un chef courageux. Pour l'Iran, il a toujours été comme un frère. Outre les visites protocolaires normales, nous avons partagé, lui et nous, bien des vacances amicales, soit sur les rives de la Caspienne, soit en Jordanie. Hussein et mon frère ont le même goût pour le sport, en particulier le ski — le ski nautique aussi — et l'aviation. La reine Farah et la feue reine Alia s'entendaient admirablement. Dois-je dire que les appels téléphoniques et les messages d'Hussein nous sont un grand réconfort depuis que le Shah est malade ?

Nous n'avions pas de relations personnelles aussi étroites avec Hassan, le roi du Maroc, mais j'eus l'occasion de faire avec lui ample connaissance lorsqu'il donna asile à mon frère pendant deux mois après la révolution de 1979. Le roi Hassan reçut le Shah avec l'immense générosité et l'hospitalité traditionnelle de l'Orient, sans se soucier des problèmes que cela pouvait lui créer.

Parmi nos amis, il faut mettre au premier rang le chef de l'Égypte, Anouar al-Sadate. Le monde entier sait maintenant l'homme d'État qu'il est, le chef qui a tout risqué pour mettre fin à la guerre et à l'effusion de sang. Mais au-delà de ce que tout le monde connaît, il faut savoir que Sadate est un homme profondément religieux, d'une intégrité rare et qui ne renonce pas à ses principes par opportunisme — une qualité à peu près introuvable dans le monde actuel.

Lorsqu'il est devenu le président de l'Égypte, l'une de ses décisions primordiales fut de mettre fin à la présence des Russes en Égypte (et du même coup à l'aide substantielle qu'en tirait son pays). Mon frère offrit au président Sadate son aide financière pour aider l'Égypte à traverser cette période difficile. Des années plus tard, alors que tant d'anciens amis avaient oublié jusqu'à l'existence même de mon frère, Anouar al-Sadate lui tendit une main secourable — là encore sans souci des risques politiques et personnels. Ce n'est que bien plus tard que le Shah accepta avec reconnaissance l'invitation de s'installer en Égypte mais il savait quel fardeau il ajoutait à celui déjà écrasant que porte ce grand homme.

Si nos relations avec la Grande-Bretagne étaient plus ou moins tièdes selon les années, le Shah, depuis le début de son règne, était en contacts cordiaux avec la famille royale d'Angleterre. Nos deux familles s'étaient rendu de mutuelles visites (on attendait même la reine à Téhéran, en décembre 1978 mais la visite fut annulée en raison des troubles). J'ai toujours pensé que la reine était une femme pleine de charme et j'éprouve une affection toute particulière pour la reine mère, femme intelligente, gaie, alerte en dépit des années et dotée d'un délicieux sens de l'humour. La dernière fois que j'ai vu l'Angleterre, ce fut à l'occasion de l'inauguration de la bibliothèque Ashraf-Pahlavi que j'ai offerte au collège Wadham d'Oxford.

Entre tous les leaders occidentaux que j'ai connus, celui que j'admirais le plus, et dès les premiers jours de la résistance française, c'est Charles de Gaulle, un chef militaire au patriotisme voisin du fanatisme. C'était un homme imposant, et pas seulement à cause de sa stature — on dut lui fabriquer un lit sur mesure lors de sa première visite à Téhéran, qui s'exprimait d'un ton mesuré ; il était enfin la quintessence du diplomate qui trouvait toujours le mot approprié à la situation.

L'histoire qui me revient le plus volontiers remonte à la première visite officielle qu'il fit en Iran, en octobre 1963, avec Mme de Gaulle. La première étape prévue était une usine de pétrochimie que les Français étaient en train de nous construire près de Shiraz. Évidemment, cet arrêt comprenait la tournée d'inspection et les discours habituels. De là, le cortège présidentiel fut conduit à notre antique cité de Persépolis où il fut accueilli par le directeur du musée. Je suis persuadée que chacun dut gémir en son for intérieur lorsque, sur les degrés monumentaux du musée, sous un soleil de plomb, le directeur se mit en devoir de lire un discours de vingt à trente pages. L'excellent homme était visiblement prêt à nous retracer en détail l'histoire de l'ancienne cité. Au moment où il lisait : « Un soir qu'il était sous l'empire de l'ivresse, Alexandre le Grand hissa sur ses épaules l'une de ses maîtresses et elle mit le feu à cet imposant monument... », le directeur s'interrompit juste le temps de passer à la page suivante. Le président de Gaulle en profita à l'instant :

« Eh bien, dit-il, allons voir tout de suite ce qu'il en reste. »

Charles de Gaulle témoignait d'une affection presque paternelle à l'égard de mon frère. Peu de temps avant de mourir, il disait au Shah :

« Je vois que vous avez réalisé beaucoup de belles choses en très peu de temps. Mais, ajouta-t-il, je vous conseille de ne pas vous laisser déborder par la droite. »

Mais je pense que, d'une manière générale, les leaders et diplomates occidentaux ne cherchent guère à pénétrer les mystères des traditions et de la psychologie qui ne sont pas les leurs.

Aux États-Unis, d'une administration présidentielle à la suivante, on a pu noter d'extraordinaires différences d'attitude à l'égard des civilisations étrangères à l'hémisphère occidental. Pour ce qui est des affaires intérieures de l'Iran, par exemple, de nombreux hommes politiques américains ont commis de sérieuses erreurs de jugement en s'obstinant à appliquer la conception américaine du type « les choses devraient être comme ça » et à employer les méthodes américaines pour essayer de résoudre des problèmes purement iraniens. Dans leur répugnance pour ce qu'ils jugent un gouvernement « autoritaire » — et dans leur crainte de l'influence communiste qui envahit le globe — ils ont fait confiance à des politiciens qui n'avaient le plus souvent que des solutions superficielles à opposer à ces dangers. Les résultats ont été souvent désastreux : il n'est qu'à voir l'erreur commise par Dean Acheson qui voyait en Mossadegh un rempart contre le communisme et le premier jugement porté sur Khomeiny par le Département d'État américain.

Sous l'administration du président Kennedy, par exemple, on contraignit mon frère à nommer deux Premiers ministres libéraux : Ali Amini, qui tenta — comme Mossadegh — de réduire le Shah au rôle de monarque sans pouvoir (le Shah le remplaça par Assadollah Alam en 1962), et Ali Mansour qui fut assassiné par un fanatique, un étudiant en théologie, en 1965.

Un événement ou une crise que le régime américain peut facilement supporter détruirait un gouvernement iranien ou plongerait le pays dans la confusion et le désordre total. Un président comme Harry Truman peut chasser un général aussi puissant et populaire que l'était Douglas MacArthur sans autre répercussion qu'une brève vague d'indignation du peuple et de la presse. En Iran, une mesure pareille aurait certainement provoqué une révolte militaire. Aux États-Unis, une industrie tout entière peut bien se mettre en grève, les étudiants manifester, les militants attaquer la police, le pays continue de vivre et le gouvernement de fonctionner.

Pour ce qui est de la question des « droits de l'homme », les Américains en ont une interprétation remarquablement étroite ; ils sont tout de suite prêts à montrer du doigt ceux qui en ont une autre et ils ignorent résolument le fait que d'autres cultures peuvent avoir une conception innée différente de la leur.

Lorsque je vins aux Nations unies, cette question des droits de l'homme était au premier plan de mes soucis. Désillusionnée après une malencontreuse incursion dans notre politique nationale, je voyais l'O.N.U. sous une image très idéaliste. Il me semblait toucher au terme naturel d'une longue route, que j'avais parcourue en esprit depuis le premier jour où j'ai appris dans les rues de Johannesburg ce qu'est la discrimination.

Dans ma patrie, je m'étais fait une idée personnelle de ce que sont les droits de l'homme les plus essentiels : le droit de n'avoir pas faim, d'avoir un toit, d'être vêtu, soigné et de recevoir un rudiment d'instruction. Dans ma patrie, toutes ces questions avaient été mon souci principal. (Il me semble que le moment est venu de souligner que dans les dernières années du règne de mon frère on ne rencontrait pas en Iran un seul enfant qui n'eût pas de souliers et dont le ventre fût distendu par la famine.)

Arrivée maintenant à l'O.N.U., il me semblait que j'avais trouvé le forum idéal pour discuter et résoudre les problèmes qui me passionnaient le plus. Le premier comité dont je fis partie fut la Commission des Droits de l'Homme et le premier discours que j'y prononçai avait la discrimination pour thème. Je croyais de tout mon cœur être arrivée dans une organisation qui allait tout changer.

D'ordinaire, ma journée commence assez tard puisque je ne m'endors jamais avant 2 ou 3 heures du matin, mais à New York je me levais tôt, j'avalais un rapide petit déjeuner et je commençais à travailler à l'ouverture de la séance, à 10 h 30.

Trois mois par an, les délégués forment ainsi une petite communauté bien soudée. Nous déjeunions pour la plupart au restaurant des délégués puis nous retournions travailler à la séance de l'après-midi qui durait jusqu'à 6 heures. Après un dîner sommaire — il consiste généralement pour moi d'un steak haché ou non, d'un peu de salade et d'une bouteille de Coca-Cola — l'heure sonnait de la tournée des réceptions. Bien que l'ambiance en fût souvent brillante, ces réceptions étaient en fait un prolongement de la journée de travail. Les conversations tournaient le plus souvent autour des questions inscrites à l'ordre du jour. C'est lors d'une réception chez moi que j'eus l'occasion de présenter Shirley MacLaine à plusieurs Chinois de mes amis. (Je me rappelle l'attrait qu'ils exerçaient sur elle. C'est peu après ce soir-là qu'elle fit son premier voyage en Chine et qu'elle en rapporta de quoi écrire un livre.)

Si mes préoccupations premières étaient la famine, l'analphabétisme et les droits de la femme, je me voyais également en quelque sorte comme un porte-parole des peuples du tiers monde. J'ai aimé l'ambiance cosmopolite et les richesses culturelles des capitales de l'Occident mais je me suis sentie, de cœur, plus proche des peuples du tiers monde. Citoyenne d'un pays qui a connu l'indigence, les bouleversements et les douleurs de croissance qui accompagnent une soudaine prospérité, je me sens des affinités avec ceux qui se trouvent aux prises avec les mêmes problèmes. Leurs déceptions, leurs besoins, leurs espérances me paraissent plus immédiats, plus pressants que les soucis des pays évolués et développés.

C'est pour cela que je prétends que, sur le plan politique,

l'O.N.U. ne devrait pas être la réplique d'une arène quelconque, où les grandes puissances ont les moyens d'ignorer à leur gré les vœux des petites nations. Je suis convaincue que le droit de veto — prérogative exclusive des grandes puissances — est néfaste parce qu'il permet à un seul pays d'imposer sa volonté à cent quarante nations. Après des années passées à assister à d'innombrables séances de commissions, je sais bien la rancœur que je ressens en voyant que les résolutions qui ont été adoptées — au prix de tonnes de papier noirci — restent sans effet parce que les grandes puissances ne les ont approuvées que du bout des lèvres.

Lorsque l'O.N.U. n'était pas en session, j'ai pu visiter de nombreux pays du tiers monde comme une sorte d'ambassadeur itinérant officieux, pour en apprendre davantage et de première main sur leurs problèmes.

L'Indonésie est l'un des pays qui m'ont fascinée. C'est, avec ses 90 millions d'habitants, le plus grands pays musulman du monde. La religion islamique d'Indonésie a un certain accent bouddhiste et, comme elle y a été importée par les caravanes des marchands de l'Inde et non par la conquête arabe, elle y a pris un caractère moins austère, moins rigoriste qu'en Iran.

C'est en 1965 que j'ai rencontré pour la première fois le président Soekarno, l'homme qui a gouverné l'Indonésie pendant plus de vingt ans. Il était grand pour un Indonésien. C'était aussi un bel homme, un orateur intelligent et fort éloquent. J'ai été conquise par sa croyance en un amalgame de communisme et de capitalisme et par la forme de gouvernement qu'il appelait « la démocratie orientée ».

Un autre pays que j'ai visité et où je suis retournée souvent, c'est l'Inde, avec sa culture remarquable et complexe qui est celle de 450 millions d'être humains. J'y étais allée la première fois peu de temps après la mort du Mahatma Gandhi et après le partage du pays, au moment où hindous et musulmans continuaient de se battre.

Je m'attendais à trouver un pays plat, tropical ; j'ai vu une terre sauvage, entre les cimes de l'Himalaya et le cœur de l'Asie, les jungles étouffantes de l'océan Indien — un pays que la mousson noie de pluies torrentielles qui tuent les gens par milliers.

J'y ai vu un mélange effarant du présent et du passé, un pays qui compte quatorze langues principales et trois cents dialectes. J'ai vu des usines et de nombreuses réalisations d'industrielles modernes. Des ingénieurs indiens fabriquaient des avions à réaction, des navires et des locomotives. Mais leur visage, leurs gestes, étaient incroyablement semblables à ceux que je retrouvais dans les statues, les bas-reliefs et les peintures des temples.

Bien que l'indigence et la famine vous y assaillent à chaque pas, j'ai vu des millionnaires qui consacraient leur argent et leurs efforts à construire des abris pour les vaches sacrées souffrantes ou bien à nourrir les fourmis. La vie humaine paraît là bien faible et bien menacée, mais j'ai vu dans les bazars les vaches se promener à leur guise et manger ce qui leur plaît et lorsque l'une de ces vaches se campe devant votre voiture, ne vous avisez pas de donner même un coup d'avertisseur.

Lorsque j'ai connu le Premier ministre de l'Inde, Jawaharlal Nehru, il avait déjà soixante-dix ans mais c'était un bel homme, plein d'énergie, qui travaillait dix-sept heures par jour. Nous allâmes ensemble au Cachemire, par les pentes enneigées de l'Himalaya qui me rappelaient beaucoup la Suisse, en discutant des problèmes qui intéressaient nos pays respectifs. Nehru était un homme politique éclairé, un socialiste ennemi du capitalisme, un agnostique que dix années dans les prisons britanniques avaient rendu philosophe.

Il croyait fermement que si l'Inde ne progressait pas rapidement sur le plan économique, elle ne manquerait pas de tomber dans les griffes communistes et il m'avouait les déceptions qu'il éprouvait en essayant de faire progresser son pays.

« Un jour sur deux est chez nous un jour de vacances, disait-il. Il est miraculeux que nous arrivions simplement à faire la moindre chose. Pour ma part, je ne prends plus le moindre repos. Quant à mes compatriotes... comment leur

191

faire réaliser le plus menu progrès quand ils en sont encore à adorer les vaches ? »

Sur le terrain de la politique étrangère, il défendait une position qu'il baptisait « neutralité active » et critiquait fort l'Amérique qui accordait son assistance au Pakistan et soutenait Franco et Tchang Kaï-chek. Comme moi, il préconisait l'admission de la Chine à l'O.N.U. Il affirmait que la Chine était l'amie de l'Inde. Aussi l'attaque lancée par la Chine fut un coup pénible sur le plan personnel et ruina sa carrière.

Lorsque je le revis, après sa crise cardiaque, en 1964, il paraissait diminué physiquement et moralement. A mon retour à Téhéran, je dis à mon frère :

« Le Nehru que je viens de voir n'a plus longtemps à vivre. »

Il mourut trois mois plus tard.

J'ai noué et entretenu des relations personnelles avec Indira Gandhi qui lui a succédé. Je la tiens pour une personne tout à fait originale — dure, perspicace et indépendante. La seule influence notable que semblait avoir eu sur elle son père — qui avait horreur des grosses personnes — se traduisait par le régime sévère qu'elle observait.

L'Histoire n'a pas vu souvent une femme guider la destinée de tant de millions de personnes. Aussi ai-je suivi la carrière d'Indira Gandhi, ce leader extraordinaire, avec grand intérêt. Il me semble qu'elle a connu une enfance solitaire : son grand-père, sa mère et son père étaient le plus souvent en prison. Avec un tel passé, il était presque inévitable qu'elle s'intéressât tôt à la politique. Elle était encore en pension en Suisse qu'elle prenait déjà part à des manifestations ; plus tard, étudiante à Oxford, elle s'inscrivit au parti travailliste. Lorsqu'on l'emprisonnait pour ses opinions, elle faisait tout pour que ces séjours forcés ne soient pas du temps perdu : elle endoctrinait ses compagnons de geôle. Comme elle était très versée dans plusieurs domaines — l'art, la littérature aussi bien que la politique — elle avait été d'un grand secours à son père lorsqu'il devint ministre de l'information.

Dès son arrivée au pouvoir, elle fut l'enfant chérie de la gauche intellectuelle, comme Mme Roosevelt l'avait été aux

États-Unis. Lorsque nous discutions des questions féminines, elle disait toujours :

« Je ne suis pas féministe — je suis un être humain. »

Mais il est indiscutable que les féministes indiennes ont fait sous son régime d'immenses progrès ; on en trouve une preuve dans la présence de cinquante-neuf femmes sur les bancs du Parlement de son pays. La première fois qu'elle prit la tête du gouvernement, elle eut officiellement, en raison de nos liens d'amitié avec le Pakistan, une attitude très froide à l'égard de l'Iran (bien que mon frère et moi nous nous fussions efforcés d'améliorer nos relations).

Ces liens avec le Pakistan furent vraiment très étroits au début de mon amitié avec Zulikfar Ali Bhutto, en 1964. Il était alors le ministre des Affaires étrangères d'Ayoub Khan et de nombreuses visites s'échangeaient entre nos deux capitales. Je me rappelle en particulier un banquet donné par Ali Bhutto en mon honneur. Alors que je parle facilement aux gens de tous les milieux, j'ai tendance à avoir le trac quand il s'agit de faire un véritable discours devant une assemblée. Ce soir-là, j'avais de plus une migraine affreuse et, au moment de me lever pour prendre la parole, j'étais sur le point de m'évanouir. Ali Bhutto vint aussitôt à ma rescousse : il prit les feuillets de mon discours et me tint par les épaules pour que le tremblement qui m'avait saisie ne m'empêche pas de lire.

La dernière fois que je l'ai vu, il se plaignait de l'intervention des États-Unis dans son pays. Lorsque le Pakistan décida d'acheter une usine atomique en France, il y eut des manifestations et des émeutes.

« Je sais que les Américains sont derrière tout cela, me dit-il.

— Êtes-vous sûr de votre armée ? lui demandai-je. J'ai une sorte de prémonition. Je crois que vous obtiendrez ce que vous désirez mais je tremble pour vous. »

Peu de temps après, j'appris qu'il y avait eu un coup d'État militaire fomenté par Zia ul-Haq. Lorsque Ali Bhutto fut exécuté, j'en fus désespérée en pensant à sa femme, une Iranienne, et à sa charmante fille (elle est maintenant à la tête du parti qu'il avait fondé). Mais je n'ai pas oublié notre dernière conversation et mon ami, assis à son bureau, cigare aux lèvres et me disant, après avoir réfléchi :

« Oui, oui, je suis très sûr de mon armée. »

Puis il ajouta :

« Voyons, j'ai pris Zia ul-Haq par la main et c'est moi-même qui l'ai placé là où il est maintenant. »

Le souvenir le plus durable que je conserve d'Ali Bhutto, c'est le fait qu'il m'ait présentée à Chou En-lai. Je l'ai déjà dit : j'étais convaincue depuis longtemps qu'il était impossible de la part d'une organisation comme l'O.N.U. d'ignorer un pays qui compte tant de millions d'habitants. Ali Buttho savait que je désirais connaître Chou En-lai : il organisa donc une présentation dans les salons de l'ambassade du Pakistan en Indonésie.

C'est cette rencontre qui amena mon premier voyage en Chine où l'on m'assigna un gardien en armes... une petite jeune fille d'apparence délicate qui ne me quittait jamais. J'ai découvert par la suite que c'était la propre nièce de Mao Tsé-toung. J'avais un autre compagnon indéracinable : un interprète.

Lorsque j'ai rencontré Chou je lui ai parlé français. Il me dit alors : « Je sais très, très peu français. » Mais je suis sûre, l'eût-il même parlé couramment, qu'il n'en aurait pas moins tenu à avoir un interprète — il semble que tous les pays communistes se plient à ce même protocole. Chou En-lai m'a plu tout de suite. C'était un homme à la voix douce, affable, voire un peu efféminé peut-être et fort distingué. C'était aussi un homme d'une vaste culture, petit-fils d'un mandarin, et dans la conversation, pendant nos déjeuners, il évoquait longuement des traditions et coutumes de son pays.

Malgré son apparence détachée, Chou a toujours témoigné d'une grande virtuosité dans l'art de retomber sur ses pieds ; on l'a d'ailleurs surnommé : « Poutao-wong » du nom de ces poupées chinoises qui se remettent aussitôt debout quand on les renverse. Il a fait ses études au Japon et, encore, étudiant, il était déjà activiste et organisait des manifestations gauchistes. Il manifesta, en 1919, contre le Traité de Versailles et comme nombre d'hommes politiques du tiers monde, il a fait quelques séjours en prison.

La célèbre impassibilité chinoise est une croyance très généralement répandue. Or Chou En-lai et tous les hommes politiques chinois que j'ai rencontrés m'ont paru spontanés et ouverts. A l'inverse des Russes qui emploient d'innombrables circonlocutions dans les conversations politiques, le Chinois vous dira très précisément ce qu'il pense et ce qu'il désire — et il attend de vous la même attitude. Il me semble que leur subtilité politique s'exerce davantage par leurs programmes d'aide aux autres pays. Alors que la présence russe s'y fait sentir lourdement, voire aggressivement, les Chinois observent une grande discrétion lorsqu'ils sont les « invités » d'un pays.

J'étais très désireuse de connaître le mode d'existence du travailleur chinois moyen et comme il est fort difficile d'apprendre grand-chose au cours des tournées de visites officielles, je m'arrêtai tout simplement un beau jour et j'entrai dans la première maison chinoise qui se présentait. Elle était petite, très propre, fort ordonnée et bien qu'elle abritât une famille au grand complet (de la grand-mère aux enfants en bas âge) et dans un espace très mesuré, la sérénité et la paix semblaient régner, comme, d'ailleurs, chez la plupart des Chinois que j'ai pu voir sous leur toit.

Lorsque je revins chez moi, je dis à mon frère :

« Il est tout simplement impossible d'ignorer un pays de 800 millions d'habitants. On ne peut plus accepter que Formose soit considérée à elle seule comme la Chine et prétendre que le continent chinois n'existe pas. »

Mais bien qu'il fût d'accord avec moi, nos relations diplomatiques avec la Chine ne furent pas établies avant 1974.

Je n'en continuai pas moins, après mon premier voyage à Pékin, d'entretenir de très cordiales relations personnelle avec les leaders chinois. La dernière fois que j'ai vu Chou En-lai, il était dans un sanatorium, fatigué, émacié, et je sentis que cet homme si aimable et cultivé ne serait plus longtemps des nôtres.

Pendant toute la période où j'ai lutté pour que la Chine soit acceptée à l'O.N.U., je demandais à ses hommes politiques et à ses diplomates si, lorsqu'ils seraient membres de l'organisation internationale, ils s'emploieraient à mettre fin au droit de veto. Ils ne l'ont pas fait, mais ils se sont au moins abstenu d'exercer cette prérogative.

En femme toujours préoccupée de sa tâche politique, j'ai laissé ma vie personnelle aller un peu à la dérive et vaille que vaille. Il est clair que ce n'est pas la manière qui convient pour assurer le succès d'un mariage. J'avais changé de compagnon, j'avais pris quelques années de plus — mais foncièrement je n'avais pas changé. Après un début très prometteur, mon troisième mariage, à son tour, commença à donner des signes de fatigue. Les premiers temps mon mari s'efforçait d'adapter sa vie à mon existence trépidante. Il me suivait partout bien qu'il dût prendre soin de ses affaires personnelles. Il s'intéressa ces dernières années à l'industrie cinématographique et il a produit, entre autres, le film *Caravanes*, avec Anthony Quinn, Jennifer O'Neil et Behruz Vossojhi, l'acteur le plus célèbre d'Iran. Depuis la révolution et comme la plus grande partie du monde artistique et culturel de l'Iran, Vossojhi a quitté le pays et tient une station-service en Californie.

Bientôt, pourtant, les petits sacrifices que Mehdi avait consentis au début de notre mariage se révélèrent difficiles à poursuivre indéfiniment — et j'avais bien trop de respect pour lui pour le lui demander. Nous fûmes donc amenés progressivement à vivre plus ou moins chacun de notre côté, mais nous nous aimions toujours profondément, trop pour nous séparer davantage. Au contraire, nous sommes devenus des amis très chers. Chaque fois que c'est possible, nous nous retrouvons — et s'il se présente quelque ennui nous savons que nous pouvons compter l'un sur l'autre.

C'est un peu le même genre de liens que j'entretiens avec mes enfants. J'ai toujours tenu à ce qu'ils soient instruits, à ce qu'ils aient les choses que j'ai le plus désirées. Mais en dehors de cela, j'ai rarement invoqué l'autorité maternelle pour les empêcher de prendre leurs propres décisions.

La seule occasion dans laquelle j'affirmai mon rôle de mère provoqua une courte rupture avec ma fille Azadeh. Mais je suppose que j'aurais dû m'attendre à sa réaction, car elle me ressemble énormément et n'aime pas qu'on lui dicte sa conduite. Pourtant, lorsqu'elle eut vingt ans et qu'elle tomba follement amoureuse et épousa un homme que je jugeai ne pas être fait pour elle, je ne pus garder le silence. Je me fâchai, non pas parce qu'elle m'avait défiée, mais parce que je savais combien elle allait être malheureuse et parce qu'elle ne pouvait pas le deviner comme moi.

« Tu es ma fille, lui dis-je, et tu seras toujours ma fille mais, à mes yeux, ce mariage n'existe pas. Je sais que tu es déjà une femme et que tu dois prendre tes décisions toi-même mais je ne recevrai pas cet homme sous mon toit. »

Après son mariage, Azadeh et moi nous retrouvâmes rarement. Nous sommes toutes deux têtues, opiniâtres et orgueilleuses et ni l'une ni l'autre ne voulaient céder. Je sais que la vie la traitait assez convenablement parce que je m'en informais auprès des membres de notre famille — et je la soupçonne de l'avoir fait elle aussi en ce qui me concerne.

Deux ans plus tard, elle était à ma porte, en pleurs et son fils encore bébé dans les bras.

« Tu avais raison, me dit-elle. Je comprends bien mieux maintenant ton attitude que je ne la comprenais jadis. Je voudrais revenir à la maison. »

Nous nous entendons admirablement maintenant et nous parlons toujours en égales et en amies.

Mes enfants ont tous été tellement différents. J'ai retrouvé en eux des traits de moi, de leurs pères respectifs, de mon père et de mes frères — nuances qui faisaient à chacun sa personnalité.

Mon fils Shahriar a été militaire comme il l'avait dit. Après ses études au Collège royal de la marine, il est entré dans la marine persane et fut envoyé en poste dans le Sud. Bien que le climat y soit affreusement torride, il a adoré y servir. La marine étant une branche relativement nouvelle des forces armées de l'Iran, les officiers y étaient tous de jeunes hommes. Shahriar monta rapidement dans la hiérarchie et, à l'âge de trente-deux ans, il était capitaine de frégate. Sous son commandement, le pays a créé une unité d'hovercraft, la plus forte du monde. Il a pris part dans la région du golfe Persique aux opérations qui ont permis de reconquérir trois îles : Abou Musa (sur Sharjah) et les deux Tunbs (sur le Ras el-Khaimah).

Au moment où la révolution a éclaté, il commandait en second la base navale de Bandar Abbas.

Shahram, mon aîné, ne ressemble en rien à son frère. Lorsqu'il eut terminé ses études commerciales à Harvard, il se lança immédiatement dans les affaires pour son propre compte. Il prospéra pendant la période du « boom » en Iran. (Beaucoup allaient le jalouser, l'accuser d'avoir profité des relations de la famille royale pour édifier sa fortune. On essaya de le kidnapper en 1971, vainement d'ailleurs, et aujourd'hui il figure sur la liste des « ennemis » dressée par l'opposition.) Au cours de ces dernières années, il est devenu une sorte de philosophe. Il vit la plupart du temps sur l'une des îles des Seychelles et se consacre à différentes causes écologiques comme le sauvetage des espèces en voie de disparition. Il fut toujours d'une nature calme et réservée, mais il a acquis aujourd'hui une sorte de paix et de sérénité qui l'aident à accepter la vie d'une âme égale.

8

LE COMMENCEMENT DE LA FIN

Les années 70 ont écrit un nouveau chapitre de l'histoire du pétrole en Iran. Pour mon pays, le pétrole aura été une bénédiction mitigée : un peu comme la beauté pour une femme, elle sera d'une durée limitée puisque nos ressources seront probablement épuisées à la fin de ce siècle. Le pétrole a été en même temps une source de profits matériels pour nous et l'occasion pour l'étranger de nous exploiter.

Depuis très longtemps mon frère sentait que l'Iran ne pouvait plus défendre une politique pétrolière qui était à l'avantage des acheteurs plutôt que des producteurs. Bien avant que les politiciens américains ne lancent les slogans d'économie d'énergie, mon frère avait insisté sur la nécessité de créer d'autres sources d'énergie — nous nous étions tournés vers le solaire et le nucléaire — et de mettre un frein à l'utilisation inconsidérée des ressources mondiales de pétrole.

Il est évident qu'il s'est attiré l'hostilité de nombre d'Occidentaux lorsqu'il a fait ressortir que l'Iran vendait son pétrole à bon marché pour acheter des produits occidentaux au prix fort. Pour réduire la marge, il augmenta le prix du pétrole en 1973 et le fit passer d'environ 3 à 12 dollars le baril. Cette augmentation eut également des répercussions dans le pays : notre budget national s'en trouva doublé. Nul pays ne peut affronter sans peine un tel phénomène, surtout un pays qui n'a pas une administration bien organisée et le personnel pour canaliser et gérer cette massive et brutale affluence de ressources. Nous avions fait des progrès considérables pour réduire l'analphabétisme, mais nous étions toujours bien loin — à des années-lumière — de disposer d'un corps de technocrates compétents.

Cette nouvelle richesse pétrolière nous procura une fausse impression de sécurité, le sentiment que tous nos problèmes étaient éminemment faciles à résoudre et que nous pouvions toujours acheter ce qui nous faisait défaut. Une espérance démesurée prit naissance et dans les sphères gouvernementales elles-mêmes on pensait qu'en dix ou quinze ans l'Iran aurait totalement oublié sa condition de pays sous-développé pour devenir un pays moderne aussi florissant et prospère que le Japon ou l'Allemagne occidentale.

Je suis certaine que cela eût été vrai à la longue, mais dans l'immédiat nous avions à affronter les mêmes problèmes de croissance que nos voisins arabes devenus riches du jour au lendemain. Les services gouvernementaux dépensaient, dépensaient de plus en plus, sans coordination et sans se préoccuper d'un plan mûrement réfléchi. Nos ports étaient bondés de navires attendant des semaines et des mois pour être déchargés ; en 1976, le gouvernement dut régler une addition de 400 millions de dollars pour ces délais d'attente. Dans un moment de richesse sans précédent, nous souffrions à la fois d'un engorgement dans la distribution des marchandises et d'une pénurie sur le plan général. Les retards de manutention dans les ports provoquaient la raréfaction de certaines denrées et de produits de consommation. Et les besoins nouveaux et soudains d'énergie électrique — qui ne se développait pas assez vite — provoquaient pénuries et pannes de courant.

Comme certains de nos voisins qui avaient longtemps souffert de leur condition de pays « démuni », nous avions tout à coup décidé d'obtenir ce qu'il y avait de « mieux » — de l'obtenir vite —, et cette impatience prit souvent l'aspect d'une sorte de schizophrénie, d'une perte du contact avec les réalités. Je me souviens d'une réunion consacrée à la création

200

de nouvelles maternités pour les travailleuses. La Suède étant renommée pour avoir les meilleures et les plus modernes, nous avions retenu les maternités suédoises pour modèles. J'écoutais les propositions diverses : quel genre de berceaux nous allions acheter et aussi la mesure d'espace libre qui devait être réservée à chaque berceau. Soudain, je fus frappée par l'absurdité de ce qui se disait.

« Écoutez, dis-je. Nous voilà en train de parler de berceaux, d'espace vital pour des gosses qui n'ont jamais dormi dans un berceau, qui sont habitués à partager le sol sur lequel ils dorment avec leurs parents, leurs frères et sœurs. Nous n'allons pas créer à ces gosses un nouvel environnement sans leur créer en même temps de nouveaux problèmes. »

Finalement, nous construisîmes une nouvelle maternité où chaque enfant dormait confortablement sur un matelas à même le sol.

Dans cette ambiance de richesse voyante et de consommation plus voyante encore, le fossé entre riches et pauvres se creusait davantage — et il devint plus dangereux pour la stabilité du régime. Téhéran exhibait des gratte-ciel pour multi-milliardaires, des quartiers résidentiels bordés des palais, des villas des nouveaux riches et des avenues spacieuses encombrées de voitures luxueuses. Et pourtant nous avions encore en même temps un grand nombre d'Iraniens qui vivaient dans des villages perchés dans des montagnes quasi infranchissables, et de pauvres gens des villes qui vivaient dans des cahutes, familles entières tassées dans une ou deux pièces, souvent sans eau courante, ni électricité. On rencontre d'ailleurs ce genre de contraste partout — j'ai vu des taudis aussi sordides que les nôtres pas tellement loin de la Maison-Blanche.

En ce temps-là notre revenu *per capita* était passé de 176 dollars en 1970 à 1997 en 1976 et nous n'avions pas un seul chômeur : en 1977, l'Iran employait un million d'émigrés pour satisfaire ses besoins de main-d'œuvre. Mais nous vivions aussi à une époque de mass media, à une époque où l'homme qui venait de trouver du travail pour la première fois de sa vie entendait aussitôt dire qu'il existait d'autres hommes qui avaient bien davantage. Sur le plan psychologique, les classes défavorisées étaient bien différentes de celles qui avaient vécu quarante ou cinquante ans auparavant. Les anciens étaient fatalistes, résignés peut-être à la dure vérité qu'ils étaient nés pauvres alors que d'autres naissaient riches. Les pauvres de l'actuelle décennie sont plus impatients — c'est compréhensible — ils veulent une plus grande part de la nouvelle prospérité et ils sont tout disposés à tendre une oreille complaisante aux bons apôtres socialistes qui promettent « davantage ».

Dans une certaine mesure, par nos discours optimistes et nos projets ambitieux de progrès, nous avions promis à notre peuple plus que nous ne pouvions donner. Et si nous ne l'avons pas donné, ce n'est pas par négligence ou par indifférence, mais plutôt parce que nous n'avions pas compris que la richesse soudaine ne pouvait pas apporter de solution immédiate à nos problèmes nationaux extrêmement complexes.

Un pays aussi moderne, aussi développé que les États-Unis eux-mêmes, assis sur des générations de prospérité, n'a pas encore — et c'est le moins qu'on puisse dire — réussi complètement à résoudre les problèmes de la pauvreté et de la faim à l'intérieur de ses frontières. Cela n'empêcha pas la presse occidentale, qui a une influence énorme sur nos étudiants à l'étranger et sur notre intelligentsia, de prendre un ton de plus en plus fielleux et de se poser en juge pour dénoncer les difficultés et les erreurs du Shah. A un certain moment, en 1970, on pouvait compter une soixantaine de périodiques différents expédiés régulièrement à des dizaines de milliers d'Iraniens dans le pays ou à l'étranger.

Certains de ces magazines étaient l'œuvre d'amateurs, mais d'autres disposaient d'abondantes ressources financières. Il s'agissait, en fait, de publications rédigées par des professionnels chevronnés, fondées par des groupes d'intérêt dont les noms ne paraissaient nulle part et dont les motifs étaient plus intéressés qu'altruistes. Au Proche-Orient, cette sorte de « guerre froide » est remarquablement efficace parce que dans ces pays où l'image du père bienfaiteur doit être irréprochable, cette avalanche de propagande peut créer ou détruire un chef. En vérité, rien n'est plus irréparablement destructeur qu'une campagne de presse. Il n'existe pratiquement pas de défense efficace contre elle : une réputation favorable est vulnérable, facile à détruire alors qu'un ensemble d'articles défavorables est indestructible — on ne s'en remet pas. Une fois lancée, une campagne de presse se renouvelle d'elle-même. Lorsqu'un chef a été qualifié de « tyran », de « despote » ou d'« assassin du peuple » dans la presse d'un ou deux pays, les autres suivent et les reportages impartiaux se font introuvables.

Les portraits déformés que la presse traçait de mon frère m'ont toujours révoltée. Certes, je sais d'expérience que, pour la presse, les personnages publics sont un gibier de choix, mais mon caractère ne me permet pas d'ignorer les écrits inexacts ou de parti pris, surtout lorsqu'ils ne se contentent pas de potins plus ou moins sensationnels, mais lancent des accusations politiques venimeuses.

Membre de la famille royale et personnalité politique active, j'ai eu ma part d'attaques dans la presse — attaques qui n'étaient que ridicules pour ceux qui me connaissent mais qui n'en ont pas moins servi ceux qui avaient entrepris de discréditer le régime du Shah. Ainsi, par exemple, j'ai été accusée d'être impliquée dans un trafic d'opium. Rien ne peut être plus faux. L'Organisation impériale d'assistance sociale, fondée par moi, a créé quelque trois cents centres médicaux pour le traitement des intoxiqués et j'ai fait, à travers le monde, de New York à l'Inde, des conférences pour condamner non seulement l'abus mais le simple usage de stupéfiants et leur trafic. En outre, l'Iran collaborait avec le gouvernement des États-Unis dans sa lutte contre la culture du pavot. Au cours de son voyage en Iran, Richard Nixon a obtenu de mon frère un accord pour interdire cette culture dans notre pays.

En 1972, mon frère fit un voyage officiel en Europe et, dans sa suite, se trouvait Houshang Davallon, un prince qajar. Le prince fumait l'opium et, comme les autres fumeurs, il le prend en pilules lorsqu'il voyage. Il pria un de ses amis de lui remettre un certain nombre de ces pilules à son arrivée à l'aéroport de Genève. Le « trafic » — qui portait sur 35 grammes ! — n'échappa pas à la police : le prince fut arrêté sur-le-champ. En Europe, l'incident fit la une des journaux. *La Suisse* et *La Tribune de Genève* insinuèrent même que j'y étais mêlée — j'aurais dû me douter que s'il éclatait un scandale impliquant des Iraniens, il fallait qu'Ashraf Pahlavi fût derrière.

Le 5-6 mars 1972, *Le Monde* reprenait de nouvelles accusations à propos d'un autre incident supposé :

« On se souvient à Genève que la princesse Ashraf, sœur jumelle du Shah, a failli, le 17 novembre 1961, à l'aéroport de Genève-Cointrin, avoir quelques ennuis avec les autorités douanières. Ces dernières auraient trouvé dans les bagages de la princesse une valise contenant plusieurs kilos d'héroïne. La princesse affirma que la valise portant son nom n'était nullement la sienne. Le Shah, qui se trouvait alors en Allemagne, accourut au secours de sa sœur : l'affaire fut classée aussi rapidement que discrètement. »

Bien que mon frère eût jugé que je devais ignorer cet article pour éviter toute nouvelle publicité, je pris un avocat et attaquai *Le Monde* en justice. Un homme de loi de Genève transmit aux autorités une demande de renseignement au sujet de cet incident. Le Conseil fédéral de la Suisse fit une déclaration officielle, publiée dans *Le Journal de Genève,* qui établissait qu'aucun incident de cet ordre ne figurait dans les archives de la police ou de la douane.

Le procès du *Monde* dura quelques semaines. Le tribunal m'accorda non seulement des dommages et intérêts, mais obligea *Le Monde* à publier mon démenti et le compte rendu du procès.

Au mois de janvier 1979, l'insinuation selon laquelle j'avais des intérêts dans le trafic de la drogue se fit de nouveau jour, dans le *Washington Post* cette fois. Mais dès le mois suivant le *Post* publiait un démenti dans lequel il reconnaissait que « le *Post* n'a pas la preuve démontrée que ces informations soient exactes et regrette de les avoir citées ».

Ce « scandale » est donc maintenant tiré au clair. Malheureusement, ce genre d'accusations persiste longtemps après que le public en a oublié les détails précis. Mais si ces attaques contre ma personnalité étaient devenues une sorte de routine, je ne m'attendais pas à la terreur que j'allais éprouver en devenant la cible d'une tentative d'assassinat.

Au cours de l'été 1976, j'avais accueilli des amis dans ma maison de Juan-les-Pins. Un soir, nous dînons dans l'un de mes restaurants préférés, « Chez Félix », sur la Croisette, à Cannes.

Après le dîner, nous décidons d'aller faire un tour au casino du Palm-Beach, à l'autre extrêmité de la Croisette. Nous en sortons vers 3 heures du matin. Comme je suis sujette au « mal de la route », je m'assieds généralement sur le siège avant de la voiture. Je suis donc à côté du chauffeur et mes deux amies sur la banquette arrière. Nous avons branché la radio et nous écoutons la musique en roulant vers la maison. A 3 kilomètres de chez moi, la route se rétrécit et n'est plus qu'à une seule voie. Nous en approchions lorsqu'une Peugeot noire nous dépasse à pleine vitesse puis s'arrête en travers de la route.

Deux hommes armés bondissent de la voiture et se mettent à tirer. Dans un réflexe instantané, notre chauffeur écrase l'accélérateur et fonce. La puissante et lourde Rolls-Royce enfonce l'arrière de la Peugeot. Notre chauffeur fait marche arrière et sous une pluie de balles, il éperonne de nouveau la Peugeot. Je m'agenouille sur le plancher — pour une fois je remercie le Ciel de m'avoir faite petite — et je vois que le chauffeur a été touché au bras. Quelques secondes plus tard, j'entends un cri dans le fond de la voiture : l'une de mes amies a été blessée et le sang coule de ses yeux. Pendant ce temps-là, notre chauffeur continue à bousculer la Peugeot et réussit enfin à la pousser sur le bas-côté. Nous filons à toute vitesse mais nous remarquons qu'une motocyclette nous suit.

Nous nous arrêtons à un petit bar, le *Pam Pam*. Le chauffeur s'y précipite pour demander son aide au patron. Il revient furieux en criant :

« Ce salaud refuse d'appeler la police. Il m'a dit : " Allez-vous-en, je ne veux pas d'histoires chez moi ". »

Nous conduisîmes alors nous-mêmes mon amie à l'hôpital : moins d'une demi-heure plus tard, j'apprenais qu'elle était morte.

Le lendemain, lorsque j'ai vu notre voiture, j'ai compris que Dieu avait fait un miracle en ma faveur. La voiture avait reçu quatorze balles dont la plupart étaient groupées sur le côté, à l'endroit où j'avais pris place. Depuis, je crois plus que jamais — tout comme mon frère — que chaque être humain a un « rendez-vous fixé avec la mort » — si l'on peut dire — et qu'elle ne vous appellera ni avant ni après cette heure-là.

De nouvelles rumeurs circulèrent après cet attentat. Au Parlement, certains membres de l'opposition laissaient entendre que j'étais en relations avec la Mafia et que cette attaque avait été perpétrée par des tueurs de ce milieu. Mais cet attentat avait un tel caractère d'amateurisme que je suis certaine qu'il venait de novices iraniens — payés sans aucun doute par l'opposition — dont aucun n'avait songé, par exemple, à crever les pneus de la voiture pour nous empêcher de prendre le large.

En 1980, plus de trois ans après, la police française n'a encore arrêté personne mais l'incident a été rappelé, déformé — et cité de nouveau à la une des journaux — dès le retour de Khomeiny en Iran.

Il est malheureux que ce soit toujours le scandale, ou la simple supposition d'un scandale, qui suscite l'intérêt de la presse et du public. Ce qui a été réalisé pendant les trente-sept années du règne de mon frère fut le produit du travail acharné, épuisant, de fonctionnaires dévoués et, bien que le résultat en soit presque miraculeux pour quiconque connaît et comprend l'Iran, ce n'est malheureusement pas avec cela qu'on écrit les articles à sensation.

Notre programme d'assistance sociale a été en plus d'une occasion qualifié de « primaire » dans la presse occidentale, qui oubliait le plus souvent d'ajouter que cet effort n'avait jamais été tenté auparavant ou que les conditions dans lesquelles nous travaillions étaient à peu près impossibles.

Sous le règne de mon frère, et surtout lorsque l'augmentation des revenus du pétrole nous fournit enfin le moyen d'étendre nos efforts, nous avons tenté d'apporter le progrès jusque dans les villages les plus reculés, tout en essayant de ne pas bouleverser les valeurs traditionnelles.

J'ai déjà parlé de la création des tribunaux de village destinés à mettre la justice à portée de ceux qui pour une raison ou pour une autre étaient dans l'impossibilité de se rendre à la ville. Sur le même modèle, nous avons créé un système « d'écoles mobiles » pour les enfants des tribus nomades, ainsi que des antennes médicales pour dispenser les soins et des services tels que le planning familial.

Dans les villes, nous nous sommes efforcés de remédier à la situation des pauvres en mettant à leur disposition des services d'assistance qui comportaient, entre autres, la formation professionnelle et qui devaient permettre aux familles de subvenir enfin à leurs besoins au lieu de rester éternellement dans une situation d'assistés. Dans les dernières années du règne de mon frère, nous fournissions cette assistance à quelque neuf mille familles dont le chef était sans emploi.

Pendant près de vingt ans j'ai partagé mon temps entre les œuvres sociales de mon pays, les conférences internationales et les réunions exigées par ma représentation à l'O.N.U. J'étais, par exemple, présidente de la commission préparatoire des Nations unies pour la Conférence internationale de l'Année de la Femme qui s'est tenue en 1975 à Mexico. Je suis intimement persuadée de l'intérêt que présente ce genre d'activité internationale et de l'échange d'idées qui en découle même quand les résultats sont parfois décourageants à l'origine.

A Mexico, par exemple, j'ai découvert que l'ouverture d'un véritable dialogue entre tous les représentants était très difficile. Il est vrai que les besoins des femmes du tiers monde sont d'une nature plus rudimentaire, moins complexe que ceux des femmes occidentales, mais l'on ne paraissait guère se soucier autrement de cette différence. Les femmes d'Occident cherchent bien plus à aménager leur émancipation — l'égalité dans l'emploi et le salaire, par exemple — quand leurs sœurs du tiers monde en sont encore à lutter pour conquérir des libertés aussi fondamentales que le droit au divorce et à la garde de leurs enfants.

Lorsque l'on s'était enfin mis d'accord pour l'adoption d'une résolution, il restait toujours le problème de sa mise en application. L'une des résolutions que nous avions adoptées appelait chaque État à consacrer à la lutte contre l'analphabétisme un pourcentage de son budget de la défense —

pourcentage calculé sur les dépenses d'une seule journée. Seuls l'Iran et une poignée de petites nations d'Afrique s'exécutèrent réellement.

Je ne suis pas d'une nature extrêmement patiente, mais je suis pourtant arrivée à comprendre — des années d'expérience me l'ont enseigné — qu'aussi décourageants que puissent être les résultats immédiats des efforts internationaux, nous n'avons pas d'autre choix que de nous obstiner. Le monde est véritablement trop petit maintenant pour permettre à un pays de réserver son attention à ses seuls problèmes et besoins.

Citoyenne d'un pays qui a connu l'invasion et l'exploitation, qui avait été relégué au rang « d'inférieur » par les grandes puissances du monde, je me sens presque obligée d'entretenir des relations avec les peuples des autres pays qui ont eu une histoire similaire. J'ai fait de nombreux voyages à travers l'Asie, l'Afrique et l'Amérique latine pour voir comment ces peuples affrontaient les problèmes de la famine, de l'analphabétisme et comment ils s'organisaient pour faire des progrès sous l'inexorable pression du temps. Ces voyages m'ont procuré certains des moments les plus enrichissants d'une carrière longue et mouvementée.

Il est encore malaisé de noter les dates et les événements qui ont été le signal « du commencement de la fin ». Les révolutions ne peuvent jamais être attribuées à une seule cause, pas plus que les guerres ou les crises économiques. Elles naissent de tout un ensemble, d'un entrelacs d'événements et de situations. Quand je m'interroge, encore et toujours, pour essayer de comprendre ce qui est arrivé à l'Iran et aux Pahlavi, je peux trouver un certain nombre de réponses — sans doute davantage que quiconque — mais beaucoup d'autres m'échappent.

Mais les données qui sont claires et qui doivent, il me semble, être rapportées ici commencent par les tentatives faites par mon frère, après la Deuxième Guerre mondiale, pour édifier un cadre social, économique et politique qui soit viable pour l'Iran. Nous croyions, comme l'avait cru notre père, qu'à mesure que l'Iran changerait et entrerait dans l'âge de la technologie, notre peuple parviendrait à s'affranchir des préjugés religieux étroits que, pendant des siècles, les mollahs avaient pu lui enseigner pour assurer leur autorité.

Fort de cette conviction, mon frère alla de l'avant dans trois directions essentielles. La première fut la réforme agraire des années 50 et 60. La seconde fut le programme de modernisation complète qui, pratiquement du jour au lendemain, toucha tous les aspects de la vie quotidienne iranienne. La troisième fut l'audacieuse émancipation de nos femmes qui, on peut le dire, leur fit franchir treize siècles en trois décennies.

Mais, sur le plan politique, tous ces progrès coûtèrent très cher au régime du Shah. Tout d'abord, nous avions lourdement sous-estimé la résistance du clergé et le pouvoir qu'il exerçait sur les masses. L'expropriation de leurs terres provoqua leur hostilité féroce et irrémédiable. Les mollahs prétendirent que la modernisation était en fait l'abandon des anciens usages pour ceux de l'Occident décadent et sans Dieu. Leur hostilité ne faiblit jamais et la rupture définitive se produisit en 1977 quand le gouvernement supprima leurs subventions. Verser chaque année des millions de dollars au clergé n'était rien d'autre qu'une forme de corruption. Mais, politiquement, cette décision allait coûter un prix exorbitant : dès ce moment-là, dans les onze mille mosquées du pays, les sermons ne cessèrent de s'élever contre le Shah. Chose curieuse, la Savak, la fameuse police secrète du Shah — qui devait tout savoir et tout entendre — ne souffla mot de la manière dont les mollahs se servaient désormais du caractère sacré de leur chaire pour saper le trône.

Il me semble clair comme le jour que cette curieuse lacune dans les services de renseignement de mon frère compte au nombre des moyens dont usèrent certains de ses conseillers et amis les plus proches pour précipiter sa chute. Ainsi, le Shah recevait chaque jour Hussein Fardust, chef des Services impériaux d'inspection, chef du Bureau spécial d'information et commandant en second de la Savak, le même Fardust que nous connaissions depuis l'enfance et dont la fonction était de rassembler, d'apprécier et de faire la synthèse de tous les rapports, renseignements et dépêches de presse.

Fardust était, si l'on veut, la source à peu près unique des informations que recevait chaque jour le Shah.

Si mon frère répugne toujours à croire au pire, et surtout de la part de quelqu'un qu'il traitait comme un frère, je suis convaincue, moi, que Fardust a dû cacher au Shah des renseignements d'importance capitale et qu'il était même en relations directes avec Khomeiny pendant les dernières années du régime. Et je crois que les événements qui suivirent la révolution confirment mon opinion : au moment où tous ceux qui avaient été en relations mêmes lointaines avec le Shah étaient sommairement exécutés, Hussein Fardust est demeuré sain et sauf dans la nouvelle administration. Enfin, n'est-il pas miraculeux qu'il ait survécu et soit maintenant l'un des chefs de la Savama — version « khomeiniste » de la Savak ?

La dissimulation d'informations, que ce soit par incompétence ou par déloyauté, fut une cause essentielle de l'affaiblissement du pouvoir de mon frère : elle l'a amené à se tromper sur la force et l'étendue de l'opposition. L'ignorance où il était tenu l'a empêché de s'inquiéter autant qu'il l'eût fallu de son impopularité croissante dans la presse, tant nationale qu'étrangère. D'innombrables articles calomniaient sa personne et je crois qu'il eût fallu y répondre.

Mais le Shah semblait toujours croire que c'était une erreur que de faire à ces calomnies l'honneur d'une réponse.

« Il est inutile, disait-il, de faire attention aux racontars de la presse quand nous savons, nous, la vérité. Et les autres leaders dans le monde savent bien, eux aussi, ce que je m'efforce de réaliser. »

Pourtant je l'en avertissais :

« Ces leaders pourraient bien t'abandonner. »

Lorsque j'y repense, il me semble que cette attitude fut peut-être la plus grave erreur que mon frère ait jamais commise, car la presse est devenue de nos jours un formidable instrument politique ; elle ne se contente plus d'observer, elle prend une part active au déroulement des événements dans le monde. Je crois qu'en refusant de s'expliquer clairement et de rétablir la vérité, le Shah a précipité sa propre perte.

Je ne veux pas dire par là qu'il ignorait systématiquement

la presse. Ainsi le Shah se préoccupait beaucoup des articles qui dénonçaient la corruption régnant en Iran. Il est vrai que c'était un grave problème à ne pas minimiser mais, sur le plan historique, on peut y voir la conséquence inévitable d'une bureaucratie centralisée. (Le système américain d'assistance sociale, quoique mis au service du peuple, a donné lieu à des abus bureaucratiques similaires.) Il est curieux de songer que nous avons bouclé le cercle depuis l'époque où mon père unifiait et rassemblait un pays de villes éparses et de villages s'ignorant les uns les autres. Il y est parvenu en plaçant l'administration de chaque ville et village sous le contrôle direct du gouvernement de Téhéran. Mais aujourd'hui, alors que mon frère s'employait à parachever la centralisation, il savait que, cela fait, lorsque les habitants de ces villages se sentiraient d'abord iraniens avant de se dire kurdes, beloutches ou azerbaïdjanais, il faudrait relâcher l'emprise du pouvoir de Téhéran et en rendre une partie aux administrations locales. En fait, le Shah avait défini un programme de décentralisation, non seulement pour réprimer les abus des bureaux mais aussi pour tenir compte de la diversité ethnique de l'Iran. Dans ce nouveau système, il prévoyait un ensemble pratique de vérifications et de contre-vérifications qui assignait certaines limites au gouvernement central et permettait au peuple de s'exprimer par l'intermédiaire d'un gouvernement régional. Malheureusement le temps a manqué pour que ce plan soit appliqué dans son ensemble. Le cours des événements qui allaient mettre fin à son règne contraignit le Shah à prendre des mesures improvisées au coup par coup.

Pendant l'été 1977, il prit des dispositions pour « faire le ménage » et abandonner une partie du pouvoir qu'il exerçait sur le gouvernement. Pour cela, il jugea qu'il lui fallait un nouveau Premier ministre plus énergique et, le 6 août, il remerciait Amir Abbas Hoveyda qui, après treize ans d'exercice du pouvoir, était devenu moins efficace et moins résolu, pour le remplacer par Jamshide Amouzegar. Il interdit en même temps aux membres du gouvernement d'engager des transactions commerciales qui puissent être considérées comme une source d'intérêt personnel. Du coup, un certain nombre de hauts fonctionnaires présentèrent leur démission, préférant sans l'ombre d'un doute leurs intérêts particuliers à ceux du service public. Mais ces mesures n'apaisèrent d'aucune manière la vague d'agitations. Les attaques se poursuivirent dans la presse et l'opposition grandit.

Au mois de novembre, mon frère partit pour l'Amérique afin de rencontrer le président Carter à la Maison-Blanche. Il ne lui dissimula rien de la gravité des troubles qu'il devait affronter dans son pays. Carter en conclut — et ce devait être le premier d'une longue série de diagnostics malheureux — que ce dont souffrait l'Iran, c'était d'un régime trop autoritaire et dont les réformes, du point de vue occidental, n'allaient pas encore assez loin. Carter était alors engagé à fond dans une campagne mondiale pour le respect des droits de l'homme — en partie à cause de l'indignation internationale provoquée par l'affaire Chtaransky — et il tenait à valoriser son image de marque dans ce domaine. Il conseilla donc au Shah de presser l'application de sa politique libérale, ce qui était très exactement ce qu'on pouvait faire de pire en Iran à ce moment-là.

Un mois plus tard, peu avant la fin de l'année, le président Carter et sa femme Rosalynn vinrent à Téhéran — c'était une sorte de manifestation de leur amitié pour l'Iran. Nous organisâmes pour.eux un grand gala de Nouvel An au palais Niavaran. Ce fut une soirée de réjouissances. La Première Dame des États-Unis était très amicale, encore qu'un peu plus réservée que son mari. Carter me fit danser plusieurs fois et insista pour que l'on nous photographie.

Minuit ayant sonné, le Président, dans son premier discours de l'année 1978, leva son verre à la santé du Shah. Il parla longuement et je reprends quelques extraits de son discours :

« Je pense qu'il est de bon augure que nous puissions terminer une année et en commencer une nouvelle en compagnie de ceux en qui nous avons une si grande confiance et avec qui nous partageons tant de lourdes responsabilités présentes et à venir...

« L'Iran, sous l'excellent gouvernement du Shah, est une oasis de stabilité dans l'une des régions les plus troublées du monde.

« Cela est un grand hommage qui vous est rendu, Majesté, et aussi à votre direction, ainsi qu'au respect, à l'admiration et à l'amour que vous donne votre peuple.

« Aucune autre nation sur cette terre... n'est plus proche de nous lorsqu'il s'agit de notre sécurité militaire mutuelle. Il n'est aucune autre nation que nous consultons aussi attentivement pour ce qui est des questions qui nous intéressent tous deux. Et il n'y a pas un autre leader au monde envers lequel j'éprouve un sentiment plus profond de gratitude et d'amitié personnelle. »

Pendant qu'il parlait, j'observais son visage pâle. Le sourire de Carter me paraissait artificiel, son regard de glace — et je voulais espérer pouvoir lui faire confiance. Mais, la même année, il envoyait plusieurs émissaires à Khomeiny et un messager militaire à Téhéran chargé de démocratiser l'armée iranienne. Carter soignait sa carrière politique en abandonnant mon frère au moment où l'Iran allait à la révolution.

Moins d'une semaine après le départ du président Carter, des désordres éclataient à Qom. Et le 18 février de graves émeutes se produisaient à Tabriz, où une centaine de personnes allaient être tuées. Ses ennemis accusèrent mon frère de couvrir cette effusion de sang, mais ils n'avaient aucune idée de la situation dans laquelle se trouvent des troupes chargées de rétablir l'ordre — même si elles ont reçu de strictes consignes de modération — devant une horde hurlante, menée, excitée par des terroristes et des agitateurs professionnels, généralement armés et toujours dangereux. (Peut-être s'en font-ils une idée maintenant, s'ils ont vu certains reportages télévisés.) Dans la fièvre et l'excitation du moment, il est bien difficile pour un simple soldat de faire la différence entre un citoyen désarmé et un terroriste professionnel.

Même dans un pays aussi civilisé que les États-Unis, on a vu des policiers tirer sur des civils désarmés ; et la garde nationale tuer des étudiants qui paraissaient menaçants. Dans un pays comme l'Iran qui a un long passé de terreur politique et dans lequel on a affaire à des agitateurs formés et armés par l'étranger, un rassemblement de masse ne peut être vu du même œil qu'une manifestation dans un pays comme les États-Unis.

Si mon frère avait réellement tenu à conserver son trône à n'importe quel prix, il me semble qu'il pouvait ordonner une puissante démonstration de force à Tabriz et une restriction draconienne des libertés individuelles — mais il a choisi de n'en rien faire. Après les émeutes de Tabriz, j'ai dit au Premier ministre Amouzegar :

« Vous devriez prendre bien garde que tout cela ne finisse pas par devenir extrêmement grave. »

Il semblait croire qu'il avait la situation bien en main. Il se trompait, évidemment. D'autres incidents semblables suivirent : à Qom, à Meshed et à Téhéran. Ils éclatèrent pendant une campagne d'informations partiales lancée contre le Shah sur les ondes de la B.B.C. — et qui ressemblait fort à une reprise des attaques qu'avait subies mon père une quarantaine d'années auparavant.

De France, où Ruhollah Khomeiny avait été accueilli à Neauphle-le-Château, après que l'Irak l'eut expulsé, on put entendre un chœur de « A bas le Shah ! » qui ponctuait des discours de circonstance. Et bien d'autres amabilités semblables nous furent prodiguées par l'Allemagne et les États-Unis.

Dès le déclenchement de ses attaques, il semblait, comme le disait mon frère, « qu'un mystérieux chef d'orchestre eut donné le signal de cette offensive ».

Les étudiants iraniens, au pays comme à l'étranger, formèrent rapidement une féroce cinquième colonne lancée à l'attaque du trône. Remarquons en passant qu'au début du règne de mon frère, on trouvait moins d'un demi-million d'étudiants dans les différentes disciplines. En 1978, leur nombre s'élevait à 10 millions, dont cent quatre vingt-cinq mille dans nos collèges et universités et soixante mille à l'étranger. Le côté ironique du résultat d'un demi-siècle de progrès d'instruction apparaîtra de plus en plus avec le temps.

Et pourtant, bien que ce fût à l'évidence contre-indiqué, l'Amérique continuait de faire pression sur mon frère pour qu'il « libéralise » et « démocratise » toujours davantage son régime. Une fois de plus, on voulait appliquer une solution occidentale à un problème oriental. Que ce fut là une faute énorme se vit clairement au mois d'août 1978, lorsque le Shah annonça qu'il y aurait des élections libres et ouvertes à tous les partis au printemps suivant. La semaine qui suivit cette déclaration n'était pas terminée que des émeutes éclataient à Ispahan et qu'il fallait y proclamer la loi martiale. Quinze jours plus tard, le cinéma Rex, à Abadan, était la proie des flammes, quatre cent soixante dix-sept personnes y trouvaient la mort et le gouvernement en était tenu pour responsable. Dans le climat politique d'un pays occidental, ce genre d'accusations ne trouverait guère de crédit auprès du citoyen moyen, mais en Iran elles se répandirent aux quatre coins du pays et servirent efficacement la propagande contre le Shah.

Le 27 août — autre décision prise sous la pression des États-Unis —, mon frère désignait un nouveau Premier ministre, Sharif Imami, ancien président du Sénat et directeur de la Fondation Pahlavi. J'appris cette nomination alors que j'assistais à une conférence au Brésil. J'en fus abasourdie : à mon avis la situation exigeait une direction beaucoup plus ferme.

Imami eut la charge virtuelle du gouvernement et il inaugura son mandat en essayant d'apaiser tout le monde. A partir de ce moment-là, ce fut un peu comme si le régime avait choisi de se suicider par étapes.

Pour plaire à la droite cléricale, Imami rétablit le calendrier musulman, ferma les cabarets et les casinos. Mais Imami fut surtout présenté comme le chef d'une nouvelle politique de libéralisation.

Pour la première fois depuis des années, le Premier ministre choisit son cabinet sans consulter le Shah. Pour des raisons qu'il était seul à connaître, le Premier ministre avait pris dans son cabinet quelques anciens membres de la Savak, au moment où la seule mention du mot Savak était comme la cape rouge devant le mufle du taureau. Évidemment le peuple ne pouvait pas savoir que le Shah n'avait rien à voir dans le choix fait par Imami.

Pire encore : comme pour envenimer les choses, le Premier ministre présenta son Cabinet au Parlement, le Majlis, ouvrit une discussion libre sur ce sujet et permit que la séance fût télévisée. Le mot de « corruption » vola dans la salle, on attaqua le Cabinet et le Premier ministre, fidèle à sa conception personnelle de la « démocratisation », remercia les auteurs de ces critiques. Pour le téléspectateur iranien, ce genre de spectacle était déroutant, c'est le moins que l'on puisse dire. On aurait juré que le Shah avait déclaré chasse ouverte contre le gouvernement. Des attaques virulentes parurent dans les journaux pour critiquer tout ce qui de près ou de loin touchait au gouvernement — la presse avait alors toute liberté de le faire. Face à cette offensive, le Premier ministre gardait une attitude conciliante qui, en l'occurrence, ne pouvait qu'aggraver les difficultés.

Dans un pays comme l'Iran, le peuple respecte le pouvoir et la force. Les Iraniens demandent un chef doté d'une forte personnalité et non quelqu'un qui paraisse toujours rechercher la conciliation. L'insistance montrée par l'Amérique pour imposer son interprétation particulière des « droits de l'homme » produisit l'effet contraire de ce qu'on en attendait : elle montrait aux adversaires du Shah que les États-Unis avaient, en fait, décidé de l'abandonner à son sort. Faire des concessions, dans cette ambiance, montrait une faiblesse née du désespoir plutôt qu'une sincère tentative de conciliation et de réconciliation. Il me semble que les concessions doivent être faites avant que le peuple ne descende dans la rue ou lorsque l'ordre a été rétabli, mais qu'elles ne doivent certainement pas être faites sous la pression du désordre et de l'émeute.

Lorsque Sharif Imami se décida enfin à instaurer la loi martiale à Téhéran, il le fit sans enthousiasme et en temporisant, comme s'il craignait que le peuple n'apprît ce qu'il avait fait. Une de mes amies m'a raconté par la suite qu'un jour qu'elle discutait du couvre-feu et autres mesures restrictives avec sa gouvernante, celle-ci lui avait dit :

« Mais, Madame, tout cela ne me concerne pas : le couvre-feu ne concerne que les terroristes, n'est-ce pas ? »

Que ce soit par ignorance des dispositions de la loi martiale ou pour la défier, il se déroula à Téhéran, le 8 septembre 1978, une énorme et violente manifestation. Les troupes gouvernementales ouvrirent le feu : il y eut quatre-vingt-cinq tués et environ deux cents blessés. Les journaux appelèrent cette malheureuse journée le « vendredi noir » et les rumeurs parlèrent de milliers de morts. Les conséquences de cette journée furent tragiques, non seulement à cause de tous ces morts mais aussi parce que rien ne fut plus tenté pour maintenir l'ordre et épargner d'autres vies.

C'est à cette époque tourmentée que je vis l'Iran pour la dernière fois. J'assistais en Russie à une conférence de l'Organisation mondiale de la santé qui se tenait à Alma-Ata, dans le Kazakhstan. Entre deux séances je demandai, par le canal diplomatique habituel, à rencontrer Leonid Brejnev. Les relations entre la Russie et l'Iran étaient correctes mais froides depuis le jour où nous nous étions rapprochés de la Chine. Je vous ai déjà dit franchement ma position à cet égard : j'en étais partisan, comme je l'étais de l'admission de la Chine à l'O.N.U. J'espérais obtenir un entretien particulier avec Leonid Brejnev et y trouver l'occasion d'améliorer nos relations personnelles avec les Russes.

Ma demande reçut les excuses diplomatiques qui signifient « non ». En temps normal, ce refus ne m'aurait peut-être pas semblé revêtir une signification particulière mais alors, au moment où Radio-Moscou joignait sa voix aux attaques lancées contre le Shah, au moment où mon frère était littéralement assiégé, chaque revers prenait une signification sinistre.

Pourtant, et c'est assez curieux, au milieu de cette conférence, je fus invitée à un dîner offert par l'ambassadeur américain. Le sénateur Edward Kennedy était mon voisin de table et je me rappelle notre conversation cordiale. Il me demanda des nouvelles du Shah et me fit part du souci qu'il éprouvait en voyant mon frère faire face à tant de problèmes. Il me dit qu'il espérait que « tout se terminerait bien ».

Le sénateur Kennedy était venu en Iran au printemps 1975. Il avait prononcé un discours à l'université de Téhéran, dans lequel il faisait notre éloge pour l'œuvre considérable que nous avions accomplie dans le Proche-Orient.

Je quittai Alma-Ata par avion pour Téhéran. Tandis que l'appareil me ramenait dans ma patrie, je me rappelais ma dernière visite à Leonid Brejnev et combien l'atmosphère était cordiale lors du banquet qu'il avait donné en mon honneur. Il plaisantait et riait, comme il le fait généralement lorsqu'il n'est pas en représentation officielle. Lorsqu'arriva le dessert, il prit des cerises dans un plat et se mit à les glisser entre les lèvres de toutes les dames. Lorsque mon tour arriva, j'acceptais en le remerciant et il se mit à battre des mains, tout à fait enchanté.

Et voilà qu'aujourd'hui je devinais que, quelles que fussent les apparences, il était très probable que les communistes inspiraient la plupart des troubles. Je ne pense pas que, depuis le temps des tsars, la Russie ait jamais oublié le moins du monde son rêve de s'approprier les ports d'Iran ouvrant sur les mers chaudes. (En ce moment même, Brejnev se livre à un marchandage : interruption de l'intervention soviétique en Afghanistan contre un libre accès de tous les pays du monde au Proche-Orient.)

Après la chute de Mossadegh, j'ai lu dans une publication américaine un article écrit par Lev Vasiliev, un ancien agent des services secrets soviétiques. Il y relatait une réunion de diplomates soviétiques de haut rang rassemblés en janvier 1949 par Sadtchoukov, ambassadeur de Russie à Téhéran. Selon Vasiliev, Sadtchoukov aurait dit :

« Camarades, il est temps de s'occuper du Shah. Tant qu'il sera vivant, l'Iran ne sera jamais communiste.

— Alors, il ne faut pas qu'il reste vivant, avait répondu Christopher Oganessian, le consul général soviétique. »

Voilà d'où est venue la tentative d'assassinat du mois de février 1949. Lorsqu'elle eut échoué, les Russes définirent un programme en cinq points, ajoutait Vasiliev, un programme qu'ils ont suivi patiemment depuis trente ans. Il prévoyait « l'infiltration d'espions et de traîtres dans tous les domaines de la vie iranienne ; la corruption de chaque fonctionnaire susceptible d'être acheté et l'exercice de chantages sur ceux qui n'étaient pas à vendre ; la nationalisation de la raffinerie d'Abadan et autres mesures susceptibles de déstabiliser l'économie iranienne ; le sabotage de l'ordre public par une campagne de terreur, comprenant émeutes et assassinats ; enfin une propagande d'une virulence sans précédent dans la presse, les tracts et les publications religieuses ».

Sur ce dernier point, Vasiliev énumérait les sommes énormes dépensées en secret pour financer journaux et magazines et pour nouer des relations étroites entre la Russie et de nombreux mollahs iraniens. « Quand l'un de ces mollahs prêche selon les termes de la ligne politique soviétique, ajoutait-il, l'effet produit sur les musulmans dévots est immense. »

Comme les Russes ont été conséquents avec eux-mêmes ! me disais-je, et combien efficaces, en particulier dans leur utilisation d'une force que l'Occident a commis l'erreur de considérer comme un puissant rempart contre le communisme : la liberté religieuse. Aujourd'hui encore la presse occidentale a tort de croire qu'il existe une entité, « une nation islamique », qui peut être mobilisée contre le communisme. La presse ne réalise pas que le panislamisme a survécu historiquement comme forme de réaction contre la domination extérieure — généralement occidentale — et que son utilisation la plus efficace est d'ouvrir la route, non à la religion, mais aux partis politiques séculiers.

Le dernier souvenir qui me revenait pendant que mon avion volait vers l'Iran était celui d'une conversation que j'avais eue, il y a bien des années, avec Khrouchtchev. Il me disait que l'Iran avait été mal avisé de choisir les États-Unis comme amis et qu'un jour je verrais qu'il disait vrai. Quelques instants plus tard, il s'étendait sur ce thème en s'adressant à un groupe de reporters. Il leur expliquait que l'Iran était comme une pomme et qu'un jour, lorsqu'elle serait mûre à point, elle tomberait dans les mains des Soviets. A l'époque, cette déclaration avait été sévèrement condamnée par la presse iranienne mais, aujourd'hui, la monarchie était en danger et les paroles de Khrouchtchev prenaient un accent étrangement prophétique.

L'Iran et sa monarchie ont survécu à tant de crises en vingt-cinq siècles, et surmonté à la fin du XIXe siècle un mal qui a failli leur être fatal, qu'il paraissait incroyable que le pays pût s'écrouler aujourd'hui. Et pourtant...

Lorsque j'atterris à l'aéroport de Mehrebad, à Téhéran, je découvris une sinistre réalité. Des bandes manifestaient au pied du monument Shahyad et l'on m'apprit que les routes étaient bloquées et qu'il me faudrait prendre un hélicoptère pour regagner ma maison de Saadabad.

En survolant la foule qui entourait le monument Sha-hyad, j'aperçus une énorme tache noire. Un instant plus tard, je compris que cette tache était formée par une masse d'Iraniennes, ces femmes qui avaient atteint l'un des degrés d'émancipation le plus élevé de tout le Proche-Orient. Elles étaient là, sous le noir tchador funèbre que leurs grand-mères avaient porté. Mon Dieu, me dis-je, elles en sont arrivées là ? Pour moi, ce fut un peu comme de voir soudain mourir un enfant que j'aurais élevé.

J'arrivai chez moi en fin d'après-midi. Le lendemain, j'allai voir mon frère. Il était, comme toujours, d'un calme absolu en apparence mais je devinai sans peine qu'il était extrêmement inquiet.

« Que vas-tu faire ? lui demandai-je. Le danger est-il grand ? »

Il ne répondit pas directement à mes questions.

« Il n'est pas bon pour toi d'être ici en ce moment, me dit-il. Tu sais que tu as souvent servi de prétexte à des attaques contre le régime. Je crois qu'il est préférable que tu partes immédiatement.

— Je ne te laisserai pas seul, répondis-je. Tant que tu seras ici, je resterai auprès de toi. »

Pour la première fois depuis notre enfance, mon frère éleva la voix pour me crier :

« Je te dis cela parce que je veux avoir l'esprit tranquille : tu vas partir. »

C'est ainsi que j'ai quitté l'Iran pour aller à New York, sans savoir que c'était la dernière fois que je voyais ma patrie.

Il y avait chaque jour de nouvelles et graves manifestations à Téhéran. Les employés des postes se mirent en grève pour demander des augmentations de salaires et des logements plus confortables. Un représentant du Premier ministre leur promit 40 pour 100 d'augmentation et ils reprirent le travail. Le jour suivant, l'un après l'autre, tous les ministères se mettaient en grève, leurs fonctionnaires brandissant des photocopies des demandes de leurs collègues des postes. Le ministère des Finances, à son tour, se mit en grève. Enfin les désordres furent à leur comble lorsque l'on comprit que les salaires des fonctionnaires ne seraient pas payés.

A la fin du mois d'octobre 1978, tous les travailleurs de l'industrie pétrolière se mirent en grève et la production tomba d'un coup de 5 millions de barils par jour à moins de cent mille. Comme la consommation nationale exige sept cent mille barils par jour — pour les automobiles, les hauts fourneaux et même les fours des boulangers — cette grève-là s'ajoutant aux autres, c'est toute l'économie du pays qui tomba en panne.

En moins d'un an les prix montèrent de 50 pour 100. Pour la première fois depuis des années on vit des Iraniens sans emploi — alors que nous employions auparavant plus d'un million de travailleurs étrangers ! On fit la queue devant les pompes des stations-service, il y eut des pénuries de toutes sortes et, dans ce climat de désorganisation et de chambardement, « la guerre des cassettes » fit rage. C'est une arme de propagande qui s'est révélée très efficace dans le Proche-Orient : il s'agit simplement de la distribution massive de cassettes exhortant le peuple à descendre dans la rue, à se mettre en grève, à renverser le gouvernement en lui promettant pétrole, argent et alimentation pour prix de ses efforts. Un Occidental éprouvera sans doute une certaine difficulté à imaginer la magie qu'un tel message sans contrepartie peut exercer sur les masses, mais elle était immense, surtout dans cette période de troubles et d'agitation. Des haut-parleurs surgirent sur les toits et toute la nuit les messages pleuvaient, pareils aux appels des mollahs à la prière, mais pour exhorter le peuple à faire grève et à manifester.

Cet effet psychologique de masse donnait un caractère presque messianique à la campagne à longue distance que Khomeiny menait depuis son abri en France. Un certain jour, une rumeur naquit : l'image de Khomeiny allait apparaître sur la pleine lune et des milliers de gens descendirent dans la rue pour assister à ce miracle. Et il s'en trouva pour jurer qu'ils avaient réellement vu l'image de celui que l'on appelait le sauveur de l'Iran.

Des émeutes éclatèrent à Téhéran : boutiques, hôtels,

banques, édifices publics, ambassades furent incendiés et le plus souvent mis à sac. Le Premier ministre Imami démissionna et, le 6 novembre 1978, mon frère chargeait le général Gholam Reza Azhari de former un gouvernement militaire. Le pays connut trois jours d'une paix relative : le peuple attendait de voir dans quelle mesure ce « gouvernement militaire » serait tellement « militaire ». Et les troubles se poursuivirent. Le général Azhari libéra les derniers des prisonniers politiques — il y en avait de deux à trois cents, après les mille deux cents qui avaient été élargis le mois précédent. Nous sommes loin des fameuses dizaines de milliers avancés par la propagande. Le général réitéra l'offre qui avait été faite auparavant — amnistie pleine et entière pour tout Iranien qui respecterait la Constitution — mais le cycle de grèves et des inévitables pénuries qui s'ensuivent se poursuivit.

Tout au long de ces événements, les ambassadeurs de Grande-Bretagne et de Russie renouvelaient à mon frère l'assurance de leur appui, mais c'était davantage des mots creux qu'un soutien réel et cela fit plutôt à la monarchie plus de mal que de bien.

Enfin, en janvier 1979, mon frère apprit que le général Robert Huyser, un des chefs adjoints de l'état-major de l'O.T.A.N. en Europe était venu secrètement en Iran et qu'il avait pris contact avec Mehdi Bazargan, qui allait être, mais pour peu de temps, le premier en date des Premiers ministres de Khomeiny. Bien que la presse soviétique laissât entendre que la visite secrète de Huyser présageait une manœuvre des milieux militaires, nous sûmes plus tard que la mission de Huyser consistait, en fait, à neutraliser et à rendre inoffensive l'armée d'Iran, à empêcher le Shah de tenter un coup d'État avec le soutien des militaires et à lui enlever très discrètement son trône. Parmi ceux qui s'entretinrent avec Huyser se trouvaient : Hussein Fardust, ami d'enfance de mon frère, et aussi son chef d'état-major, le général Gharabaghi. Si mon frère a toujours peine à croire à la déloyauté de ceux à qui il fait confiance, j'ai toujours éprouvé, moi, une défiance instinctive à l'égard du général Gharabaghi ; aussi, lorsque mon frère annonça qu'il l'avait nommé chef de l'état-major, lui fis-je part de mes doutes et lui demandai-je de reconsidérer ce choix.

Lorsque le Shah prit la décision de faire appel aux politiciens pour former un gouvernement d'union qui représenterait et satisferait l'opposition, il s'aperçut que la plupart des hommes qu'il pressentait renâclaient, même lorsqu'il s'agissait simplement d'évoquer cette possibilité. Le monde politique iranien avait nettement l'impression que l'Amérique avait abandonné le Shah à son sort et un grand nombre de politiciens, de militaires — sans oublier Fardust ni Gharabaghi — en étaient même tellement convaincus qu'ils avaient déjà fait des ouvertures à Khomeiny.

Une semaine plus tard, le 3 janvier 1979, le jour où mon frère avait désigné le Dr Shahpour Bakhtiar comme Premier ministre, Cyrus Vance annonçait à Washington que le Shah quittait l'Iran pour « de courtes vacances ». (J'ai appris par la suite que pendant ces huit jours-là les chefs des États-Unis, de la France, de la Grande-Bretagne et de l'Allemagne fédérale s'étaient rencontrés à la Guadeloupe pour discuter des événements qui se déroulaient en Iran.) Je crois que c'est à ce moment précis qu'il fut décidé que le Shah ne reviendrait pas de ses « courtes vacances ».

Le gouvernement Bakhtiar n'avait pas l'ombre d'une chance : Khomeiny avait bien accepté de recevoir Bakhtiar en France mais dès qu'il fut assuré de n'avoir rien à craindre des Américains — le ministère des Affaires étrangères des États-Unis avait écouté complaisamment des dissidents iraniens qui lui assuraient que soutenir la cause de l'islam constituait le moyen le plus sûr de barrer la route aux communistes qui mobiliseraient les pauvres contre les riches et le trône —, dès que Khomeiny fut assuré, donc, de n'avoir rien à redouter des Américains il revint sur sa position et refusa de recevoir Bakhtiar. Il allait bientôt retourner en Iran et déclencher les événements historiques que nous connaissons tous aujourd'hui mais qu'on aurait eu alors grand-peine à imaginer.

9

L'EXIL

Le 16 janvier 1979, mon frère et la reine Farah s'envolèrent de Téhéran pour aller à Assouan, première étape sur la voie de l'exil. Il fut annoncé le 24 que l'Iran allait devenir une république islamique et le 1ᵉʳ février, Ruhollah Khomeiny faisait son entrée à Téhéran. Ultime Premier ministre désigné par le Shah, Bakhtiar se trouvait complètement isolé. Il essaya bien de faire appel à l'armée pour protéger et lui-même et ce qui restait alors du gouvernement, mais le général Gharabaghi avait déjà « livré » l'armée à Khomeiny. Craignant pour sa vie, Bakhtiar fit un départ précipité par hélicoptère et Khomeiny nomma son propre Premier ministre, Mehdi Bazargan.

Je suivais les événements minute par minute et je craignais, naturellement, pour la sécurité de mon frère. Dès qu'il fut arrivé à Assouan avec Farah, je leur téléphonai. Je vécus quelques jours d'angoisse dans l'ignorance où j'étais de ce qu'était devenu mon fils Shahriar. La presse déclarait qu'il avait été arrêté et je savais que le nouveau régime avait décrété qu'il devait être exécuté. Puis ce fut le silence total. Attendre était un calvaire. Enfin, je reçus un appel téléphonique d'un pays arabe du golfe Persique. C'était Shahriar.

« Je sais qu'on a diffusé la nouvelle de mon arrestation,

mais je ne pouvais pas t'appeler plus tôt pour te rassurer. C'est un miracle que je sois toujours vivant, mais je vais bien trouver un moyen de te rejoindre très vite. »

Je remerciai le Ciel que Shahriar fût sain et sauf et j'écoutai le récit de son évasion. Il s'était débrouillé pour mettre la main sur un petit bateau de plaisance à moteur. Avec un ami marin expérimenté, il avait quitté Bandar Abbas. La mer est dure dans ces parages, la navigation difficile et les deux amis n'avaient qu'une très légère avance lorsque les révolutionnaires lancèrent deux vedettes à leur poursuite. Grâces en soient rendues au Ciel, une tempête s'éleva. Certes, elle menaçait à chaque instant de retourner le petit bateau de plaisance mais elle contraignit aussi les poursuivants à renoncer. Pour le moment, mon fils était sauvé, mais son ami, lui, décida de retourner en Iran. Il y fut immédiatement arrêté (et sans doute exécuté).

Depuis la mort de son père, Shahriar et moi étions devenus plus proches encore : notre réunion fut particulièrement chaleureuse. Nous parlâmes longtemps de ce que l'Iran pouvait maintenant attendre de l'avenir. Il me dit qu'il ne supportait pas l'idée de vivre en exil et qu'il s'était juré de rentrer en Iran à tout prix. J'en tremblais pour lui, mais je savais que, si j'avais été à sa place, je n'aurais pas parlé autrement. Il ressemblait tellement à son père et à mon frère Ali Reza. Il était iranien et soldat et il ne voulait pas être autre chose.

Je suis allée ensuite au Maroc où mon frère était arrivé en quittant l'Égypte. Le roi Hassan nous y offrit l'hospitalité et nous accueillit avec la plus grande gentillesse. Si l'état de santé de mon frère était apparemment satisfaisant, il était en fait désespéré des nouvelles qu'il recevait de notre patrie. Il était clair que le fameux saint homme, cet homme de Dieu, voulait fonder sa république islamique dans l'extermination sanglante d'hommes politiques, soldats, journalistes, professeurs, négociants, diplomates et techniciens — de tous ceux qui avaient eu une part quelconque de la vie iranienne sous le régime des Pahlavi. Mais toutes les voix qui auparavant s'étaient élevées si violemment pour « les droits de l'homme » étaient devenues soudain curieusement silencieuses. On

226

s'attaquait à tout : aux musées, aux monuments, à toutes les marques de la monarchie iranienne, comme si la simple force de la terreur pût faire oublier aux Iraniens qu'ils vivaient en monarchie depuis deux mille cinq cents ans. Parmi les exécutions qui navrèrent le plus mon frère, il y eut celles d'Amir Abbas Hoveyda, qui avait servi comme Premier ministre pendant treize ans, et du général Hassan Pakravan, le chef de la Savak, le même homme qui avait sauvé la vie de Khomeiny en 1963.

En ce qui me concerne, ce que j'apprenais du sort des femmes en Iran m'était extrêmement pénible. Après tant de conquêtes si durement acquises, il leur était ordonné de reprendre le voile, elles retrouvaient la ségrégation et leur rôle subalterne de créatures de seconde classe. Au début, les femmes d'Iran manifestèrent contre les édits rétrogrades de Khomeiny et beaucoup furent emprisonnées ou exilées. Celles qui s'obstinaient à protester durent affronter des bandes de partisans de Khomeiny armés de poignards et de matraques. En Europe et en Amérique, les féministes étaient atterrées lorsqu'on leur rendait compte de ces scènes ou qu'elles en étaient les témoins.

Et il n'était pas question uniquement des droits de la femme, mais tout comportement un peu policé ou simplement civilisé semblait interdit sous le régime de cette nouvelle république. Dans les tout premiers mois du régime, un million et demi d'Iraniens (notamment des membres de l'intelligentsia et des professions libérales) quittèrent le pays. Le Shah n'avait pas précisé combien de temps il comptait séjourner au Maroc — il ne désirait pas s'y installer à demeure — mais vers la fin du mois d'avril on vint lui dire qu'il allait devoir partir dans un délai de vingt-quatre heures, car sa présence posait des problèmes politiques au roi Hassan.

La recherche d'un autre asile fut ardue et épuisante, car mon frère n'avait pas l'intention de s'imposer à un pays qui ne le désirerait pas. Le grand allié du Shah, les États-Unis, et en particulier le gouvernement Carter, s'accommodaient apparemment fort bien d'ignorer le sort de mon frère, quelques mois seulement après lui avoir renouvelé leurs promesses de soutien. Naturellement, nous demandâmes leur

aide à nos amis personnels, Henry Kissinger, l'ancien secrétaire d'État et David Rockefeller (les Rockefeller étaient nos
amis intimes depuis l'époque du programme du Point Quatre,
quand Nelson Rockefeller était l'adjoint particulier du président Truman pour les affaires étrangères). Lorsque j'entends
les reproches que l'on fait à ces hommes parce qu'ils se
montrèrent de véritables amis au moment où, dans la bonne
société et les milieux politiques, il n'était plus de saison
d'avoir des relations avec la famille Pahlavi, l'hypocrisie de
cette attitude me met en fureur. Si le Shah, comme le suggère
la presse, avait été un despote aussi cruel, alors les huit
derniers présidents des États-Unis peuvent s'asseoir à côté de
lui sur « le banc d'infamie » et partager sa prétendue
culpabilité, car personne n'a oublié que les leaders des
États-Unis ont loué et soutenu son régime pendant près de
quarante ans.

Ne rencontrant nulle assistance officielle dans sa recherche d'un asile, mon frère, grâce à des amis personnels, put
faire halte temporairement aux Bahamas et se rendre ensuite
à Cuernavaca, au Mexique. C'est là qu'il reçut la visite de
l'ancien président Nixon. C'était un ami parfait depuis 1953,
époque où il était le vice-président d'Eisenhower. Je n'ai vu
Richard Nixon qu'au cours de quelques cérémonies officielles
et je n'ai donc pas eu l'occasion de le connaître vraiment. Mais
mon frère m'a toujours dit que son intelligence des relations
internationales et le talent qu'il montre quand il s'agit de
formuler et de poursuivre une politique étrangère sont
supérieurs à ceux de la plupart des leaders américains.
Malheureusement, ses succès dans ce domaine — la cessation
de la guerre du Vietnam et la normalisation des relations avec
la Chine — ont été, on le sait, éclipsés par l'affaire du
Watergate.

Henry Kissinger, l'ancien secrétaire d'État, s'est rendu,
lui aussi, à Cuernavaca. Je l'admire depuis que j'ai fait sa
connaissance dans une réception à Washington. Le Dr Kissinger est un intellectuel, mais il conserve un sens fantastique
des réalités — c'est un homme qui comprend fort
bien que la puissance des États-Unis leur confère une
responsabilité morale à l'égard du monde libre. Les soucis

qu'il a exprimés à l'égard de mon frère lui ont valu de rudes critiques, mais son attitude en l'occurrence administre la preuve d'une fidélité rare et le montre sous les traits d'un homme dont les convictions ne changent pas avec chaque saute du vent de la politique.

Sur le plan personnel, mon frère aura toujours eu le soutien et la tendresse de la reine Farah. Bien que cette première année d'exil ait été déchirante aussi pour elle, le courage de Farah ne s'est pas démenti et elle a défendu sans broncher sa famille. J'ai pu lire la souffrance sur son visage, mais je ne l'ai jamais entendue se plaindre. Il y a près de vingt ans qu'elle est reine, mais sa noblesse et sa force de caractère ne doivent rien à son titre ni aux circonstances.

Les conséquences de l'exil ont sans doute été pour moi moins rudes que pour d'autres membres de notre famille. J'avais déjà été expulsée de mon pays et j'ai passé une grande partie de ma vie à l'étranger. Mon expérience m'a laissée sans illusions sur les amitiés politiques, dont je n'attends pas grand-chose, mais je dois avouer tout de même avoir été désarçonnée par la conduite de personnes que je tenais pour des amis personnels, de gens dont la cordialité ancienne s'est glacée à la première rafale de calomnies.

Le plus dur de cet exil aura été de lire et d'entendre la multitude de mensonges et d'accusations dont on a accablé ma famille. Dans le temps, je dédaignais le plus souvent les histoires mensongères que l'on pouvait écrire sur moi : je considérais que c'était le prix que doit s'attendre à payer un personnage public. Mais aujourd'hui elle me paraissent particulièrement insidieuses, car ces allégations sans fondement travestissent la vérité et permettent à ceux qui les professent d'affirmer que le nouveau régime instauré en Iran n'est pas si mauvais, pas aussi « mauvais » en tout cas que l'ancien.

Un peu plus tard dans la même année, Fereydoun Hoveyda, ancien représentant de l'Iran à l'O.N.U. et frère de l'ancien Premier ministre Amir Abbas Hoveyda, parut à la télévision et attaqua violemment Henry Kissinger à qui il reprochait de défendre le Shah. Dans cette interview, il prétendait que son frère avait dénoncé la corruption de la famille royale d'Iran et il dépeignait le Shah comme un tyran.

Je comprends fort bien que M. Hoveyda, comme d'autres exilés iraniens, ait tourné casaque, mais je voudrais qu'il me soit permis de commenter les accusations lancées par un homme que je connais au moins aussi bien que d'autres. A l'époque où Amir Abbas Hoveyda était ministre des Finances dans le cabinet du Premier ministre Mansour, Fereydoun, son jeune frère, était écrivain et vivait à Paris. Il recevait également des subsides de l'Iranian Oil Company pour faire un film sur Téhéran. Je l'ai fait venir un jour pour lui demander s'il voulait employer son talent au service du gouvernement. Il accepta et c'est à moi — et contre l'avis d'Ardeshir Zahedi, alors ministre des Affaires étrangères — qu'il doit d'être rentré en Iran après dix-huit ans passés à Paris et d'avoir été engagé au ministère des Affaires étrangères. Il allait devenir par la suite ministre adjoint des Affaires étrangères et finalement représentant de l'Iran aux Nations unies.

Pendant les longues années qu'il passa au service du régime, Hoveyda ne tarit jamais d'éloges à l'égard de mon frère. Aux moments les pires de la crise, Fereydoun Hoveyda m'a souvent parlé pour s'élever contre les efforts de conciliation de mon frère et pour suggérer que le Shah devrait employer l'armée pour étouffer toute opposition.

Je comprends fort bien sa douleur et son deuil après l'exécution de son frère. A sa place, j'éprouverais sans aucun doute les mêmes sentiments. A différentes reprises, j'ai essayé de lui expliquer que le Shah avait offert à son frère la possibilité de quitter l'Iran sans encombre — en lui donnant, par exemple, un poste à notre ambassade à Bruxelles.

C'est au début de l'année 1979, après qu'il eut quitté l'Iran, que j'ai appris la vérité sur la santé de mon frère. Dès notre plus tendre enfance, j'ai toujours réagi violemment — tant sur le plan physique que sentimental — lorsqu'il était souffrant ou malade. Ce n'est pas l'idée de la mort qui nous préoccupe, lui ou moi. Aussi différents que soient nos caractères, nous partageons une sorte de fatalisme qui nous fait croire que nous mourrons quand notre heure sera venue.

230

Ce qui me peine, c'est de voir mon frère malade et, bien qu'il n'admette jamais qu'il souffre, j'ai bien vu, quand je suis allée au Mexique, que son état de santé s'était aggravé. Vers la mi-octobre, les médecins mexicains lui conseillèrent un traitement spécial que l'on ne pouvait pas suivre à Mexico. Une fois de plus, nos amis intercédèrent auprès de l'administration américaine pour que le Shah puisse aller à New York y poursuivre ce traitement dans un hôpital. On a osé dire que l'on avait délibérément exagéré son état de santé afin qu'il soit autorisé à entrer aux États-Unis — mensonge que je trouve particulièrement odieux car mon frère est un homme fier et qui ne se prêterait pas à un tel artifice.

Mon frère était déjà depuis douze jours à New York lorsque les « étudiants » de Khomeiny s'emparèrent des cinquante otages qui sont toujours prisonniers au moment où j'écris ce livre. Ce retard me donne à penser que cet acte n'est pas tellement une manifestation d'indignation spontanée qu'une décision politique délibérée et soigneusement calculée afin de procurer à Khomeiny une audience internationale — l'importance accordée par les médias à chacune de ses paroles, à chacun de ses gestes, a donné à ses actes de piraterie un public qu'il n'aurait jamais eu autrement — et elle a eu pour effet de détourner l'attention mondiale de ce qui se passe en Iran loin des abords immédiats de l'ambassade des États-Unis.

Ce que Khomeiny veut cacher au monde entier c'est qu'au cours de l'année il a créé *de facto* un cadre social et économique essentiellement communiste, quelle que soit l'étiquette « islamique » dont on ait affublé cet amalgame de factions, et que la religion n'y joue qu'un rôle mineur.

Il est clair pour tous, aujourd'hui, que Khomeiny n'a pas, autant qu'il le prétend, la direction des affaires ; bien que son visage soit reproduit sur toutes les affiches, d'autres, derrière des portes closes, dirigent les affaires de l'État. Pendant que Khomeiny mobilise l'attention générale par ses menaces et ses crises de fureur, on nationalise les banques et les industries, les propriétés privées sont expropriées et des dizaines de milliers d'Iraniens jusqu'à présent maîtres sous leur toit ont été obligés de loger des personnes étrangères à leur famille. Bref, l'ambiance et le cadre d'un régime communiste ont été créés. La seule différence essentielle réside dans son appellation.

Ce que nous avons vu, c'est la répression la plus rétrograde perpétrée au nom de la religion : elle va jusqu'à l'exécution des homosexuels pour « crimes contre Dieu » et de femmes enceintes accusées d'adultère. Ceux qui connaissent notre religion et la pratiquent fidèlement — comme le président Sadate, par exemple — se sont élevés contre le « fou » de Qom qui ne sait que répondre : « Il est nécessaire que le sang coule. Plus l'Iran perdra de sang, et plus grande sera la victoire de la révolution. »

Pour détourner l'attention de la presse et du public de ses propres excès, le nouveau régime continue d'accuser le Shah et la famille royale d'avoir volé des sommes astronomiques au peuple iranien, mais il n'a pas encore fourni le moindre document à l'appui de ses accusations. Ces gens parlent de milliards transférés par le Shah dans des banques suisses, mais celles-ci disent que le total des fonds iraniens — et non pas seulement ceux du Shah — s'élèvent au plus à quelques centaines de millions de dollars. Ils affirment que le Shah a détourné les fonds de la Fondation Pahlavi et l'on retrouve ces accusations dans les mêmes journaux qui n'avaient pas assez de superlatifs pour féliciter le Shah d'avoir montré sa philanthropie éclairée en créant la Fondation.

Il prit cette décision, en 1958, dans l'intention bien arrêtée que les fonds servent au peuple d'Iran et il y versa une partie substantielle de sa fortune. Comme d'autres œuvres occidentales du même genre, la Fondation Pahlavi fit des placements — dans des banques, des hôtels, des manufactures — afin d'en recueillir les revenus. Mais à l'inverse de l'administration des fondations occidentales, l'administration de la Fondation Pahlavi était assurée par un comité spécial et mon frère n'y jouait qu'un rôle nominal, celui de président honoraire. Les fonds de l'œuvre furent consacrés : aux étudiants iraniens — dès 1977, environ treize mille d'entre eux bénéficiaient de bourses pour étudier chez nous ou à l'étranger —, aux institutions scolaires (pour la traduction, l'édition et la distribution de livres d'études), aux institutions religieuses (pour le nettoyage et l'entretien des mosquées), aux travailleurs iraniens (pour la construction d'habitations subventionnées lorsque le prix du terrain à bâtir et des loyers à Téhéran dépassèrent toutes limites). Chaque année, d'ailleurs, la Fondation publiait son rapport et son bilan dans les journaux iraniens.

On attend toujours que le nouveau régime fournisse une preuve établissant que le Shah a dérobé des milliards de dollars dans la caisse de la Fondation. Le régime n'a pas non plus prouvé ses accusations de fraudes financières formulées à l'égard de la famille royale. Il a montré des documents prouvant que des prêts avaient été consentis à la famille du Shah, mais il s'est bien gardé de préciser qu'il s'agissait de prêts destinés à financer certaines entreprises commerciales, telles que des entrepôts et des usines frigorifiques et que ces entreprises ont été depuis saisies par le nouveau régime.

Je n'ai pas été épargnée non plus : on m'a accusée de malversations parce que je participais à l'administration de différentes organisations, l'Organisation de la femme, l'Institut de lutte contre l'analphabétisme et trois universités. Mais on n'a pas dit que ces différentes organisations étaient toutes pourvues d'un conseil d'administration indépendant et d'une comptabilité bien distincte pour la gérance des fonds. Ne parvenant pas à m'imputer quelque méfait, le nouveau régime a recouru à des procédés d'histrion en exhibant à la télévision mes effets personnels — jusqu'à mes chemises de nuit — ; ces marques de richesse constituant sans doute pour ces gens autant de preuves de décadence et de dépravation.

Sur le plan politique, je comprends fort bien la campagne menée par Khomeiny pour avilir le Shah et sa famille tout entière dans l'esprit des masses. Certaines de ces calomnies traduisent sa haine personnelle des Pahlavi, mais il redoute bien davantage que la présence même de mon frère, roi en exil, ne constitue un point de rencontre de l'opposition à son propre régime. L'étrange variété de chiisme qu'il a inventée pour rassembler les masses commence à montrer des signes de faiblesse comme facteur d'union. Les différents groupes ethniques — Beloutches, Kurdes, Azerbaïdjanais — ainsi que les différents secteurs politiques qui étaient unis par la monarchie se rendent compte déjà de l'usure de cette chancelante « république islamique ».

Pour l'heure, l'opposition reste désorganisée, la majorité en est dispersée en différents groupes d'exilés. Mais ceux qui connaissent l'histoire de l'Iran savent bien qu'une opposition en exil peut être politiquement dangereuse. Alors Khomeiny s'efforce d'effacer les moindres traces de la monarchie iranienne : il veut qu'elle n'ait jamais existé — ses partisans ont même essayé de détruire l'antique cité de Persépolis mais les habitants s'y sont opposés — et il s'efforce aussi de discréditer les survivants de la famille des Pahlavi.

Je comprends tout cela très bien. Je peux comprendre également les attaques d'un politicien américain comme le sénateur Kennedy, qui m'a pourtant parlé bien souvent du régime de mon frère dans les termes les plus cordiaux. Après tout, 1980 est une année électorale et un gros titre ou deux par-ci, par-là, peuvent toujours être utiles pour étayer une campagne électorale vacillante.

Ce qui me paraît plus difficile à comprendre, c'est le comportement d'un homme comme Kurt Waldheim, secrétaire général des Nations unies, qui a proposé que les accusations lancées contre le Shah fassent l'objet d'un jugement par une commission internationale. Je réponds à cela : de quel droit et en vertu de quelle autorité le secrétaire général fait-il cette proposition ? L'O.N.U. n'est pas et n'a jamais été un organisme judiciaire et il me semble qu'en répondant ainsi aux actes de terrorisme du nouveau régime, l'O.N.U. créerait un dangereux précédent. Céder à la pression engendrée par la prise des otages, en pliant devant leurs geôliers, est une démonstration de faiblesse morale et politique. Se joindre à ceux qui attaquent le chef déposé d'un pays membre fondateur de l'O.N.U. et qui, sans compter, a soutenu l'organisation et œuvré pour elle, c'est faire preuve d'une certaine absence de sens moral.

Si j'admets que Kurt Waldheim ne désire pas, dans une situation aussi tendue, déplaire au nouveau régime, il me semble qu'il est allé bien au-delà de ce que recommandent la prudence et la diplomatie bien comprises.

En qualité de chef de la délégation de l'Iran, j'ai travaillé pendant des années avec M. Kurt Waldheim et nos relations étaient plus cordiales que celles de patron à associé. Officiellement et officieusement, il n'avait que paroles d'admiration et de louange pour le régime dirigé par mon frère. Proposer, dans ces conditions et au nom de l'O.N.U., la création d'une commission chargée d'instruire les accusations contre un chef d'État qu'il déclarait éclairé et homme de progrès, simplement parce que son régime a été renversé, devrait conduire, me semble-t-il, les nations moins importantes à penser que l'Organisation est en proie à la faillite morale et à l'impuissance politique.

Heureusement, cette attitude ne reflète pas les sentiments du public et, surtout, du public américain. Pendant le séjour de mon frère à l'hôpital, des milliers de lettres d'encouragement et de soutien, rédigées dans les termes les plus touchants et les plus cordiaux, nous sont parvenues, si nombreuses qu'il fallut en emplir une chambre. Elles nous venaient de gens totalement inconnus aussi bien que d'anciennes relations.

J'ai reçu, moi aussi, ma part de messages de sympathie lorsqu'au début du mois de décembre 1979, mon fils Shahriar fut sauvagement assassiné dans une rue de Paris par un des terroristes de Khomeiny. Je n'oublierai jamais cette journée-là. Azadeh m'appela de Paris et, d'une voix étranglée par les larmes et la douleur, elle m'apprit qu'on avait abattu mon fils à coups de revolver. Si je n'avais pas été déjà cuirassée par toute une année de tension et de malheurs accumulés, cette dernière et atroce nouvelle m'aurait probablement tuée sur l'heure.

Aujourd'hui encore, cette journée reste comme un mauvais rêve, comme quelque chose qui n'est pas réellement arrivé. Même si nous avons été souvent séparés, lorsqu'il servait dans le sud de l'Iran ou que mes travaux m'éloignaient, je n'arrive pas à croire que je ne le reverrai jamais. Et, à mesure que passent les jours, le sentiment de ce vide affreux s'accroît, lentement, par degrés. Je souffre, je souffre aussi pour sa jeune femme et ses deux enfants et je demande : qui répondra de la mort de mon fils ?

Mon tour viendra peut-être, parce que ceux qui ont tué mon fils savent qu'aussi longtemps que je vivrai, je les combattrai de toutes mes forces et par tous les moyens. Il y a longtemps que j'ai accepté cette éventualité et je n'ai pas peur. Mais je crains pour ma fille qui parle ouvertement contre le nouveau régime, en privé et dans la presse. Je lui recommande bien la prudence, mais c'est une femme maintenant, aussi résolue et obstinée que moi et je sais que, quoi que je puisse dire, elle fera ce qu'elle estime devoir faire. Après mon frère, Azadeh est, je crois, celle d'entre nous qui souffre le plus de l'exil, qui se sent le plus « amputée » de son pays et de la culture qu'elle a tant aimés. Hélas ! lorsque nous en parlons, je crains de n'avoir que peu de réconfort et de consolation à lui offrir.

Son frère, mon fils, a été tué parce que lui aussi était de ces patriotes qui ne s'accommodent pas facilement de l'exil. Il est mort en terre étrangère, abattu traîtreusement, tué dans le dos par un assassin, ce qui n'est pas la mort d'un soldat. Mais il ne sera pas inhumé en terre étrangère. J'ai fait embaumer son corps et il reposera, un jour, en Iran, comme il l'aurait souhaité.

Après la mort de mon fils, je suis allée chercher le réconfort là où je suis toujours allée depuis notre enfance — auprès de mon frère. Je suis allée en avion à la base de l'armée de l'air de Lackland, au Texas, où il séjournait avant d'aller à Panama. Le ciel du Texas était froid, pluvieux et gris, aussi triste que la vie peut l'être.

Les gens de la base se montraient empressés et aimables, mais l'ambiance de casernement où nous nous trouvions était strictement militaire, les mesures de sécurité rigoureuses. Voir là mon frère, roi sans pays, vivant comme en état de siège, m'était à peu près insoutenable. Quels que soient les sentiments qu'il pût éprouver, son comportement restait celui d'un roi — serein, calme — et il émanait de lui une dignité tranquille qui donnait de la force à ceux qui l'entouraient.

Nous parlâmes pendant des heures de ce qui se passait en Iran ; nous nous demandions où en serait notre pays dans un an. A cet égard, il me paraît que quel que soit l'homme ou l'événement qui a précipité la chute du Shah, les communistes en seront les principaux bénéficiaires. Un autre danger constant — dont mon père et mon frère ont souvent discuté —, c'est que l'Iran se désintègre en groupes ethniques ou en diverses provinces et qu'il ne reste virtuellement rien qu'un infime noyau du pays organisé que nous avons travaillé à édifier.

Nous parlions de nos enfants, nous évoquions d'autres époques, des époques ou plusieurs choix s'offraient à nous. Et si ?... songeais-je. Et si j'avais écouté Staline, il y a trente ans ? Si l'Iran avait choisi son voisin du nord au lieu de son lointain voisin de l'ouest — que serait-il advenu ? Le prix de cette alliance aurait sans doute été en vérité très élevé, mais le peuple de l'Iran ne serait peut-être pas abandonné dans un pays économiquement bouleversé et en grand danger de désintégration. Bien sûr, ce n'est qu'une spéculation intellectuelle, une énigme qui ne comporte pas de réponse.

J'observais mon frère, à la lumière morose de cette caserne du Texas et je voyais dans ce triste et calme visage soixante années d'existence, de succès, d'échecs et d'amour de son pays. C'était le reflet de ma propre vie, de tout ce que j'ai le plus aimé au monde. Tant qu'il serait là, rien ne pourrait m'abattre. Et je priais pour lui que ce ne fût pas là le dernier chapitre d'une histoire commencée il y a soixante ans, à Téhéran dans la modeste maison d'un soldat. Pour mon frère et pour l'Iran, j'espère qu'elle n'est pas terminée.

ANNEXES

(Note de l'éditeur : les textes suivants ont été présentés
à l'O.N.U. par Ashraf Pahlavi.)

ORGANISATION DES NATIONS UNIES
CENTRE D'INFORMATION ÉCONOMIQUE ET SOCIALE

*Les chefs d'État des soixante nations signataires d'une déclaration de
soutien en faveur de l'Année internationale de la femme, janvier 1975.*

Parmi les chefs d'État de quelque soixante nations qui ont signé une
déclaration de soutien en faveur de l'Année internationale de la femme, on
compte huit souverains et trente-trois présidents.

La déclaration fut présentée par la princesse Ashraf Pahlavi d'Iran à
Monsieur Kurt Waldheim, secrétaire général des Nations unies, au cours
d'une cérémonie qui s'est déroulée au conseil de sécurité à New York, le
10 décembre 1974.

Dans son discours, le secrétaire général déclara que l'Année internationale de la femme exprimait la volonté des Nations unies d'attirer l'attention
de chaque gouvernement et de chaque citoyen sur le fait que de graves
inégalités persistaient dans de nombreuses parties du monde, entre les

hommes et les femmes, en particulier dans les domaines de l'éducation et de l'emploi. Il ajouta que la pression des droits de la femme relevait de la justice humaine et que le problème nécessitait une meilleure utilisation des capacités humaines dans le monde.

Texte de la déclaration :

La déclaration souligne que :
— Le principe fondamental de l'égalité des droits entre les hommes et les femmes a été proclamé par la charte des Nations unies, ainsi que par la Déclaration universelle des droits de l'homme, et réaffirmé dans d'autres textes et conventions internationales.

— Les Nations unies ont en outre reconnu à plusieurs reprises, notamment à l'occasion de la conférence internationale sur les droits de l'homme, que la paix ne peut être maintenue et le progrès économique et social, assuré sans la pleine participation des femmes, aux côtés des hommes, dans tous les domaines.

— Malheureusement, le progrès dans cette direction a été extrêmement lent, et un large fossé subsiste entre les principes acceptés et les pratiques en vigueur.

— Dans l'effort d'amélioration de la qualité de la vie qui caractérise le monde moderne, on peut séparer le progrès de la condition des femmes de leur intégration dans le développement.

— Notre espoir de voir les femmes devenir une nouvelle source d'équilibre et d'harmonie dans la société est basé sur l'élimination des formes traditionnelles de ségrégation dans la division du travail en général.

— Nous espérons sincèrement qu'à l'occasion de l'Année internationale de la femme, qui commence le 1er janvier 1975, tous les États envisageront de prendre des mesures concrètes à cette fin.

Parmi les nations représentées par leurs signataires se trouvaient : l'Afghanistan, l'Algérie, l'Autriche, l'Australie, Bahrein, le Bangladesh, la Belgique, le Brésil, la Bulgarie, le Canada, Cuba, le Danemark, l'Égypte, l'Éthiopie, la Finlande, la France, la République démocratique allemande, la République fédérale d'Allemagne, la Grèce, la Hongrie, l'Islande, l'Inde, l'Indonésie, l'Iran, l'Italie, la Côte-d'Ivoire, le Liban, le Japon, le Mali, la Malaisie, Malte, la Mauritanie, le Mexique, le Maroc, les Pays-Bas, la Nouvelle-Zélande, le Népal, la Norvège, le Nicaragua, Oman, la Pologne, le Pakistan, les Philippines, Singapour, la Roumanie, l'Espagne, la Suède, le Soudan, la Syrie, Trinidad et Tobago, la Turquie, le Royaume-Uni, les U.S.A., l'U.R.S.S., l'Uruguay, le Venezuela et la Yougoslavie.

ANNEXES

CONSEIL ÉCONOMIQUE ET SOCIAL
DES NATIONS UNIES

Comité consultatif pour la conférence mondiale
de l'Année internationale de la femme
3 au 14 mars 1975.

Déclaration faite par S.A.I. la princesse Ashraf Pahlavi (Iran), président du
comité consultatif pour la conférence mondiale de l'Année internationale de
la femme.

Conformément à la décision prise par le comité consultatif dans sa
deuxième séance du 4 mars 1975, la déclaration faite par le président au
cours de la première séance du 3 mars est diffusée ci-après.

En me nommant président du comité consultatif, vous m'avez non
seulement témoigné votre confiance, ce qui me touche profondément et
mérite ma sincère gratitude, mais vous m'avez confié une tâche dont je
mesure toute l'ampleur.

Dans l'histoire de la lutte pour l'égalité entre les hommes et les femmes,
principe proclamé par la charte des Nations unies et par de nombreux
documents internationaux, le rôle de notre comité peut se révéler décisif.

La déclaration tendant à l'élimination de toute discrimination envers
les femmes reconnaît que cette discrimination est fondamentalement
injuste et constitue une offense envers la dignité humaine.

Malheureusement, en dépit des efforts d'organismes internationaux,
régionaux et nationaux, l'égalité est demeurée en grande partie théorique.

Encore aujourd'hui, la discrimination commence très souvent au
berceau et accompagne les femmes leur vie durant. Dans presque tous les
domaines publics et privés, les femmes sont souvent traitées comme des
êtres inférieurs et marginaux.

Que ce soit dans la famille, à l'école ou au travail, être née femme c'est,
d'une certaine façon, être née handicapée. Non seulement cette situation est
extrêmement injuste et contraire aux droits fondamentaux et à la dignité de
l'espèce humaine, mais ses répercussions malfaisantes affectent tout autant
les hommes et les enfants que les femmes elles-mêmes et entravent
sévèrement le progrès économique et social de l'humanité.

C'est pour donner une nouvelle impulsion à l'action entreprise en ce

243

domaine, pour mobiliser l'opinion publique mondiale et encourager les gouvernements à se pencher sur ce problème que l'assemblée générale des Nations unies a décidé que 1975 serait l'Année internationale de la femme.

Au cours de cette année 1975, l'événement majeur sera incontestablement la conférence de l'Année internationale de la femme, première réunion mondiale consacrée à ce sujet au niveau des délégations gouvernementales.

Comme vous le savez, la tâche essentielle de la conférence sera de dresser un plan d'action internationale pour faire du thème central de l'Année internationale de la femme — égalité, progrès et paix — une réalité. C'est pour préparer ce plan que notre comité consultatif est réuni aujourd'hui.

En conséquence, le succès de la conférence de Mexico dépendra pour une large part de la qualité de nos travaux, et son issue déterminera en retour le succès de toute action ultérieure en faveur des femmes.

Encore qu'il y ait certaines similitudes dans les problèmes des femmes du monde entier, la forme que prennent ces problèmes varie beaucoup d'une région à l'autre. Le fait que toutes les sphères géographiques soient représentées au sein de notre comité nous permettra de garder présente à l'esprit cette diversité de circonstances, tout en traitant le problème d'ensemble.

Cependant, certains principes et certaines données de base sont communs aux femmes du monde entier. Il en est ainsi d'abord parce que le problème des femmes est fondamentalement un problème humain qui englobe l'idée de justice et de respect pour la personne humaine en tant que telle. La justice et le sens de la dignité exigent que toute femme ait des chances, des droits et des devoirs égaux, pour elle-même en tant qu'individu, vis-à-vis de ses enfants en tant que parent, vis-à-vis de la société en tant que citoyenne.

Le thème de l'égalité n'est, bien sûr, pas nouveau et, dans ce domaine, la commission du statut de la femme, en particulier, a à son actif de remarquables résultats sur le plan légal. Malheureusement les conventions internationales qui ont été passées n'ont pas été largement ratifiées et, plus encore, même si la loi n'est plus discriminatoire dans ses termes, elle n'est pas forcément appliquée en pratique.

De nos jours la discrimination pratiquée ouvertement et légalement n'est peut-être plus l'obstacle majeur au progrès de la condition féminine. Les problèmes essentiels naissent plutôt d'attitudes traditionnelles sur le rôle de la femme dans la société.

Dans cette perspective, tout un processus d'éducation et de changement de mentalités — non seulement des hommes mais aussi des femmes elles-mêmes — est nécessaire. C'est une tâche de longue haleine qui exige un effort continu et soutenu.

Il ne suffit pas de proclamer de grands principes et de faire de beaux discours. Le statut des femmes ne sera pas amélioré par des ectoplasmes verbaux.

La véritable émancipation des femmes ne commence qu'avec leur indépendance économique. Leur donner les moyens intellectuels et techni-

244

ques de gagner elles-mêmes leur vie, sans dépendre des hommes, c'est poser les bases de leur libération.

C'est en ce sens que l'intégration des femmes dans le développement est d'une réelle importance. Il y a une différence, modeste mais essentielle, entre l'intégration des femmes dans le développement conçu comme un moyen d'assurer le progrès de leur condition et l'intégration des femmes conçues comme des unités de travail, situation qui, si on la considère de ce seul point de vue, peut aboutir à une aggravation de leur exploitation.

Le droit des femmes à travailler dans des conditions totalement égales à celles des hommes, la reconnaissance de la valeur de leur contribution à la société — que ce soit au foyer ou hors du foyer — telle est la clé de voûte de toute action en faveur des femmes, et de là découlent la plupart de leurs autres droits et devoirs. Le droit au travail en lui-même implique l'accès aux moyens pratiques *d'exercer* ce droit, à savoir l'instruction, l'enseignement technique et professionnel, l'abolition de la division du travail en secteurs « masculin » et « féminin », un salaire égal à temps de travail égal et à qualité de travail égal, les mêmes perspectives de carrière et le même accès à des postes de responsabilité, etc.

Cela suppose, en bref, que les femmes se libèrent des chaînes qui les ont si longtemps confinées à leur foyer. Il est évident que les femmes ne peuvent espérer participer pleinement aux prises de décision et aux activités économiques de la société tant qu'elles ne sont pas en mesure de décider librement du nombre de leurs enfants. Un fort taux de natalité, en raison des servitudes qu'il comporte, s'accompagne souvent de l'attribution à la femme d'un statut inférieur. C'est tout à la fois le résultat et la cause du sous-développement. Un cercle vicieux qui doit maintenant être brisé.

Dans ce domaine comme dans d'autres, il est clair qu'il y a interdépendance fondamentale entre le statut des femmes et le degré de progrès économique et social d'un pays.

Le fait que la communauté internationale semble être devenue consciente de cette interdépendance a été mis en évidence par la « stratégie pour une deuxième décennie de développement », la conférence pour l'alimentation et par tous les plans d'action régionaux tendant à l'intégration des femmes dans le développement.

A la base de toute action, on retrouve le besoin fondamental pour une politique de l'éducation. Cette éducation est nécessaire à plusieurs niveaux et par-dessus tout dans l'information des masses, auxquelles le rôle des femmes, trop souvent négligé, doit être expliqué.

Dès leur plus jeune âge, les enfants entendent répéter que les femmes sont moins intelligentes, ont moins de capacité au travail et on leur inculque l'image d'une femme au foyer.

Les faits démontrent l'absurdité de tels préjugés, mais les coutumes et les traditions sont telles que les femmes elles-mêmes acceptent une image dont elles sont les premières victimes.

Dans ce domaine le rôle des communications et des programmes d'éducation est essentiel.

Tout aussi décisifs sont la lutte contre l'analphabétisme et l'enseignement technique et professionnel destiné aux femmes.

Les statistiques montrent que c'est chez les femmes que l'on trouve le plus fort taux d'analphabétisme. Même lorsque l'instruction primaire est obligatoire, les filles abandonnent leurs études plus jeunes. Le pourcentage de leur participation décline rapidement au niveau du secondaire et tombe très bas au niveau de l'enseignement universitaire et technique. Cela est dû au fait que les filles ont coutume de se marier plus tôt et de confiner leurs activités au travail ménager.

Ainsi, les femmes qui veulent travailler ou qui sont obligées de gagner leur vie se heurtent partout aux mêmes obstacles en raison de leur manque d'instruction. Cette résistance des sociétés à l'éducation des femmes et à leur participation aux activités sociales et professionnelles est fondée essentiellement sur deux idées fausses.

Premièrement, l'idée que les enfants sont l'unique responsabilité de la mère. Pourtant, la maternité est essentiellement une fonction sociale, et la logique voudrait que les responsabilités domestiques et familiales soient partagées à égalité entre les hommes et les femmes. Deuxièmement, l'idée que la participation des femmes à la vie économique d'un pays n'est pas vraiment nécessaire. Cependant, en premier lieu, et toute considération utilitaire mise à part, le droit au travail est un droit fondamental de la personne humaine, une source de son développement, de sa liberté et de son indépendance.

En outre, il est bien connu qu'en plus de leurs tâches ménagères et de leurs devoirs maternels, les femmes des milieux ruraux sont responsables, pour une part importante et peut-être prépondérante, du travail agricole.

Dans les villes aussi, de plus en plus de femmes sont amenées à travailler pour augmenter le revenu de la famille. Ainsi ont-elles deux « travails », l'un à l'extérieur et l'autre au foyer, où elles ne sont guère aidées par le mari.

Au total, le caractère marginal du rôle des femmes dans le développement économique national est la source d'un gigantesque gaspillage des ressources humaines.

Il est également évident que le manque d'instruction de la mère rejaillit automatiquement sur les enfants qui sont confiés à ses soins.

Un proverbe oriental dit à juste raison : « Éduquez un homme et vous éduquez un individu. Éduquez une femme et *vous éduquez une nation.* »

Mais il ne suffit pas d'éduquer. L'éducation telle qu'elle est conçue aujourd'hui doit être totalement réformée à la fois dans son esprit et dans ses méthodes.

Si la discrimination envers les femmes existe dans presque tous les pays et doit être condamnée en tant que telle, elle est particulièrement flagrante dans les pays pauvres où des besoins aussi vitaux que l'hygiène, la nourriture, le logement, l'instruction et l'éducation sont insuffisants à tous les niveaux. En outre, les problèmes auxquels les femmes sont confrontées dans les zones rurales sont différents de ceux auxquels elles font face dans les zones urbaines.

Notre comité devra prendre toutes ces questions en considération lorsqu'il préparera un plan d'action international.

Les échecs passés ne doivent pas nous décourager. On ne peut bâtir que dans l'optimisme, et l'année 1975 nous offre une base solide pour notre action à venir. Non seulement le terrain a été dans une certaine mesure préparé par les efforts des trente dernières années, mais il semble que depuis quelque temps les gouvernements soient de plus en plus conscients de l'importance du problème.

Bien sûr, nous ne pouvons pas faire tout tout de suite dans un domaine aussi complexe. Le plan d'action que nous devons dresser pourrait difficilement se limiter à une période d'un an, et nous devons admettre qu'au moins une décennie d'efforts soutenus sera nécessaire pour aboutir à des résultats substantiels.

Un autre fait nous permet d'être optimiste : pendant les quelques mois de la conférence de Mexico, près des deux tiers des chefs d'État et de gouvernement du monde ont approuvé la déclaration pour l'Année internationale de la femme, que j'ai eu l'honneur de soumettre à leur attention. Ce faisant, ils se sont montrés favorables à toute mesure spécifique ayant pour but d'éliminer toute forme de discrimination à l'égard des femmes.

Pour la communauté mondiale, l'Année internationale de la femme est une occasion unique de promouvoir l'égalité entre hommes et femmes, non seulement dans la loi mais aussi dans la vie quotidienne, assurant la pleine participation des femmes dans l'effort de développement à la fois au niveau du projet et à celui de l'exécution, et leur garantissant la pleine jouissance des droits de la personne humaine.

Il n'est pas question d'accorder des droits aux femmes mais de leur reconnaître et de respecter en elles ce qui leur est inhérent en tant qu'êtres humains.

Plus encore, l'harmonie entre les nations ne peut être garantie aussi longtemps que cette harmonie n'existe pas entre les hommes et les femmes dans chaque famille, dans chaque entreprise et dans chaque pays. Les femmes ont leur rôle à jouer dans le maintien de la paix, un rôle que personne n'a le droit de mépriser. Dès 1846, le grand écrivain Gogol écrivait :

« L'influence des femmes peut être considérable, surtout de nos jours, dans l'ordre et le désordre actuels de notre société, où nous percevons une certaine lassitude civique, une froideur spirituelle, une sorte de déclin des valeurs morales, qui exige un réveil. Pour provoquer ce réveil, la collaboration des femmes est essentielle. »

Et, selon le mot d'Oscar Wilde, le passé peut être effacé, mais le futur est inévitable.

Il est temps de rompre une fois pour toutes avec un passé de frustration et d'exploitation des femmes et d'amorcer le chemin vers un avenir où les hommes et les femmes vivront dans la compréhension mutuelle, la liberté et la dignité.

Permettez-moi d'ajouter quelques mots sur l'organisation de notre travail.

Nous n'avons que dix jours pleins de travail pour accomplir notre tâche. Nous devons donc travailler de façon constructive et en observant une certaine discipline.

Dans cette optique, je vous demanderais de bien vouloir limiter vos interventions dans la mesure du possible.

Je voudrais aussi vous demander de commencer nos réunions à l'heure et d'éviter ainsi toute perte de temps.

Avant de conclure, je voudrais adresser spécialement un mot de remerciement à Madame Helvi Sipala dont nous avons toujours profondément apprécié le dévouement et l'efficacité.

Chaque jour de cette année 1975 nous montre de plus en plus clairement que le choix de Madame Sipala comme secrétaire général de l'Année internationale de la femme est un facteur important de succès de notre travail.

En mon nom personnel et en celui de président, je tiens à exprimer ma gratitude à Madame Sipala et à l'assurer de notre entier soutien dans la poursuite de sa noble tâche.

Je voudrais aussi remercier les membres du secrétariat, et en particulier Madame Bruce qui, ainsi qu'on a pu le voir par l'excellent document soumis au comité consultatif, a brillamment rempli une mission très difficile.

TABLE DES MATIÈRES

ACHEVÉ   D'IMPRIMER
LE 29 AOÛT 1980
SUR LES PRESSES DE
L'IMPRIMERIE HÉRISSEY
A   ÉVREUX   (EURE)
POUR LES   ÉDITIONS
ROBERT   LAFFONT

Nº d'édition : H 782
Nº d'impression : 26527
Dépôt légal : 3ᵉ trimestre 1980

Imprimé en France